Les Éditions du Boréal
4447, rue Saint-Denis
Montréal (Québec) H2J 2L2
www.editionsboreal.qc.ca

LE TIGRE ET LE LOUP

Emmanuelle Brault

LE TIGRE ET LE LOUP

roman

Boréal

Les Éditions du Boréal remercient le Conseil des Arts du Canada ainsi que le ministère du Patrimoine canadien et la SODEC pour leur soutien financier.

Les Éditions du Boréal bénéficient également du Programme de crédit d'impôt pour l'édition de livres du gouvernement du Québec.

Dépôt légal : 1er trimestre 2004
Bibliothèque nationale du Québec

Diffusion au Canada : Dimedia
Diffusion et distribution en France : Les Éditions du Seuil

Données de catalogage avant publication (Canada)

Brault, Emmanuelle

Le Tigre et le Loup

ISBN 2-7646-0282-0

I. Titre.

PS8553.R347T53 2004 C843'.6 C2003-941872-3

PS9553.R347T53 2004

À Alexandre

Voici que le Très Grand crée un être unique qu'il scinde en deux. D'un côté, le Tigre, qu'il envoie au Sud et à l'Est afin qu'il apprenne la moitié du monde. De l'autre, le Loup, qu'il envoie au Nord et à l'Ouest afin qu'il apprenne l'autre moitié du monde. Jusqu'à ce que leurs chemins se croisent. Ensemble, ils posséderont le monde.

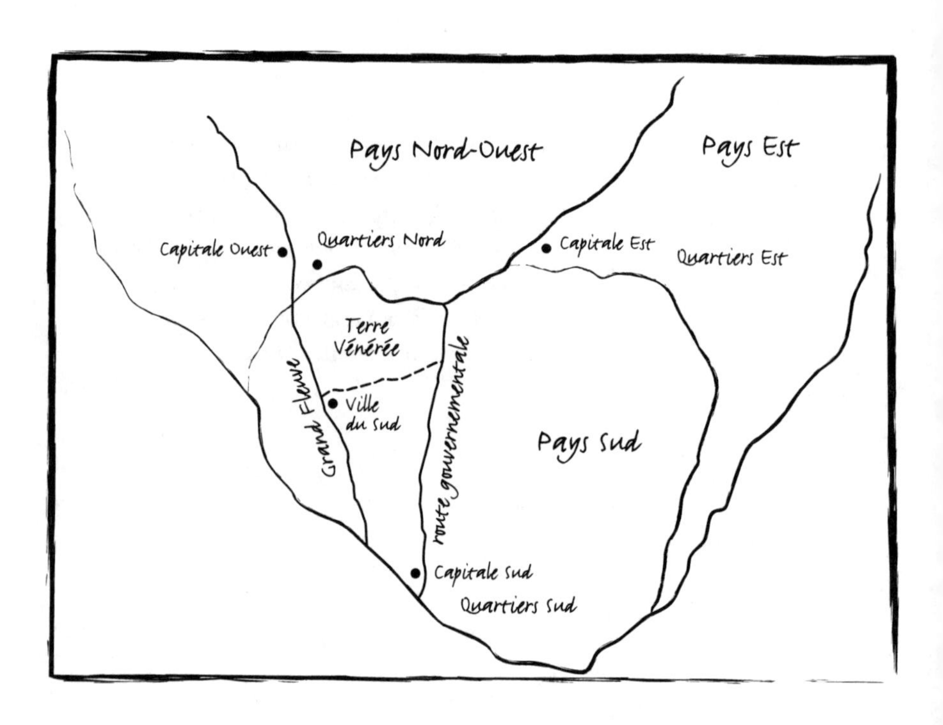
Pays Nord-Ouest
Pays Est
Capitale Ouest
Quartiers Nord
Capitale Est
Quartiers Est
Terre Vénérée
Grand Fleuve
Ville du Sud
route gouvernementale
Pays Sud
Capitale Sud
Quartiers Sud

LIVRE PREMIER

Le Loup

CHAPITRE I

Je passe tout mon temps en silence à réfléchir. J'imagine alors des lieux, des gens, des moments, hors du commun. Pour oublier le monde; pour m'en préserver aussi. Non pas que je le craigne; plutôt, il m'étouffe. Oh, j'ai bien tenté de me conformer. Peine perdue, vie foutue. Profondément rebelle et idéaliste, j'ai décidé très jeune, sitôt la conscience éveillée, de cultiver mon jardin intérieur en marge de la réalité. Ce qui m'aura causé nombre de soucis. J'ai donc vécu, jusqu'à ce jour, une existence extérieure ponctuée d'échecs et de recommencements, surtout dans mes relations avec les autres. L'esprit, en revanche, n'a jamais cessé de grandir, surtout dans mes relations avec l'environnement naturel. Le bonheur, puisqu'il faut le mentionner, je l'ai toujours puisé dans l'espèce humaine. Paradoxe élémentaire voulant qu'il n'y ait rien de plus exaspérant ni de plus stimulant qu'un autre être humain. Aussi, je demeure, et j'attends...

J'aurais dû être ailleurs, mais j'étais là, sur un banc, à réfléchir. Aucune idée de l'heure. Même l'endroit n'avait pas d'importance en soi. Je le connaissais bien. Pourtant, c'était la première fois que je m'y rendais, et jusqu'alors j'ignorais s'il existait réellement. J'avais donc choisi de suivre mes propres pas. Au centre de la place, une fontaine d'où giclait une eau poudreuse avec sa lourde odeur de chlore. Autour, des bacs verts emplis d'annuelles urbaines; pompons d'or...

Des bancs, verts aussi, dispersés dans quatre directions, que des lampadaires sans époque éclairaient de leurs mouches à feu. À ma gauche, le terrain de stationnement, à peine trois ou quatre places, du petit restaurant, juste à côté. Au fond du terrain, une haute clôture de bois qui masquait en grande partie les immeubles contigus.

Il est apparu à ma droite, remontant la rue étroite qui semblait jaillir de l'eau du fleuve. Toujours sur mon banc, je réfléchissais droit devant. Parvenu à ma hauteur, il s'est arrêté. Il oscillait légèrement ; il était soûl. Sans attendre, il m'a parlé en employant ma langue maternelle puisqu'il se trouvait dans mon pays. Une voix profonde, au débit hachuré et au ton sec.

— Qu'est-ce que tu fais là, ainsi ?

— J'attends.

— Qu'est-ce que tu attends ?

Entre la réflexion et la réalité, voilà que je lui lance, comme si la réponse allait de soi :

— Un gros minou !

Et, passant sa main sur son visage :

— Qu'est-ce que c'est, « minou » ?

— Un tigre !

Silence. Le temps s'égrène ; il réfléchit.

— Hum !… Je suis, gros minou.

Sur ce, il me tend la main, que dis-je, une patte gigantesque, dans laquelle j'ai glissé ma menotte. Je me suis levée, et je l'ai suivi ainsi que j'avais auparavant suivi mes propres pas.

Nous avons emprunté une porte pratiquée à même la clôture. J'ai aussitôt reconnu les lieux, et je savais déjà où il me mènerait. Ensemble, nous avons gravi l'escalier, ouvert la porte, longé le couloir. Une autre porte ; la sienne. À gauche, la salle de bains ; en face, son grand lit ; à droite, une cuisinette avec une fenêtre d'où l'on aurait pu épier notre première rencontre, une table et deux bancs ; à côté, un fauteuil fatigué d'avoir beaucoup bercé. Une seule pièce, hormis la salle de bains. Sa main n'avait pas quitté la mienne ; il y avait du feu dans ses yeux bridés.

J'ai résolu de le pousser gentiment et ainsi de le contraindre à reculer vers le côté du lit où je savais qu'il avait l'habitude de dormir. Profitant du fait qu'il parvenait encore à se tenir debout, j'ai entrepris de le déshabiller. Il s'est mis à sourire ; sorte de rictus étrange, à la fois gourmand et malicieux. En dépit de l'alcool, il s'acquitterait aisément de son désir. Pas moi. Aussi, après lui avoir retiré presque tous ses vêtements, j'ai ouvert le lit, l'ai fait s'y étendre, docile, pour ensuite rabattre le drap et la couverture.

— Dormir, Gros Minou…

J'ai alors pris le jeté qui recouvrait le fauteuil, me suis retirée en fermant lentement la porte. Le couloir. Juste en face, une autre porte : la mienne. Je suis entrée et, comme il n'y avait pas de meubles, me suis couchée par terre. Tant bien que mal, je me suis endormie, enveloppée de coton. Mauvaise nuit, avec des Morts qui gémissent et de la Terre qui pleure sa douleur.

* * *

Je me suis éveillé avec l'envie de pisser. Cependant que je me soulageais, je l'entendais. Le temps de la rejoindre, elle s'était tue. J'ai attendu, avec elle, la première lueur du jour.

CHAPITRE II

— Ainsi donc, contre toute attente, le Loup serait une femme...

Déposant devant lui, sur la table, la tasse de thé qu'il tenait à deux mains, Peï poursuivit, pensif:

— ... occidentale... Inutile d'insister, je suppose, et de te demander s'il s'agit bien là du Loup.

— C'est elle.

Peu de mots.

Khaï s'était rendu chez Peï, qui occupait le logement du dessous. Là, comme chaque matin, ils avaient effectué les exercices. Après quoi, les deux hommes s'étaient retrouvés à la cuisine pour prendre le petit-déjeuner ensemble. Là, comme chaque matin, ils avaient mangé en silence, jusqu'au terme du repas; ils s'étaient ensuite versé une tasse de thé qui marquait toujours le début de la discussion. Khaï avait alors raconté à Peï sa première rencontre avec le Loup.

— Où se trouve-t-elle, en ce moment?

— Dans ses quartiers. Endormie.

— Bien. Laissons-la venir à nous d'elle-même. Et voyons à quoi elle se résoudra.

* * *

Presque sept heures. Dans les cuisines du restaurant, on devait s'affairer ferme. Rejoindre Iiu.

* * *

Khaï allait franchir le seuil de la porte extérieure lorsque Peï lui lança, depuis le fond du couloir :

— Elle est jolie ?

Pas de mot.

* * *

Quand les clients, encore engourdis mais pressés par l'heure du travail, commandent… Cela causait chaque lundi matin le même remous aux cuisines. Heureusement, je pouvais compter sur Iiu qui entendait tant la cuisine et le service que les affaires courantes du bureau attenant. Avec lui, tout se déroulait dans le temps, en même temps. Habituellement, dès mon arrivée, je me mettais à la tâche afin d'alléger la sienne. J'avais confiance en lui et cela me contentait. Bousculade. J'étais devenu un arbre, planté au beau milieu des cuisines, pendant qu'on s'amusait à rappeler combien j'avais bu la veille. J'ai grommelé et commencé aussitôt la besogne. Soûl ; pas fou. Et ces mots d'enfant qu'elle murmurait, si bien qu'il fallait s'approcher et presque cesser d'être pour en saisir le souffle. Cela me bouleversait.

* * *

J'ai ouvert les yeux. L'endroit était propre et de bien mauvais goût ; issu des années psychédéliques, quand le rose bonbon allait de pair avec un linoléum vert cru. Pour se rendre à la salle de bains, située tout au fond, il fallait traverser le damier de la cuisinette dont je tairai les teintes… J'avais faim. Je suis donc sortie, en laissant ma porte grande ouverte, et suis entrée chez Khaï qui avait fait de même.

J'ai trouvé à boire et à manger, ainsi que le couvert, aux endroits que je savais. À table, l'esprit était en paix.

* * *

Dix heures. En dépit de ce qui avait été convenu : la laisser venir d'elle-même, j'ai quitté le restaurant. Comment aurais-je pu imaginer qu'elle serait le Loup ? Pour moi, il suffisait qu'elle soit ; le reste n'existait pas. Besoin de te regarder.

* * *

Après avoir tout remis en état, j'ai entrepris de faire un brin de toilette. La porte de la salle de bains demeurée ouverte, il se tenait là ; le visage, le corps, calmes ; comme toujours.

— Hé, Petit Loup.

Je finissais de m'éponger le visage avec l'une de ses serviettes. Je lui ai souri doucement.

— Hé, Gros Minou.

— Tu as pris ton petit-déjeuner ?

— Oui.

D'un mouvement sec et léger de la tête, il a approuvé.

— Hum.

Je me suis alors dirigée vers lui pour sortir de la salle de bains. Tout en restant dans l'embrasure, il s'est placé de profil afin de me permettre de passer devant lui. En sortant, j'ai laissé traîner ma main sur son ventre ; naturellement.

Amusant, ce Gros Minou, avec son visage impassible qui lui donnait un air tragique, comme s'il était constamment sur le point de prononcer une déclaration solennelle. Il n'empêche que je m'apprêtais à rencontrer Peï, et je dois avouer que cela me préoccupait. À mon tour d'avoir l'air drôle. Certes, je le connaissais depuis longtemps, alors que lui, il ignorait qui j'étais. Une situation pour le moins délicate, dans la mesure où je ne ressentais aucune timidité, plutôt une intimité que, tôt ou tard, il me faudrait bien reconnaître ouvertement. C'était sur ce plan fragile que je cafouillais. Car, pour ce faire, je devrais leur révéler l'Impondérable. Or, il peuplait en grande partie mon jardin intérieur.

— Gros Minou, je me demande : quoi il faut faire, quand Petit Loup sait et l'autre pas, oui...

Pas un seul muscle de son corps n'a bougé. Et son regard, plongé dans le mien, qui me figeait au-dedans. Pour la première fois, je délaissais ma langue pour la sienne que jamais personne ne m'avait encore apprise. Troublée, j'ai tourné les talons, vite fait, pour me rendre chez Peï.

J'ai cogné deux coups à la porte, signe du Loup, puis je suis entrée sans attendre d'invitation. Je me suis engagée dans le couloir, qui s'étirait à ma gauche, vers la salle d'exercices, pour ensuite bifurquer vers la cuisine et le petit salon où je savais qu'il m'attendait. Vouloir dire l'énergie qui se diffusait, telle la lumière qui laquait tout dans l'appartement, eût été vain. Si pénétrante... et si sereine. Peï était assis, bien droit, sur le canapé. En face, deux fauteuils ; et au fond, une grande fenêtre qui donnait sur la cour arrière. Je me suis approchée, me suis penchée sur son visage en murmurant :

— Bonjour-baiser, Peï...

Et je l'ai embrassé sur la joue. Aux antipodes de leurs coutumes. Il n'a pas sursauté, mais il a haussé un peu les sourcils et souri à peine. J'ai alors pris place dans l'un des fauteuils. Il était aveugle.

* * *

Assurément, le parfum qu'elle portait lui allait à ravir... le savon de Khaï, ah !... Le timbre de la voix était fort agréable, aussi. Et ce « bonjour-baiser », inattendu, spontané ; charmante expression au demeurant. J'ignorais qu'elle emploierait sitôt la langue...

* * *

— Ainsi donc, voici le temps venu de nous entretenir de ce que nous connaissons.

Le ton et le visage témoignaient de la même bonté.

— Parlons franc : sais-tu bien qui tu es ?

Peï, sage Renard... En allant droit au but, il espérait provoquer ma surprise, et ainsi contourner mon savoir, afin d'obtenir plus de renseignements sur moi que moi-même j'en attendais de lui. Son acuité intuitive, je la connaissais ; pourtant, de ce côté-ci de la vie, elle m'impressionnait. Il avait déjà deviné que j'étais déterminée à ne pas céder tout le fromage. Oui, je savais ; mais, avant tout, je doutais ; et, au-dessus de tout, je désirais connaître la vérité.

— Je sais... mais je ne comprends pas bien...

Son vieux visage a souri en traçant sur ses joues, autour de sa bouche et de ses yeux absents, des plis qui ressemblaient à des rayons de soleil. J'avais toujours eu beaucoup d'affection pour lui. Plus encore maintenant. Dans un geste d'accueil et de partage, il a posé ses mains à plat sur ses genoux, les paumes offertes au ciel.

— Je t'écoute.

Je suis venue m'agenouiller à ses pieds, et j'ai posé délicatement mes mains sur les siennes. J'ai raconté. Paumes contre paumes. Dans ma langue. J'ai dit comment, depuis toute petite, je recréais le monde par l'esprit. Jusqu'à ce jour, alors que je n'étais animée d'aucune émotion particulière, que je ne pensais strictement à rien, des gens, des lieux, des événements apparurent à mon esprit sans que je les aie provoqués, ni même que j'aie désiré les imaginer. L'esprit s'était déclenché de lui-même, sans recours à la conscience. Une nouvelle expérience, à partir de laquelle ma vie venait de basculer. La certitude qu'il ne s'agissait plus d'imaginaire fut immédiate et inquiétante. Aussi avais-je tenté, par la suite, de me convaincre du contraire, d'entretenir volontairement le doute, afin de me réapproprier le contrôle de ma faculté de penser. Mais ce monde, à la fois connu et inconnu, m'envahissait ; d'abord le jour, ensuite la nuit, enfin toujours. J'ai voulu provoquer ce monde en le modifiant par l'esprit. Impossible de m'en départir ; impossible de le nier. Il existait. Dès lors, le besoin qu'il vive, ainsi que je vivais, me devint si insupportable que je n'eus d'autre choix que de suivre mes propres pas, qui me conduisirent là où je savais et où je n'avais encore jamais été.

J'ai voulu retirer mes mains, mais il m'a retenue, tout doucement.

— Là, maintenant, ça est tout quoi Petit Loup dire.

Il n'a pas insisté. Je suis restée.

Je m'attendais à ce qu'il poursuive sur un autre terrain, celui de ma formation. En principe, c'était à lui que revenait la tâche d'évaluer mes capacités à partir desquelles il me donnerait, avec l'aide de Khaï, l'enseignement nécessaire à mon rôle de Loup. Au lieu de cela, il fut question de mes quartiers. Considérant que je devrais y demeurer un certain temps, il avait résolu, avec l'approbation de Khaï, de m'aider à m'y installer, pourvu que j'accepte de les rénover moi-même. De leur côté, ils s'engageaient à me procurer meubles et accessoires de base, ainsi que la nourriture. Je savais que sous le couvert de ces apparences, ils entreprendraient aussitôt mon évaluation.

J'ai quitté le logement de Peï, immergée dans la réflexion. J'étais le Loup… Je les connaissais tous, je savais où ils se trouvaient, je savais même ce qui surviendrait, mais j'ignorais toujours pourquoi. J'aurais souhaité en discuter. J'avais préféré m'en abstenir, laisser à la vie le temps de trouver son chemin et son rythme naturels. Qu'ils apprennent d'abord à me connaître. Plus tard, la confiance constituerait une assise suffisamment solide pour accueillir les épreuves qui se succéderaient. D'autant plus douloureuses pour moi qu'elles le seraient pour eux.

C'est le silence qui a suscité mon attention. Je venais de pénétrer dans les cuisines du restaurant. Par la porte de derrière. Les sourcils haussés, les lèvres pincées, comme un enfant pris en défaut ; mes yeux, allant et venant, les regardaient tous, et tous me regardaient. À ma droite, un évier sur le point de se payer une indigestion de couverts et de chaudrons sales. Midi, heure de pointe. Je me suis éclairci timidement la voix.

— Il y a là un évier bien dans le mécontentement…

En voyant tous ces visages se défiger et choir en des soupirs si gentiment souriants, je me suis dit qu'il me faudrait sans doute suivre quelques leçons auprès de Khaï afin d'améliorer mon nouveau langage. Sans attendre de réponse, j'ai commencé à laver la vaisselle, et les sons ont repris.

Presque deux heures. Les cuisines se calmaient. J'avais chaud, et j'ai confié toute ma fatigue à un banc qui traînait, à côté, par hasard.

— Tu t'y entends plutôt bien dans la vaisselle, Lu...

Iiu, un peu gauche, osait un premier contact que les autres lorgnaient tout en s'affairant à leurs tâches respectives. J'ai répondu, façon Gros Minou :

— Hum !

Éclats de rire. Après, ils se sont tous mis à parler, à me raconter qui ils étaient, leurs familles et leurs préoccupations. J'ai songé que la vie était grande, et le bonheur merveilleusement petit. Il est entré par la porte que j'avais empruntée. En m'apercevant, ses yeux se sont agrandis, signe chez lui de curiosité.

— Hum... Manger, ça te dit ?

J'ai fait signe de la tête, presque imperceptiblement, que oui, ça me disait. Je lui souriais avec discrétion ; il en faisait autant dans ses yeux.

Nous avons mangé tous ensemble, attablés au comptoir du restaurant. Et nous nous sommes dit de simples mots, des joies qui parfois colorent le quotidien. On avait pris soin de laisser, à ma gauche, une place libre pour Khaï, occupé à nous servir. Lorsqu'il s'est assis, il a posé sa jambe contre la mienne, et nous sommes demeurés ainsi.

Il me restait un peu de soupe, l'équivalent d'une gorgée, dans le fond de mon bol. Je ne parvenais pas à la puiser avec cette fichue cuillère en porcelaine. J'ai donc empoigné le bol à deux mains et j'ai bu, comme un enfant, cette dernière goutte récalcitrante. Ayant reposé mon bol, triomphante, voilà qu'une gouttelette errait sur le coin de ma bouche. Il s'en est aperçu. Tout en poursuivant la discussion avec un autre, il l'a recueillie avec le pouce, qu'il a ensuite porté à sa bouche. Naturellement. Personne n'en fit cas ; sauf moi, intérieurement, étonnée de découvrir que l'Impondérable ne dépendait pas juste de moi.

Bien que l'après-midi fût passablement avancé, je suis partie faire quelques courses, en vue d'entreprendre l'aménagement de mes quartiers de bonne heure le lendemain. Il faisait soleil bleu dans un ciel d'automne chiné de blanc et de multiples gris. Je connaissais le quartier chinois... mais j'avais quand même du plaisir à le regarder. Sur le chemin du retour, une femme a cogné à la vitrine d'une boutique et de la main m'a invitée à y pénétrer. Elle me souriait rondement.

— Bonjour, Lu ! me lança-t-elle, dans ma langue, en m'ouvrant sa porte, puisque j'avais les mains et les bras encombrés de paquets.

J'ai déposé mon barda par terre ; puis je l'ai regardée, un peu intriguée.

— Bonjour...

— C'est mon oncle qui m'a mise au courant. Il est libraire. Dans la rue d'à côté. Je m'appelle Hong et je te souhaite la bienvenue parmi nous.

Là, j'étais franchement intriguée. Elle aussi.

— Quelque chose ne va pas, Lu ?

— Au courant de quoi ?...

Elle a rougi tout en continuant de me sourire.

— Khaï et toi ?...

Je n'ai rien répondu, mais j'ai compris pourquoi, partout, on m'avait saluée avec tant de bienveillance. Tout le monde, ici, se connaissait, et les nouvelles se répandaient vite. Une bonne façon de se protéger. Assurément, on appréciait Khaï ; moi aussi, visiblement.

Il y avait tellement de petits objets, dans cette boutique, que vouloir les nommer tous eût exigé plus d'une vie. Ils étaient très jolis, et bien différents de ceux que l'on rencontrait dans les boutiques de mon pays. Des odeurs de fruits, de fleurs et d'épices, il y en avait tout autant. C'était d'ailleurs la raison pour laquelle Hong m'avait fait entrer. Elle voulait m'offrir un petit échantillon d'un parfum qu'elle avait élaboré elle-même. Il sentait bon sur mon poignet. Un mélange odorant qui, étrangement, évoquait en moi une tache de soleil dans un sous-bois de muguet, de terre, d'écorce et de pierre chauffés. Par la suite, nous avons commencé à nous parler. Toutes les deux. De rien. Et nous sommes devenues amies.

Quand je suis repartie, des heures s'étaient écoulées. Je craignais que Gros Minou ne grogne un peu. Sa porte, toujours grande ouverte ; la mienne aussi. J'ai rangé mes achats et entrepris de me préparer à manger. Pendant mon absence, on avait installé quelques meubles et des accessoires me permettant d'être relativement fonctionnelle. Je l'entendais ; cliquetis, clapotis. Plus tard, je suis allée prendre une douche. Ensuite, je me baladais, dans la grande pièce, en pyjama, un ensemble composé d'un short et d'une camisole, tout en me brossant les dents. Une vieille habitude... Je l'ai aperçu dans l'embrasure. Et me montrant le volume qu'il tenait d'une main :

— J'ai là des images de mon pays. Les regarder, ça te dit ?

La bouche pleine de la brosse, de pâte et de salive, j'ai répondu oui de la tête.

Je suis entrée chez lui munie d'une couverture que j'avais dénichée dans une boîte en carton. Il m'attendait, assis dans le fauteuil berçant, torse nu, un pantalon en gros coton couleur sable doré, des sandales aux pieds ; et le livre posé sur une petite table d'appoint, juste à côté d'une lampe allumée. Je suis venue m'asseoir sur lui, en me servant de son corps comme d'un fauteuil, et j'ai rassemblé en tapon la couverture, que j'ai calée contre mon ventre, et qu'il fixait.

— Qu'est-ce que c'est, ça ?

— Doudou.

— Qu'est-ce que c'est, « doudou » ?

— Une présence.

Je répondais droit devant ; j'ai senti son regard se poser sur ma tempe.

Nous avons vu, ensemble, les illustrations photographiques. Je le questionnais, il m'expliquait ; peau contre peau, nous chuchotions. Ce soir-là, il m'a beaucoup appris sur lui, à travers l'amour qu'il portait à son pays. Loyauté. Quand le livre fut terminé, nous nous sommes longuement regardés ; caresse-tendresse l'un pour l'autre. Puis, il a refermé le livre, l'a déposé sur la table, m'a alors emmitouflée de ses bras, et commencé à nous bercer. Nous avons poursuivi à voix basse.

— Tu as fait des achats ?

— De la nourriture… de la peinture…

— De la peinture… Oh!… Mon Petit Loup va mettre des couleurs dans ses quartiers…

— Elles seront douces…

— Douces…

J'étais fatiguée, je somnolais; j'allais bien.

— Accrocher, Petit Loup.

J'ai saisi la couverture d'une main et me suis levée. Il s'est levé à son tour pour me hisser dans ses bras. Entourés l'un de l'autre, il m'a menée jusqu'à mon petit lit.

Il s'est retiré. Nos portes grandes ouvertes.

CHAPITRE III

Le Loup a gémi cette nuit ; encore. Impuissant, j'ai posé ma main sur son front en sueur. Douleur de l'esprit qui me brise le cœur. Pas d'autre destin que le nôtre ; j'en fais le serment à mon Petit Loup qui s'est levée ce matin ; enfin.

* * *

J'avais résolu d'accorder mon rythme avec le leur. Il nous serait alors possible de vivre ensemble, me disais-je, et, avouons-le, de nous observer plus librement. À plus forte raison, je m'apprêtais, bien malgré moi, à nous surprendre. Ah ! cette angoisse empoisonnante de savoir et de douter. En ce sens, ma connaissance se révélait d'autant plus étendue que mon doute grandissait. De cela, du moins, j'avais la conviction. J'ai donc entrepris la seconde journée de cette nouvelle existence beaucoup plus tôt qu'à mon habitude. Tant mieux, les nuits seraient peut-être moins accablantes puisque écourtées. Pendant un moment, j'ai senti la présence immobile de Khaï dans le couloir. Il se rendait chez Peï ; je me levais. Mardi matin.

La semaine s'est déroulée devant moi tel un ruban de soie, sans que je parvienne à retenir le temps ; sauf en soirée, quand Gros Minou nous berce. Je pensais qu'il valait mieux apaiser l'esprit en le tenant occupé. Alors, je m'étais élaboré un horaire surchargé, ponctué d'activités répétitives et de temps libre. En matinée, je m'affairais essentiellement à la rénovation de mes quartiers. Après avoir dîné un peu plus tôt, je me rendais aux cuisines du restaurant exercer mon nouveau métier de plongeuse. L'après-midi, j'offrais mes services, selon les besoins de Peï et de Khaï, pour l'entretien ménager, la lessive et les courses. Entre-temps, je poursuivais dans mes quartiers. Souper, suivi d'une heure durant laquelle j'écrivais et je dessinais dans mon cahier d'écolier. Une autre vieille habitude… À la fermeture du restaurant, j'aidais au ménage pendant que Khaï se chargeait de la comptabilité dans le bureau. Enfin, douche, doux temps, dodo. J'aimais bien cette vie, solitaire et solidaire ; comme le Loup.

Presque sept heures au réveil. J'ai bondi, debout, en retard. D'ordinaire, je me fiais à Khaï pour m'éveiller doucement à ses bruits. Mais voilà, il y avait là Gros Minou qui dormait encore dans son grand lit. En retard lui aussi.

— Réveiller, Gros Minou !

Il a ouvert de grands yeux curieux.

— Regarder combien ça est dans les heures. Assurément, il y a retard.

Une moue ; pas méchante, plutôt amusée.

— Hum… Dimanche.

J'ai marqué un temps d'arrêt et froncé les sourcils.

— Quoi, il y a le dimanche ?

— Quartier libre.

Aspirée par le rythme des journées, j'avais complètement oublié. J'ai redressé la bretelle de ma camisole. Du sourire dans les yeux, il l'a fait retomber en passant un doigt sur mon épaule.

— Tu as froid.

Vrai qu'il ne faisait pas chaud, ce matin-là, les pieds nus.

— Te réchauffer, contre moi.

Ce disant, il a ouvert grands son lit et ses bras. Je me suis blottie à plat ventre contre lui. Il a rabattu les couvertures, et glissé sous ma camisole ses mains sur moi. J'entendais un profond soupir ; je me soûlais de chaleur.

— Dimanche, je vais au gymnase. Me rejoindre pour une heure, ça te dit ?

— Hum…

J'aurais trafiqué la sonnerie de son réveille-matin bien avant… Ces doux temps, je savais que je désirais tous les connaître. Je me suis endormie paisiblement. Au moment de m'éveiller, j'ai instinctivement répondu aux caresses à fleur de dos qu'il m'offrait. Du bout des doigts de la main gauche, j'ai parcouru un peu de ce torse, de cette peau vivante.

— Accrocher, Petit Loup.

Il m'a menée à la salle de bains où, avec un remarquable sans-gêne, il a baissé mon short, et je me suis assise sur la cuvette pour uriner.

— Qu'est-ce que tu souhaites pour ton petit-déjeuner ?

— Du pain brun, de la confiture et du café.

— Pas de thé ?

Pas de réponse. Il a pouffé de rire. J'aurais pu être en train de lire, de réfléchir par la fenêtre ou tout simplement d'être là, il ne me regardait pas plus ni moins qu'à l'accoutumée. Moi non plus d'ailleurs. Après que je me fus essuyée, il m'a rhabillée. Et pendant que je me lavais les mains, il a uriné à son tour.

Assise sur ses genoux ; nous avons déjeuné ensemble. Dans la même assiette ; la même tasse. Je nous observais à distance. Son naturel et le mien me déconcertaient. Je n'avais jamais vu deux êtres agir de la sorte, avec autant de familiarité, comme s'il s'agissait d'une seule personne.

Il est parti et je suis restée un moment. À peine une semaine que déjà une vie entière semblait s'être écoulée. Je me rappelais ces matins où je lui disais bonjour, ces soirs où je lui souhaitais bonne nuit ; seule, durant des années, en pensée. Il était écrit que l'aura du Loup se présenterait sous l'apparence de l'eau, et je savais, sans toutefois la percevoir, que celle de Khaï se composait de lumière. Je ne comptais plus les fois où il m'avait été donné de voir l'eau et la lumière s'unir dans la nature. À mes yeux, rien de plus beau ; sinon ta lumière qui scintille dans mon jardin intérieur ; veille de Gros

Minou sur Petit Loup… J'étais si mélancolique que seul mon corps a franchi le couloir et vaqué à ses occcupations. L'esprit est demeuré au loin là-bas, en cette Terre, avec ces Morts qui m'appelaient et dont je partageais la douleur, chaque nuit. J'avais commis tant d'erreurs ; je les avais même répétées. Je me disais que je ne parviendrais pas à conduire ma vie décemment. Je me décevais tellement. Et voilà que l'on m'appelait et que je répondais. Dans quel état, mon Dieu, allait-on me rencontrer ?

* * *

Je l'avais laissée alors que j'aurais dû laisser le gymnase. Mais Peï avait insisté sur le fait qu'il s'agissait du Loup et que nombre de vies en dépendaient. Il y avait là une responsabilité à laquelle j'avais librement consenti, des années auparavant, et pour laquelle j'avais demandé à recevoir une formation particulière. Il m'était interdit de rompre ce serment. Des heures sans poser le regard sur toi ; je devenais fou.

* * *

Quelques minutes avant l'heure, j'étais postée dehors, à la porte du gymnase. Un type que je ne connaissais pas m'a demandé qui j'attendais. Je lui ai répondu machinalement « Khaï ».

— Je vais le prévenir.

J'ignore si j'ai seulement pris la peine de lui sourire poliment, tant j'étais prise dans mes pensées. Il est disparu derrière la porte close.

— Qu'est-ce qu'il a, ce trottoir, pour que tu le fixes à ce point ?

Ses yeux se moquaient gentiment de moi. J'aimais bien son sens de l'humour ; capable de rire des autres comme de lui-même. Il réagissait rapidement et parvenait à exprimer beaucoup en peu de mots. Il ne cessait de me surprendre avec ces ruptures qu'il provoquait spontanément dans le fil du quotidien. Sur ce plan, nous nous accordions puisque je faisais de même. Je crois qu'il appréciait, tout comme moi, cette ressemblance. Ensemble, la routine n'était jamais ennuyeuse ; elle demeurait imprévisible.

Nous sommes partis à pied dîner à l'extérieur du quartier. Il faisait beau main dans la main. Au retour, nous avons flâné, regardé paresseusement les vitrines des magasins. Les mannequins avaient l'air lugubres dans leurs accoutrements de fortunés. Cela m'a rappelé un souvenir d'enfance. Un salon, celui d'une dame, où les fauteuils Louis je ne sais plus combien, recouverts de jetés, semblaient drapés de linceuls, et où les poupées de porcelaine livide ne bougeaient pas. Je m'amusais alors à me faire peur en les scrutant jusqu'à ce que leurs visages se transforment et s'animent de laideur. Une pièce morte où il ne faisait pas bon vivre… J'ai serré un peu plus la main de Khaï, qui m'a aussitôt répondu. Nous sommes allés regarder la ville et le fleuve, depuis la montagne. De la terre émanait une odeur sombre qui sentait le feuillage. L'automne commençait à se colorer, plus vif dans le soleil. Debout, Khaï se tenant derrière, joue contre joue, nous nous chuchotions combien cette ville avait une âme.

Dimanche, quartier libre, signifiait que j'étais dispensée de mes tâches au restaurant. Après le souper, je me suis rendu compte que je n'avais pas vu Peï de la journée. J'ai eu envie d'aller lui offrir un bonsoir-baiser.

— Ah ! Voici Lu à qui je songeais à l'instant.

Alors que je l'embrassais, il a émis un léger soupir auréolé d'un léger sourire, satisfait. Khaï et moi, jamais de baiser… Alors, je me rattrapais avec Peï qui avait largement passé le cap de la soixantaine. Geste sans conséquence, cependant que notre affection mutuelle s'épanouissait. J'avais pleine confiance en lui. Il le fallait bien puisqu'il était non seulement le Gardien de ma Maison, Maison de Loup, mais aussi mon Protecteur et mon Maître.

— As-tu apprécié ton dimanche ?

— Oui.

— Bien. Bilan, à présent.

— Déjà ? Une semaine, ça est court temps…

— Peu importe.

Paumes contre paumes, je n'avais pas envie de faire bilan.

— Il y a eu observation et évaluation durant cette semaine, oui?...

— En effet.

— Khaï et toi êtes dans le questionnement, combien le savoir de Petit Loup.

— Pas combien; plutôt comment se présentera son développement.

Voilà qu'il venait de me coincer habilement. Je n'avais d'autre choix que de répondre la vérité, celle que je connaissais, et suivant laquelle les événements se produiraient. Or, il m'était interdit de les révéler à l'avance. En ce sens, je savais qu'il existait des règles strictes. Tels devaient se définir les fondements de l'engagement, tant pour eux que pour moi. Accepter sans savoir pourquoi; afin de préserver l'engagement; qu'il demeure juste et libre, sans quoi il n'aurait eu aucun sens. J'aurais voulu répondre à Peï, lui dire tout, tant le besoin de comprendre me dominait. Je me suis tue. Il m'attendait, bienveillant. Après un moment, j'ai parlé dans ma langue.

— Si la cause est juste, je donnerai ma vie; sinon, je me retirerai.

— Il est exact que tu disposes d'un temps pour prendre ta décision. Sache que Khaï est Protecteur physique et que je suis Protecteur moral de Loup. Volontairement, nous avons consenti, il y a nombre d'années. À présent que tu es, nous sommes. Afin de t'aider à comprendre. Ainsi choisiras-tu le chemin qui sera le tien.

Le seul fait d'être là rendait évidente ma décision. Car je croyais fermement à ce destin; raison pour laquelle j'étais le Loup et le serais à jamais. La cause était juste; toujours je saurais, malgré le doute.

— Demain, je nous veux tous trois. Ce sera début de formation.

Je suis retournée rejoindre Khaï; il se trouvait chez moi.

— Ils sont bien, ces quartiers. Un échange, ça te dit?

— Dans ta fenêtre, il y a là une image jolie... Assurément, tu regretteras.

Il a fait glisser son doigt le long de mon nez, signe de taquinerie. Certes, l'état actuel de mes quartiers n'avait pas de commune mesure avec celui qu'ils présentaient à mon arrivée. Des tons crémeux apaisaient les yeux, et sous le linoléum, j'avais découvert de belles planches de bois franc, du bouleau clair. Un peu de papier peint déniché dans la boutique de Hong; à présent, mes nouveaux quartiers semblaient doux et lumineux. Je crois que Khaï les appréciait parce qu'il se trouvait en un lieu que j'habitais. Même principe, à mes yeux, pour ses quartiers, parsemés de ses objets personnels qu'il disposait à sa manière, et qui me rappelaient son être quand il n'était pas là.

— Petit Loup, enfouie dans la réflexion... Hum... La formation, elle t'inquiète?

J'ai fait signe de la tête que non. Décidément, la situation se répétait... Mes yeux ont alors rencontré les siens. J'ai résolu de me confier à sa discrétion.

— Tant et tellement de choses, je sais... Qui, où, quoi, comment, mais je ne connais pas quand, ni si tout se produira. Les nuits toutes noires, depuis longtemps elles existent, et voilà Petit Loup dans la préoccupation. Parce qu'il est permis de savoir, mais défendu de révéler.

— Je comprends.

— Quoi faire, quand Petit Loup sait et l'autre pas; toujours je me demande.

— Suivre tes pas, ainsi qu'ils t'ont menée.

— Peur, Gros Minou...

— Moi aussi, Petit Loup.

Peur l'un pour l'autre. Nous n'avons pas su que Peï se retirait.

CHAPITRE IV

Cela me réjouissait de nous savoir intimement préoccupés les uns des autres. Il s'agissait là d'une règle de conduite pour la Maison de Loup à laquelle Khaï accordait une grande importance. Or, de même que le Loup, qui venait de se présenter à nous, ne correspondait pas à celui que nous attendions, de même les révélations contenues dans les Écrits, du moins l'interprétation que nous en avions eue jusqu'à présent, se devaient maintenant de changer. Pour Khaï et moi, cela compliquait la tâche avant même de l'avoir commencée. Au-delà de la formation à laquelle nous devions préparer Lu, il y aurait les épreuves, d'autant plus douloureuses qu'une affection inattendue nous unissait déjà à elle. Il était écrit que le Loup serait un rassembleur. J'avais toujours envisagé cette caractéristique suivant l'esprit, et non suivant le cœur. Comment donc s'y prendre avec une femme, occidentale, et que l'on affectionne ? Je me rendais compte que désormais il nous faudrait composer avec deux extrêmes : l'idéal et la peur.

* * *

La nervosité me gagnait d'heure en heure. Comme ce jour était lent ! Enfin, Khaï est venu me chercher. Presque quatre heures de l'après-midi. Peï nous attendait chez lui, à l'intérieur, juste à côté de la porte d'entrée. Les deux hommes m'ont laissée prendre les devants dans le couloir. Je savais ce que j'avais à faire. Parvenue au tournant, j'ai continué tout droit et pénétré lentement dans la salle d'exercices. J'ai senti aussitôt une chaleur intense, qui émanait de partout, venir se concentrer au creux de ma main gauche. À droite, des photos, en noir et blanc, encadrées et fixées au mur. J'ai commencé à regarder l'une d'entre elles. Un rocher plat à fleur d'eau. J'ai voulu toucher l'image de la main gauche. Geste naïf pour me donner l'illusion de me rapprocher un peu de ce monde. En une fraction de seconde, je me suis retrouvée projetée au bord de l'eau. Je percevais la lumière, les couleurs, les bruits, les odeurs, les mouvements ; j'avais dans la bouche le goût limoneux de l'eau, et dans la main gauche la sensation de cette pierre mouillée, chauffée par le soleil. Soudain, la douleur, partout au-dedans, et des voix à l'unisson prononçant mon nom ! J'ai fait un pas en arrière et j'ai heurté Khaï et Peï. J'avais le souffle court et mal à la paume gauche. J'ai regardé au creux de ma douleur. Plus rien. Les deux hommes avaient l'air sérieux. Moi aussi.

— Il y a longtemps que tu détiens la faculté de sonder ?

Je fixais ses yeux éteints, à la recherche d'une réponse, dans ma langue, qui pourrait apaiser leurs esprits.

— J'ai refusé de sonder, par respect… et parce que l'engagement doit demeurer libre.

— Libre ? Tes paroles laissent présager que tu connais les Écrits et, j'oserais avancer, leur juste interprétation. Est-ce bien de cela qu'il s'agit ?

En baissant les yeux, j'ai soupiré.

— Reste, Petit Loup. Ne va pas t'enfuir dans la réflexion sans nous mener avec toi.

Je hochais la tête ; silence partout ; j'étais d'accord.

— Il y a là de la Terre qui pleure sa douleur et des Morts qui gémissent. Il nous faut réparer, oui…

— Laissons là, pour le moment, la séance d'exercices. Je suppose que tu les connais déjà, sans les avoir encore pratiqués, ainsi qu'il semble en être pour le Loup en toutes choses. Asseyons-nous, plutôt, et entretenons-nous de ce que nous savons. Cette fois, je parlerai.

Tous trois. Au salon.

— J'ai trouvé Khaï alors qu'il n'était qu'un enfant errant, et l'ai conduit aux gens de la Maison de Tigre à laquelle j'appartenais. Nous avons entrepris la formation du jeune Khaï afin de calmer son esprit. Ses dispositions nous ont surpris, et nous avons cru, pendant un temps, qu'il était le Loup. Parvenu à l'âge adulte, Khaï a émis le désir de recevoir une formation afin de devenir Protecteur de Loup. Nous sommes donc partis, tous les deux, au Sanctuaire de l'Alliance, afin d'acquérir l'enseignement et de subir les épreuves ainsi qu'il est écrit. Dans le cas de Khaï se sont ajoutées, à sa demande, les trois premières des quatre épreuves de Loup.

J'ai frissonné; Peï l'a senti. Il s'est interrompu. Les lèvres serrées, je fixais mon regard droit devant moi, nulle part. Les épreuves... surtout la dernière, celle de l'Alliance, qui me terrorisait... J'ai soudainement éprouvé le besoin de me rapprocher de Khaï qui était assis dans l'autre fauteuil. Le comprenant, il m'a fait signe de venir m'asseoir sur lui, comme lorsqu'il nous berce, le soir, et qu'alors je cesse, pour un temps, d'avoir mal. Je l'ai rejoint. Peï a repris.

— À notre retour, Khaï a résolu de fonder la Maison de Loup. Aussi l'ai-je suivi, à titre de Gardien moral, avec dix autres membres de la Maison de Tigre, dont Iiu que tu as rencontré. Sache qu'il existe quatre Maisons liées au Sanctuaire de l'Alliance où sont conservés les Écrits ainsi que les objets de l'Alliance destinés au Tigre et au Loup : Maisons de Dragon, de Léopard, de Tigre et de Loup, qui comptent chacune une douzaine d'hommes, avec leurs familles. Tous, hommes, femmes et enfants, ont accepté librement l'Alliance qui, suivant les Écrits, se révélera au jour où le Tigre et le Loup se reconnaîtront. Chaque homme a reçu une formation en ce sens et consenti à donner jusqu'à sa propre vie. Ce que tu as déjà fait, Lu...

Toutes ces vies dont je devenais subitement responsable...

— Tant et tellement de doute qu'à la fin l'esprit ne parvient plus à rencontrer la paix...

— Ta connaissance, Lu, est beaucoup plus étendue que prévu. Voilà qu'il te faudra partir en des lieux étrangers, apprivoiser une culture différente, te joindre à des inconnus, pour vivre des événements et sceller une Alliance que toi seule connais. Je pense qu'il y a là une épreuve extrême et que l'engagement qui nous unit ne sera pas vain... Bien! Voyons plus avant tes dispositions.

Sur ce, Peï a déposé une bille par terre. J'ai soupiré.

— Procède en silence, je te prie.

Alors, je me suis exécutée. J'ai fait rouler la bille, par l'esprit.

— Tes facultés, tout comme ta connaissance, sont particulièrement étendues.

J'ai encore soupiré; malgré moi.

— Je devine dans ton souffle une crainte que tu devras délaisser, sans quoi l'esprit ne pourra se libérer. Confiance, nous t'apprendrons à contrôler tes dispositions en ce sens.

Je ne craignais pas les facultés paranormales; plutôt l'Impondérable. L'aurait-il compris à ce point? Non, il ne fallait pas, surtout pas...

Quatre Maisons rassemblées autour d'un Sanctuaire. L'organisation que Peï avait décrite trouvait son origine dans une très ancienne prophétie, d'abord transmise oralement, puis rédigée en chinois par on ne savait qui, ni quand, sous la forme d'un livre aussi épais que la largeur d'une main d'homme, et dont la reliure en cuir arborait le signe de l'Alliance. Khaï portait ce signe, tatoué sur l'épaule gauche. Il résumait l'histoire, son début et son aboutissement, et symbolisait l'univers de la Connaissance par laquelle le corps, le cœur et l'esprit s'unissaient pour former un être qu'on ne pouvait saisir. Ce signe se composait d'un cercle à l'intérieur duquel deux triangles isocèles identiques, face à face et superposés en leurs sommets jusqu'à leurs bases, formaient un losange au centre duquel il y avait un point, l'Impondérable, qui scellait l'Alliance et en caractérisait la nature exclusive. Devenir Loup impliquerait de porter à mon tour ce signe qui, étrangement, me faisait songer à un sablier dont l'unique grain demeurait suspendu; avec le cercle, la Connaissance m'apparaissait comme atemporelle et aspatiale, sans finitude, sans frontière; comme l'être.

— Il me faudra apprendre à distinguer le rêve de la réalité, afin que l'esprit reste juste.

— C'est la tâche du Protecteur moral de t'aider en ce sens. Peut-être la réalité comportera-t-elle des indices prémonitoires ?

— J'ai déjà envisagé cette voie. Malheureusement, ma connaissance se développe en accord avec la vie. C'est seulement après que je connais la vérité et que le doute s'efface.

— En effet, ainsi qu'il a été dit et écrit, l'Alliance doit demeurer librement consentie.

J'avais le sentiment de tourner en rond, comme un chien courant après sa queue. Peï, qui devinait mon embarras, a alors proposé de souper. En retrouvant des gestes quotidiens, l'esprit s'est apaisé. À la fin du repas, j'ai voulu entamer un sujet qui me tenait à cœur.

— Ça est quelque chose Petit Loup demander...

Quatre oreilles juste pour moi. J'ai demandé. Des leçons. Pour parfaire mon langage. Ils ont refusé net. J'étais frustrée ; par défi, j'ai questionné dans ma langue. Peï m'a répondu.

— Ton langage, Lu, est charmant ; il est tien. Ne désires-tu pas qu'il en soit ainsi ?

— Il ressemble à celui de l'enfant. Il manque de crédibilité et engendre une distorsion entre la pensée et la parole.

— Pas d'accord.

L'art du couperet. Khaï, parfois, excellait en ce domaine au point de me priver de toute réplique. Qu'à cela ne tienne, je reviendrais à la charge par un autre chemin. J'irais consulter l'oncle de Hong, me procurer un dictionnaire pour enrichir mon vocabulaire qui me parvenait à l'esprit comme sous perfusion, au fur et à mesure que ma pensée se transformait.

Dès l'ouverture de la librairie, le lendemain ; pas de bouquin disponible ; la langue ne se pratiquait qu'oralement. De cette contrainte, je tirai une leçon des Écrits : *Le Loup écoutera de l'autre la Connaissance.*

De même qu'il existait deux Protecteurs, moral et physique, la formation comportait deux volets complémentaires. D'une part, l'enseignement des Écrits, et de l'autre, les exercices impliquant le corps et l'esprit. La partie physique était essentiellement basée sur un art appelé *Sambok*, qui nécessitait la manipulation d'un bâton que l'on scindait en deux suivant divers mouvements. Il y avait trois degrés d'exercices : petit, grand et très grand Sambok, renfermant chacun une série de gestes précis à accomplir suivant une mesure qui variait en fonction du rôle dans la Maison. Par exemple, dans la Maison de Loup, chaque homme pratiquait petit Sambok à trois temps. Peï, à titre de Gardien moral, s'adonnait à petit et grand Sambok à quatre temps. Enfin, Khaï, qui disposait de capacités exceptionnelles, était le seul, incluant les quatre Maisons, à pouvoir effectuer petit, grand et très grand Sambok à cinq temps. Faire Sambok à trois temps signifiait accomplir une séquence de mouvements durant deux temps et clore au troisième en faisant claquer les deux demi-bâtons ensemble. Lorsque tous étaient réunis, il s'ensuivait une série de claquements réguliers ; troisième, quatrième, cinquième temps. Le meneur, généralement le Maître de la Maison en cause, appelait le tempo des séquences. Il pouvait parfois demander un ou plusieurs temps d'immobilité, sorte de *ma* silencieux comme on en rencontre dans le théâtre nô. Procédé subtil où il fallait écouter la longueur des mots prononcés afin de bien déterminer le nombre de temps appelés. En d'autres termes, il fallait continuellement battre sa propre mesure et l'imbriquer dans celle du meneur. Comme dans un orchestre.

Je me suis donc présentée chez Peï, le lendemain, à quatre heures tapant de l'après-midi, munie de mon bâton que j'avais confectionné à partir d'un manche à balai.

— Qu'est-ce que c'est, ce bâton ?

Khaï écarquillait les yeux. Peï a rapidement compris sans voir.

— Il y a là réplique de Bâton de Loup.

— Non, Peï.

— Il t'est pourtant destiné.

— Cela ne doit pas. Il faut bâton de Petit Loup.

Peï s'est esclaffé en émettant, comme à son habitude, un ah ! claironnant. Puis, il a cité les Écrits :

— *Le Loup combattra le Bâton de sa seule arme, l'humilité.*

Je n'ai rien dit, mais j'ai senti leur respect.

— Procédons à petit Sambok et voyons tes temps. Pour ce faire, tu omettras de compter ; tu laisseras l'esprit choisir la durée qui lui convient.

Il y avait deux manières de faire Sambok ; l'une fermée, c'est-à-dire à huis clos ; l'autre ouverte, en public. Mais dans les deux cas, chacun tournait le dos aux autres de manière à favoriser une concentration extrême. À la limite, pour les plus initiés, l'art se pratiquait les yeux fermés. Ainsi formions-nous, tous trois, une file indienne, présidée par Khaï, le meneur, suivi de Peï et enfin moi. Les deux hommes se sont agenouillés, leurs bâtons posés à l'horizontale devant eux, les mains sur les cuisses, paumes vers le haut, signe d'accueil et de partage. Ma position de départ différait. Puisqu'ils me tournaient le dos, ils l'ignoraient. J'étais agenouillée cependant que ma main droite, poing fermé, reposait sur ma poitrine et que ma main gauche, bras tendu droit devant, présentait l'annulaire et l'auriculaire repliés côte à côte tandis que le pouce, l'index et le majeur se trouvaient écartés, symbolisant les trois dimensions de l'être : le corps, le cœur et l'esprit. Alors qu'ils se recueillaient, j'ai pris leur douleur en frappant doucement ma poitrine du poing. Trois fois, pour les trois dimensions de l'être ; et une quatrième, pour l'être tout entier. À chaque coup, la douleur s'intensifiait, me traversait le corps, pour venir se concentrer au sein de ma paume gauche. Chaque coup me faisait mal au point de me contraindre à céder une part de souffle. Ils ont entendu, et ressenti. Une profonde sérénité.

J'ai fait petit Sambok à cinq temps.

Les jours se succédaient ; un temps pour la vie sociale, un temps pour les relations plus intimes, un temps pour la solitude ; il faisait bon. Le dimanche, Khaï et moi passions l'après-midi ensemble. Souvent, il proposait une activité. Tantôt une promenade, tantôt un film au cinéma ou un concert dans une église, parfois une exposition. Il adorait la peinture ; il s'adonnait au dessin avec bonheur et talent. Moi, il m'arrivait de dessiner dans mes cahiers. Hélas, mes croquis ressemblaient à mon nouveau langage. Comme si le cerveau, en cette matière, refusait d'évoluer au-delà du stade de l'enfant.

Khaï trouvait mes dessins charmants, au même titre que mon langage. Au début, cela me vexait, mais par la suite j'ai compris. Ce qu'ils appréciaient, c'était la capacité d'émerveillement qui évoquait une certaine pureté de cœur sans laquelle le Loup ne pouvait être. D'où l'aura, *telle l'eau des glaciers au sommet des montagnes*; une pureté qui, toutefois, ne m'appartenait pas en propre. Je me suis alors consolée en me disant que j'avais un style qui rappelait très humblement celui de Klee. Écrire et dessiner, Peï m'avait encouragée à poursuivre en ce sens; l'esprit, disait-il, profitait de ces temps.

Ce dimanche, je ne me sentais pas bien. Des crampes menstruelles plus aiguës qu'à l'accoutumée. Première période de Loup. J'avais accepté d'accompagner Khaï au musée où l'on présentait une rétrospective de l'œuvre de Picasso. J'admirais particulièrement *La Buveuse d'absinthe*, qui me faisait songer au Loup. Toujours, la souffrance humaine impose sa question existentielle; toujours, sans réponse... Khaï regardait attentivement chaque tableau. Voir demeure un privilège, surtout lorsqu'un moment sublime nous est accordé. Au sortir, il m'a proposé un souper au restaurant. J'ai refusé. Il s'est inquiété. Je préférais rentrer. Parfois, être femme, ça est difficile, oui...

Peï était juste, mais ferme. Les séances de formation, qui augmentaient en fréquence et qui s'allongeaient en durée, devenaient de plus en plus intenses, et les exercices se complexifiaient. Je devais recourir à des forces intérieures, tant physiques que mentales, pour y parvenir. L'aspect purement physique nécessitait un équilibre et une souplesse démesurés. Quant à la concentration, elle me poussait vers des extrêmes qui m'épuisaient. J'avais l'impression que mon être s'alourdissait de jour en jour. En fait, je réussissais parce que j'étais le Loup; parce que cela m'était accordé, non sans effort et douleur. Qu'advenait-il, pendant ce temps, de celle que j'étais? Je craignais de plus en plus de m'oublier et cela me causait une tension grandissante. Je ne leur en parlais pas, de sorte qu'ils ne m'interrogeaient pas. Parfois, l'un d'entre eux effleurait mon passé; je gardais le silence. Par pudeur.

Un jour, Peï dut m'initier à la formation dite extrême qui préparait spécifiquement à l'Alliance en tant qu'épreuve ultime. Elle comportait des exercices qui annihilaient tout contact corporel, cependant que l'esprit devait parvenir à ressentir l'autre au point de pouvoir prédire le moindre mouvement. Sorte de répétition générale de l'Alliance qui devait survenir entre le Tigre et le Loup. Pour ce faire, il fallait éviter toute intervention qui aurait pu gêner la concentration extrême de l'esprit. Raison pour laquelle ces exercices se pratiquaient les yeux fermés, et nu. « Il en est des pulsions comme des feuilles au vent. Si le vent s'agite, les feuilles s'agitent. Si le vent reste calme, les feuilles restent immobiles », m'expliqua-t-il alors. « Homme, femme, il te faut oublier, et fixer l'esprit sur ce que tu es, non sur qui tu es. » J'ai ainsi compris pourquoi une étrange familiarité nous unissait, Khaï et moi ; pourquoi il m'avait si souvent menée à la salle de bains. Par la suite, nous en sommes venus au point où il n'existait plus de différence entre nous. Lavés, nourris, soignés, touchés, sentis, écoutés, vus et revus, nus. Au dire de Peï, Khaï avait acquis une formation visant à contrôler toutes formes de pulsion. Chaque fois, une envie folle de regarder… Un peu, beaucoup, passionnément, pas du tout ; tombent les pétales blancs de la marguerite au cœur jaune…

* * *

Cet après-midi-là, lors d'un exercice particulièrement exigeant, Lu a craqué. Elle a quitté les lieux subitement, et est demeurée absente quelques minutes. À son retour, elle tenait à la main une boîte de biscuits. Dans la cuisine où nous étions attablés, elle nous a appris à goûter un Whippet, une pâte sur laquelle repose une guimauve, le tout enrobé de chocolat. Il s'agissait, dans un premier temps, d'aspirer délicatement, du bout des lèvres, le tétin de chocolat pour ensuite introduire la langue entre la guimauve et le revêtement qui, ainsi, se soulevait dans la bouche. Laisser alors le chocolat former avec la salive un sirop moelleux dont la saveur agréable se diffusait. Puis, déloger la guimauve de son assise et emplir la bouche de sa caresse crémeuse. Enfin, du bout des dents, mordre le biscuit pour en saisir uniquement le pourtour chocolaté. Restait la pâte qu'on laissait fondre dans la bouche sucrée. Lorsque nous eûmes terminé, bouches et doigts collés, joie! nous ressemblions à des enfants. Cet après-midi-là, nous avons su ce dont Lu avait essentiellement besoin. Entre l'idéal et la peur, de la vie. Tout bonnement.

* * *

Changement de programme. Ma dégustation avait porté des fruits. À la gravité, qui imposait jusqu'alors un respect distancié, succédait peu à peu une intimité qui me réconfortait. Sans pour autant soustraire la responsabilité de la démarche. Après tout, je me préparais à mourir pour eux; et eux, pour moi. Dès lors, on cessa de me considérer comme Loup. Je devins Lu.

CHAPITRE V

Il pleuvait sur l'automne. Aux cuisines, l'après-midi s'engourdissait. Cela me rendait tristounette. J'aimais bien. Comme lorsqu'on a un rhume et qu'on s'emmitoufle de bonheur dans une atmosphère laineuse. Pas envie de réfléchir, juste de rêvasser, pour le plaisir que procure parfois la mélancolie. Ils étaient tous si généreux à mon égard. Toujours soucieux que je ne manque de rien, que j'aille bien. Iiu, en particulier, qui m'entourait de prévenances, tant la préoccupation de me savoir rassasiée l'obsédait. Pas un repas sans qu'il s'enquière : « As-tu mangé à ta faim ? » Oui, oui, oui, je répondais. « Je vois là, pourtant, picorer un Loup ! » Jamais il n'allait au-delà de ce reproche. Il rapportait alors aux cuisines l'assiette que je ne parvenais pas à terminer, et me ramenait, malgré cela, un en-cas qu'il déposait dans ma main, pour plus tard. Certes, ils se taquinaient, se chamaillaient et, parfois même, se disputaient, mais, curieusement, on me parlait et on me touchait avec grande douceur, comme par crainte de me blesser. Quand un client ou un fournisseur bourru faisait son entrée, on prenait soin de dresser une muraille humaine autour de moi qui me protégeait et m'évitait ce contact. Souvent, la seule vue de Khaï, corps et visage impassibles, suffisait à calmer les esprits. En l'absence de Khaï, la prévenance d'Iiu demeurait tout aussi efficace.

— Accrocher, Petit Loup.

J'ai sursauté.

— Quoi, déjà le temps des exercices ?...

— Non, quartier libre. Iiu nous met en vacances.

Vacances... doux mot. Seul répit, le soir. Autrement, tension. Physique, psychologique, et nuits de douleur. En dépit de la tendresse des êtres qui m'entouraient. Il nous a menés jusqu'à ses quartiers. Il s'est alors retiré dans la salle de bains ; porte ouverte, comme toujours. Sonnerie de téléphone. Deux heures et demie. Je ne répondais jamais, je laissais Khaï le faire. Si je sentais qu'il s'agissait d'un entretien privé, je me retirais chez moi où, par la suite, il me rejoignait. Je préférais agir ainsi ; ne pas tout savoir. Je ne lui posais donc pas de question. Lorsqu'il jugeait pertinent que je sache, il m'en faisait part.

— Répondre, Petit Loup, ça te dit ?

J'ai décroché le combiné.

— Bonjour...

— Oh !... S'il vous plaît, puis-je demander qui est à l'appareil ?

Un timbre riche, aux modulations multiples, avec un débit qui déboulait en cascade. Une voix unique, que j'ai reconnue. Avant même de lui avoir parlé.

— Petit Loup. Que fais-tu debout, là-bas, dans la nuit toute noire ; pas de sommeil pour Itsuki ?

— Tu es bien aimable, Lu, de t'en préoccuper.

— Venir nous voir ?

— Certainement.

— Prévenir Gros Minou tout de suite.

J'ai cédé la place à Khaï. J'ai voulu me retirer mais, cette fois, il m'a retenue de son bras libre et m'a délicatement plaquée contre lui en maintenant son étreinte.

— Gros... Minou ?...

— Hum. C'est lui.

Après, il nous a bercés. Au beau milieu de l'après-midi gris.

Itsuki, Maître de la Maison de Tigre, incarnait la droiture. Droit en tout ; dans l'attitude physique et morale. Je savais qu'au-delà d'une certaine froideur, qui n'était qu'apparente, se trouvait un être dont la conscience de l'autre dépassait largement la moyenne. Ses objectifs, que je qualifierais d'éthiques, il les poussait loin en avant et en tenait la barre haut, avec rigueur. Si bien qu'il avait résolu, entre autres, de récupérer les enfants de la guerre qui erraient, seuls et nombreux, dans les villes. Parmi lesquels Khaï, qu'il considérait comme son fils. Ainsi, durant ces années meurtries, la Maison de Tigre s'était-elle enrichie d'une vingtaine de garçons.

L'arrivée d'Itsuki était prévue pour la semaine suivante, aussi bien dire pour avant-hier, considérant l'agitation qui régnait. Durant des jours, ce fut le grand ramdam. Ranger, laver, astiquer ; le restaurant, les quartiers, la cour extérieure ; même le petit garage, érigé à l'arrière, n'y a pas échappé. Faire les courses, cuisiner, réviser les comptes, mettre à jour les inventaires, effectuer les réparations qu'on avait négligées. Et un coup de pinceau, de rouleau, par-ci ; de tournevis, de marteau, par-là ; tout en poursuivant les séances de formation et nos activités régulières au restaurant et dans nos quartiers. J'en étais tout étourdie. Le soir, alors que Khaï et moi avions pris l'habitude, en nous berçant, de lire ensemble des ouvrages que nous prêtait l'oncle de Hong, puis de bavarder, je tombais endormie avant d'avoir atteint la fin de la première page. Plus de force ; que de la fatigue, généreuse. Je ne saurais dire si c'était le sentiment d'appartenance, la satisfaction des tâches accomplies ou, simplement, l'afflux d'activités physiques, mais les nuits me paraissaient moins tourmentées. Comme si l'esprit parvenait à porter une part de sérénité au loin, là-bas ; à moins que ce ne fût l'inverse... Hélas, plus de temps pour écrire et dessiner. Au bout de la semaine, la solitude vint à me manquer. Aussi, lorsque Khaï me proposa de l'accompagner à l'aéroport, ai-je refusé, préférant me retrouver seule dans mes quartiers.

Je terminais un dessin. J'ai perçu des souffles et des frottements, en provenance du couloir, qui s'approchaient ; je les ai effacés.

* * *

— Il y a là mon Petit Loup qui met des couleurs dans son dessin. Bon signe ; l'esprit est en paix.

Il murmurait, imperceptible. Il s'est alors dirigé vers elle, le corps comme suspendu à quelques centimètres du sol. Étrange, il souriait, chose qu'il faisait rarement. Elle était assise à une table, face à une fenêtre ; la nuque fine légèrement arquée ; concentrée au-dessus de son ouvrage ; une boîte de crayons, renfermant tout juste les sept couleurs de l'arc-en-ciel, posée à sa droite. Avec d'infinies précautions, nous avons suivi Khaï.

— Hum. Voilà Gros Minou dans ses habits d'hiver, parmi de bien jolies fleurs. Qu'est-ce que c'est que ces petites lignes, de part et d'autre ?

Quand elle a parlé, nous avons presque cessé de respirer.

— Fourrure de Petit Loup.

Elle venait de dessiner un tigre, au large sourire, vêtu d'un bonnet, d'une écharpe et de moufles. Des rayons de soleil, des flocons de neige et des fleurs colorées. Un dessin d'enfant. Dans son jardin intérieur, nous n'avions jamais vu Khaï aussi heureux. Lui non plus. Elle s'est rendu compte que nous étions là ; s'est retournée. Yeux de loup.

* * *

Quand je l'ai aperçu, en compagnie d'Itsuki, une part des Écrits a émergé de ma connaissance : *Le Loup trouvera sa Maison unie, forte des liens du sang.* Khaï, Peï, Iiu, Itsuki et, à présent, Maïko. J'ai aussitôt eu envie de le nommer. Je m'en suis abstenue. Je doutais. Il n'empêche que je n'ai pas su me réfréner. Je souriais tellement, comme le Gros Minou de mon dessin, heureuse tout à coup de percevoir qu'il partageait déjà mon sentiment. Un être apaisant, d'une vivacité d'esprit presque vertigineuse. Il lui suffisait d'observer, d'écouter ; à peine quelques mouvements, quelques mots, et il devinait le reste, toujours avec justesse. Sans jamais décrire les personnes concernées, hormis le Tigre et le Loup, les Écrits demeuraient limpides, du moins à ma connaissance. Au Loup de désigner ses propres liens filiaux. J'avais donc, devant moi, mon frère, le Chien, qui me conseillerait le temps venu, et qui jamais ne trahirait mes confidences, même immobiles et silencieuses. J'étais émue ; il savait. J'ai alors songé à cette rencontre ultime qui m'attendait et à laquelle je me préparais ; celle entre le Tigre et le Loup, celle par laquelle ils devaient se reconnaître...

Par déférence, Khaï a d'abord présenté son père adoptif, Itsuki, droit, élégant, séduisant ; puis son ami, Maïko. L'amitié qu'ils partageaient depuis l'adolescence était infinie. Frères de corps, de cœur et d'esprit. Pendant le reste de la journée, les retrouvailles allèrent bon train, et les nouvelles rencontres, avec les gens du quartier et du restaurant, se déroulèrent dans la joie. J'avais demandé à Peï que mes séances de formation restent fermées, c'est-à-dire à huis clos, entre nous trois. Il avait accepté en m'avisant qu'il mettrait toutefois Itsuki au courant de mon évolution. Cela me semblait juste, et l'idée de ne pas occuper le devant de la scène me plaisait. Ainsi feraient-ils Sambok et bilan entre eux. Ne pas trop m'exposer, telle était, pour l'heure, ma stratégie. Afin de préserver mon équilibre psychologique qui, au fur et à mesure que je m'enfonçais plus avant dans le chemin de ma nouvelle destinée, prenait une tangente de plus en plus préoccupante. En me tenant physiquement à l'écart, je nourrissais l'impression de me protéger. Et, surtout, j'apprenais en secret à canaliser mes forces intérieures. Non pas que l'aide de Peï et de Khaï se révélât inutile, au contraire, mais je savais qu'un jour proche plus rien ni personne ne pourrait m'éviter d'être ce que je devenais.

* * *

— Qui est-elle ?

La question d'Itsuki s'est mise à planer au-dessus du petit salon, chez Peï, où nous étions réunis après avoir fait Sambok.

— Nous l'ignorons, admit Peï. Mais nous nous découvrons réciproquement un peu mieux à chaque instant.

— Oui, je vois et j'entends : un Loup enfant !

— Détrompe-toi, Itsuki, l'enfant n'est pas ce qu'il te semble. Nul besoin de perfection comme nous l'avons toujours interprété d'après les Écrits. L'enfant est là parce qu'il fait partie intégrante de la personnalité, mais aussi parce que le Loup incarne la pureté. Voilà pourquoi nous devons protéger Lu, d'abord contre elle-même, contre sa propre fragilité.

— Oui, certes. Et qu'en est-il de l'adulte, de la femme occidentale ?

— Ses dispositions et sa connaissance se situent bien au-delà de l'entendement des Écrits. Son doute aussi.

— Elle a parlé ?

— Jamais un mot sur qui elle est, seulement sur ce qu'elle devient, et encore, sa discrétion s'apparente au silence. Lorsque nous l'interrogeons et que cela rejoint une part intime, elle ne répond pas. Lorsque nous insistons, elle s'oppose et parfois même quitte les lieux. Je reconnais que cela nous cause du souci, mais il serait malveillant de ne pas respecter sa volonté en ce sens. En revanche, sa préoccupation pour l'autre est constante. Elle a souffert et souffre encore. Nombre de tourments. Raison pour laquelle elle parvient à supporter la douleur physique sans mécontentement ni plainte. Face à la douleur psychologique, elle demeure sensible et se réfugie dans le silence et la réflexion pour soigner ses plaies. Seule porte entrouverte : ses cahiers d'écolier ; des écrits et des dessins, qu'elle nous montre parfois, et que je me suis permis d'encourager.

— Qu'en est-il de l'esprit ?

— Ah ! Au moment où tu croiras le saisir, il t'échappera ; te surprendra de son humour… et de sa tendresse, j'ajouterais.

À les voir, Peï, Khaï, Iiu, pourtant si différents, en parfait accord, Itsuki n'eut d'autre voie que de dire ouvertement ce que tous nous percevions intérieurement. Dès le premier instant, Lu suscitait chez l'autre sérénité, confiance et affection. Il était écrit que le Loup serait rassembleur, qu'il prendrait la douleur et rendrait la paix afin de préserver la vie. Lu nous unissait déjà, et dans ses pas, nous marcherions. Jusqu'au bout, elle nous mènerait. Ce jour-là, nous l'avons su. À propos de Lu, bilan fut conclu par Khaï qui, comme à l'accoutumée, prononça peu et juste :

— Bouleversante.

Deux coups feutrés à la porte d'entrée. Un coup d'œil vers Khaï qui ne se levait pas. Il m'a signifié que c'était elle, en haussant les sourcils et en souriant à demi, rêveur. Il semblait transfiguré. Jamais, auparavant, ne se serait-il permis autant d'expressivité. Aisé de comprendre, même pour un aveugle...

* * *

Le couloir me paraisssait bien long dans le silence. Parvenue au salon, j'ai osé un pas à l'intérieur.

— Petit Loup dans le dérangement, oui ?...

— En aucun cas, tu le sais.

Bienveillant, Peï s'empressait de me rassurer. Or, Maïko affichait l'air étonné, comme s'il venait de découvrir quelque chose qui m'échappait. J'avais pourtant pris soin de frapper avant d'entrer... Cela m'a intriguée, et en même temps intimidée. Sans m'en rendre compte, j'ai eu le réflexe d'entreprendre, dans ma langue, l'explication de la raison de ma présence. Peï m'a aussitôt ramassée et renvoyée à ma nouvelle culture, telle une pelletée de neige.

— Dans la langue, je te prie.

J'ai failli bloquer net. Mais je me suis exécutée, sans rechigner, comme toujours lorsque le Maître demande.

— Il y avait là le vendeur de poissons. Des crevettes. Trop petites et trop chères. Pas dans le besoin, je dis ; et il s'en retourne.

— Cela n'est pas exact, Lu ; des crevettes, il en faut, a rétorqué Iiu.

— Je sais... Mauvaises crevettes.

— Comment peux-tu affirmer cela ? m'a alors lancé sec Itsuki.

J'ai senti que seule la vérité serait acceptable. Au demeurant, il était interdit au Loup de mentir. J'ai chuchoté la réponse avec l'espoir naïf qu'elle se perdrait dans l'air de la pièce et que les esprits ainsi oublieraient et passeraient à autre chose.

— Sonder ?...

— Ah ! s'est exclamé Peï. Voilà qu'à présent elle sonde les crevettes congelées et empaquetées !

Les sourcils froncés d'Itsuki s'assombrissaient dangereusement… Je n'étais pas pressée de connaître la suite ; elle ne tarda pas.

— Ce n'est pas un jeu que de détenir la faculté de sonder. Qu'est-ce qui t'a pris d'en user de la sorte ?

Je n'appréciais guère cette manière de m'acculer au mur des justifications. J'ai reculé d'un pas. Je savais l'immobilité de Khaï, contrarié par l'insistance d'Itsuki. J'ai puisé là la force de parler.

— Dans la main asiatique, toujours on prévient Petit Loup.

Stupéfaction générale. J'en ai profité pour terminer cette fichue explication.

— Maintenant, je vais acheter d'autres crevettes. Mais pas d'argent.

— Oui, ma faute, s'excusa Iiu. J'ai omis de déposer dans la caisse du bureau. L'argent, je l'ai avec moi ; je te le donne.

— Laisse là !

J'ai reculé d'un autre pas et noué mes mains derrière mon dos cependant que Khaï serrait les dents. Voyant qu'il me mettait mal à l'aise, Itsuki a aussitôt recouvré son calme. Et m'invitant de la main à repénétrer dans la pièce :

— S'il vous plaît, qu'est-ce que cette main, et ce on ?

L'attitude d'Itsuki témoignait de son inquiétude à mon égard. Il désirait comprendre ; m'aider, simplement. Et moi qui m'obstinais à ne pas m'exposer !… Je suis alors entrée dans le salon comme l'animal sauvage, craintif de l'homme, et suis venue m'asseoir sur Khaï ; sur moi, il a refermé l'étreinte de ses bras. J'avais le cœur battant, du mal à contenir ses tremblements, et les yeux mouillés. Je m'apprêtais à dire, pour la première fois, un peu de cette douleur qui me tourmentait depuis tant d'années.

* * *

Quelques jours plus tard, le bruit a couru que des cas d'intoxication alimentaire étaient survenus. Des clients avaient consommé des crevettes dans un restaurant aux abords du quartier. J'ai alors pris conscience de la signification des mots *prendre la douleur afin de préserver la vie.* Mon Petit Loup nous protégeait. Pourtant, c'était à nous, à moi, de la protéger. J'ai su enfin qui la visitait les nuits lorsqu'elle gémissait. Elle communiquait avec la Terre Vénérée et ses Morts qui la guidaient depuis nombre d'années. Sa souffrance venait du pardon qu'elle implorait en nos noms. Elle était née droitière cependant que la Main de Loup, main gauche, côté cœur, portait les blessures de l'Alliance. Sa main asiatique, comme elle l'appelait, avec laquelle elle se nourrissait de nos plats, touchait nos corps, sondait nos esprits et nos cœurs, prenait notre douleur, nous rejoignait un peu plus chaque jour. Autant d'ironies qui me causaient de l'amertume. J'étais gaucher.

CHAPITRE VI

Dans la fenêtre de Khaï, il y avait le fleuve. Le ciel a commencé à s'égrener ; dimanche, quartier libre. La première neige. J'ai entendu un murmure chanté venir se propager en un souffle contre ma tempe. J'ai compris qu'il me posait une question, mais j'ignorais laquelle. J'ai tourné la tête, et mon visage a rencontré le sien ; il se tenait si près de moi... J'ai eu envie, moi aussi. On a cogné au cadre de la porte, grande ouverte comme toujours. Une fois entré, Itsuki nous a salués, en se courbant légèrement ; non pas uniquement par politesse, mais aussi dans l'intention de nous accorder le temps d'apaiser nos esprits. J'ai apprécié sa réaction subtile. Ce matin-là, il m'a beaucoup plu. Lorsqu'il s'est redressé, nous nous sommes vus, Khaï et moi, dans ses yeux. Il s'est alors éclairci la voix pour nous proposer de passer le reste de la journée en compagnie de Maïko, Iiu et d'autres, chez Peï. Nous avons accepté. Je me disais qu'il valait mieux nous entourer de gens plutôt que de laisser libre cours à un désir qui nous échappait parfois et que nous n'osions pas encore assouvir. Nous avons donc suivi Itsuki. À notre arrivée, on s'affairait déjà à préparer le repas du midi. Un buffet sans prétention, composé de ces simples choses, si délicieuses, que chacun apporte. Du pain chaud, des fromages odorants, des pâtés épicés, des salades croustillantes, des fruits colorés, de la bière froide et du vin chaud ; les langues et les corps se déliaient; dehors, il tombait des ficelles blanches. Pas de plaisir plus agréable que le désir de l'autre.

Nous étions une douzaine, peut-être plus, je n'ai pas compté. Je n'étais pas habituée aux rassemblements. Solitaire, je préférais les groupes plus restreints; idéalement, une seule personne. Khaï, qui le savait, se tenait tout contre moi, comme toujours en pareilles circonstances. Devant tous, nous affichions notre indifférence familière. Nous mangions dans la même assiette, buvions dans le même verre, jambe contre jambe. *Qui parle au Loup se parle; qui touche au Loup se touche...* la suite, je refusais de la formuler, le temps surviendrait bien assez vite. Goûter la saveur du moment présent, et omettre un peu de cette folle histoire du Tigre et du Loup. Alors, j'ai commencé à observer et à écouter. La solitude de Peï, radieux. Plus que tous, il appréciait ces rencontres où il pouvait percevoir les autres et se percevoir à travers eux. Quant à Itsuki, en société, il charmait; il excellait d'élégance. Assurément, il était homme à dominer l'avant-scène qui me rebutait tant. Puis, un détail : Khaï à ma gauche; Maïko à ma droite. Les deux hommes m'encadraient constamment. J'ai songé à leur comportement lorsqu'ils se trouvaient sans moi. Maïko demeurait à la droite de Khaï, à distance, comme laissant entre eux une place libre en permanence, même quand ils s'attablaient. Je me suis demandé si cela n'avait cours que depuis l'arrivée de Maïko... Je me suis rappelé le premier repas pris en groupe, au restaurant; un dîner. Une place pour moi à droite de Khaï, à gauche d'Iiu, au centre du comptoir. Par la suite, même scénario. En définitive, Maïko avait simplement réintégré sa place, occupée par Iiu durant son absence. Une muraille humaine, protectrice, dressée par Khaï seul, ou avec d'autres, en tout temps, autour du Loup. Je me suis senti les épaules bien frêles de recevoir autant d'estime. En étais-je digne?...

— Mon Petit Loup, il y a là Iiu à la recherche de Hong.

— Sais pas, demander à S'il vous plaît?...

— Ah!

La gaffe. Peï qui s'esclaffe, et Khaï, et Iiu, et Maïko, et... J'ai rougi. Cette manie de réfléchir n'importe où, n'importe quand, à l'encontre de la réalité dans laquelle je continuais pourtant! Aucune issue pour me rétracter, sinon l'excuse plate et polie à Itsuki... qui riait, lui aussi. À partir de cet instant, plus jamais il ne m'a bousculée.

J'avais jusqu'alors exercé mon rôle de Loup en coulisse. J'étais parvenue à m'adapter facilement à leur mode de vie, je me contentais d'obéir aux directives de Peï et, dans la foulée, de me laisser couler, telle l'eau vive dans le lit du ruisseau, dans la relation privilégiée qui nous unissait, Khaï et moi. Et cependant qu'ils avaient pris l'habitude de faire Sambok et bilan sans moi, la nuit suivante marqua un tournant dans le déroulement de ma nouvelle existence. Ça n'allait pas du tout. La révélation en soi ainsi que la douleur qui l'accompagnait étaient insoutenables. Désespérée, je tentais de toutes mes forces de repousser la connaissance de cette épreuve qui, plus que les autres, s'imposait, cruelle. Je priais la Terre et ses Morts de nous épargner. Non! m'écriais-je en citant les Écrits, *là où le Loup, point de mort, ni de blessure*! Je combattais, la rage au cœur, ce sang qui giclait de ma gorge plutôt que de celle de Peï, souillait ma poitrine plutôt que la sienne; j'étouffais!... j'étouffais de prendre sa douleur!... Du plus profond de mon être, j'ai hurlé mon refus à la Mort. Je me suis éveillée en sursaut, assise dans mon petit lit. Écœurée, je l'ai quitté d'un bond et me suis mise à reculer vers la porte, grande ouverte, le corps mouillé, la respiration convulsive. Sur ces entrefaites, Maïko et Itsuki accouraient, précédés de Khaï qui m'enveloppa de son corps en me chuchotant, inlassable, à l'oreille:

— Avec toi... Avec toi... Avec toi...

Je me suis mise à gémir d'impuissance, face à ce que je considérais comme une injustice. Je ne voulais pas de cette révélation. Peï est survenu; avec délicatesse, il a cherché de la main. Lorsque la main eut trouvé, elle s'est posée sur ma tête. Itsuki et Maïko ont fait de même, tandis que Khaï resserrait ses bras sur moi en me répétant ses paroles. Après quelques minutes, le corps s'est apaisé. Pas l'esprit. J'ai murmuré:

— Voici que le Loup doit agir. Demain, je vous veux tous entendre.

Le lendemain matin, après Sambok, je les ai rejoints, à la cuisine, chez Peï. En voyant les mines flétries, j'ai compris. Une nuit blanche pour eux aussi. Assise sur Khaï, j'ai déjeuné sans appétit. Il avait résolu de nous mener à son grand lit où, comme les dimanches, en matinée, je m'étais étendue contre lui, les yeux tourmentés. Je comprenais que le Loup, seul, ne suffirait pas, qu'il lui faudrait Lu, et qu'au-delà de cette complémentarité il y avait moi. Moi qui devrais dorénavant ignorer le doute au risque de commettre des erreurs, faute de quoi le Loup ne pourrait agir. Peï avait raison : la vie est un dessin que la main du corps façonne au gré des tracés du cœur et de l'esprit. Tant de vie, si peu de foi... Cela m'effrayait. Après le repas, la tasse de thé et le début de la discussion. Je n'aimais pas le thé ; j'ai bu quand même.

— Il est des règles pour chacun. Voici donc les règles de Loup auxquelles vous devrez vous soumettre, ainsi que le commande votre engagement : *uniquement dans les pas de Loup marcherez... ; contre la douleur n'aurez jamais de rancune... ; vos esprits devrez apaiser...* ; enfin, en aucun cas, vous n'irez aux Quartiers Est. À ce propos, j'exige stricte obéissance.

Ils m'écoutaient, profondément. Pour la première fois, j'intervenais ; je risquais un choix entre le rêve et la réalité, sans savoir la vérité ; pire, je brisais l'interdit de révéler à l'avance ma connaissance. La peur me rongeait crue. J'étais néanmoins déterminée à ne pas céder au doute. Ils m'ont donné leur parole, sans poser de question, ni de condition. Ils croyaient déjà tout de moi.

Les jours qui suivirent demeurent à ma souvenance un doux temps durant lequel tendresse et affection émanaient de chacun ; comme si l'on eût voulu me délivrer de la souffrance infligée. Je sentais que les séances de formation tiraient à leur fin. J'avais un pied engagé dans la voie ; bientôt, il me faudrait poser le second, puis me mettre à marcher au-devant de l'Alliance que je portais en moi, malgré moi, et que, pourtant, j'avais librement choisie alors qu'elle ne me concernait pas a priori. Tous les soirs, Khaï nous berçait, fredonnait des couleurs de son pays. À l'étonnement de Maïko qui n'avait pas manqué de le taquiner.

— J'ignorais que tu chantais.

— Attends de me voir danser.

Il buvait sec et dansait bien ; Maïko aussi. Pendant que Hong et Iiu inscrivaient dans la pénombre une page qui leur appartenait. Je me disais que l'amour survenait lorsque l'autre provoquait en soi le désir fou d'être meilleur. Au sortir du bar, j'étais un peu éméchée. Nous sommes rentrés à pied, dans le froid aqueux qui annonce la neige. Nous avons remonté la rue étroite qui semblait plonger dans le fleuve, derrière nous, et j'ai regardé le banc. Avec moi, Khaï s'est souvenu ; les autres avaient disparu. Il a alors entrouvert son manteau et sa chemise ; a retiré le gant de ma main gauche qu'il a enfouie à l'intérieur et plaquée contre son cœur.

— Pas un de ses battements qui ne soit pour toi.

Il m'a menée jusqu'à mon petit lit où j'ai dormi toute une nuit sans gémir.

Un homme, une femme ; rien dont on puisse s'émouvoir, sinon l'amour. Entre Khaï et moi. Durant des années, j'avais puisé force et apaisement dans cet être qui n'était pas encore apparu de ce côté-ci de la vie. Je considérais que la pensée constituait en soi une réalité et que, par conséquent, le pensé ne pouvait être autrement qu'existant. Ainsi donc, à mes yeux, Khaï avait toujours existé ; simplement, il n'était pas vivant. J'avais appris à l'aimer ; pour lui-même, sans attendre de retour. Maintenant que nous étions réunis, nous entretenions une relation que je dirais à la fois hors du commun et dans l'ordre des choses en raison de nos rôles respectifs et des épreuves à venir ; du moins me complaisais-je à m'en convaincre… Maintenant qu'il s'était déclaré, je n'osais plus affronter l'Alliance. À cet instant, j'eus l'intuition que je m'étais trompée. Pour moi, ce ne serait pas l'Alliance qui constituerait l'épreuve ultime, mais bien l'Impondérable. Je n'aurais pas dû être le Loup… Itsuki a toussoté. Sans doute se tenait-il à proximité depuis quelques minutes.

— S'il vous plaît, puis-je ?…

Je lui ai signifié de s'asseoir avec moi.

— Je regrette d'interrompre ta réflexion, Lu, mais je dois te mettre au courant de la situation, là-bas, et, possiblement, connaître tes intentions.

Une brève hésitation, et, voyant que je l'écoutais :

— Ta connaissance implique-t-elle les enjeux politiques et économiques auxquels nous ferons face ?

J'ai acquiescé.

— Bien. Tu connais les lieux ; pour l'heure, ils sont peu hospitaliers. Beaucoup de trafic sur le Grand Fleuve. Beaucoup de convoitises, également. Il s'agit là d'un territoire, aux abords de la frontière, vaste et vierge. Pas d'électricité ni d'eau potable ; pas non plus d'installations sanitaires. Nos plus proches quartiers, Quartiers Nord, érigés dans le pays voisin, se trouvent au moins à deux heures de marche à travers une ancienne piste que la jungle a envahie et qui demande réaménagement. Pour occuper l'endroit, accommoder plus d'une centaine de personnes, et donc assurer un minimum d'aisance fonctionnelle et de protection, il nous faudra une autorisation gouvernementale. Et, qui plus est, négocier avec certains Voisins limitrophes qui estiment détenir un droit de regard. Une tâche bien prosaïque dont je serais honoré de m'acquitter si tu m'en accordais la permission.

Il se portait volontaire, me demandait avec le plus grand sérieux, comme on demande à son chef. Je n'en revenais pas, c'était si loin de moi… Par considération pour la valeur que je lui reconnaissais en tant qu'être et pour son comportement à mon égard, d'autant que rien ni personne ne l'obligeait à me consulter, je l'ai autorisé à préparer mon arrivée.

CHAPITRE VII

Cette année-là, on s'attendait à un Noël brun en dépit de la première neige qui était survenue dans les temps et qui, généralement, précédait l'hiver blanc d'un mois. Le ciel était pourtant jauni de neige, mais rien ne s'en échappait; et le fleuve, métallique, donnait froid à toutes choses. Avec Gros Minou, dans son grand lit, juste à côté; Itsuki qui ronflait, paisible, à tout rompre; Maïko, mon frère; Peï que je chérissais; et mon amie Hong dans les bras prévenants d'Iiu, j'étais au chaud. Pas lourds dans l'escalier, coups de poings gantés à la porte, cris gras, parmi des halos de sirènes et des voix. Une fuite de gaz, quelque part, que l'on jugeait dangereuse et qui nécessitait l'évacuation des gens du quartier. Pas le temps de s'habiller; une explosion, semblait-il, était imminente. J'ai empoigné mon doudou et me suis précipitée, mue par l'obsession de veiller sur Peï. Curieusement, nous avons tous eu le même réflexe, celui de nous préoccuper les uns des autres; si bien que nous étions tous réunis dehors. Après m'être assurée que ceux que j'aimais se trouvaient en sécurité, et que Peï était bien emmitouflé dans mon doudou encore chaud, j'ai eu besoin de savoir. Alors j'ai sondé. Tout le quartier. En me postant devant l'arche qui en marquait l'entrée, pieds nus sur l'asphalte glacé où patinaient des lumières rouges, blanches et bleues. Inquiets de ne plus m'apercevoir parmi la foule, ils se sont mis à ma recherche.

Hong m'a découverte la première, suivie de près par Khaï, puis les autres. Je continuais de sonder, poing droit contre ma poitrine, la Main de Loup aux trois doigts tendus, qui dessinait dans l'espace un demi-cercle devant moi pour embrasser le quartier, les yeux fixés au-delà du lieu présent. Quand j'eus terminé de sonder, j'ai vu l'embarras dans le visage de Hong pour qui le Loup n'existait pas. J'ai souri afin de signifier que tout allait bien ; qu'il ne restait plus personne. L'explosion s'est produite aussitôt. Un fracas de fer, dans un hangar vide, mais dont j'ai senti la chaleur, pénétrante, étrangement apaisante. Ils se tenaient tous près de moi, y compris Peï qu'Itsuki avait pris soin d'emmener avec lui. Dans cette lumière lointaine, que j'étais seule à percevoir comme à proximité, j'ai reconnu ceux qui m'appelaient. J'ai alors su que le temps était venu pour moi de partir.

Il fut convenu que Khaï et moi irions au Sanctuaire où je devais subir les trois premières des quatre épreuves de Loup, la dernière étant celle de l'Alliance qui surviendrait en Terre Vénérée. Peï accompagnerait Itsuki et Maïko aux Quartiers Sud, dans la capitale, afin de réunir les quatre Maisons et voir au bon déroulement des négociations ainsi qu'à l'implantation des diverses installations en Terre Vénérée. Quant à Iiu, il resterait, le temps de fermer nos Quartiers du Grand Nord et de passer la barre du restaurant qui poursuivrait ses opérations. Au fur et à mesure que le jour du départ approchait, la fébrilité me gagnait ; et mon paquetage, de plus en plus volumineux, s'appesantissait. Et pour cause, chaque jour, je l'alimentais. À tout propos, je consultais Khaï, visiblement amusé par mes nombreuses et impromptues apparitions dans ses quartiers.

— Bâton de Petit Loup, possible de l'emporter, oui ?...

— Hum.

— Parfum de Hong, pareillement ?...

Qui ne dit mot consent... Je n'avais jamais quitté mon pays. Et la seule pensée de me retrouver à l'autre bout du bout du monde m'impressionnait tellement que j'en perdais presque la faculté de jugement. Je ne parvenais pas à imaginer mes pieds marchant ailleurs sur la Terre de la même manière qu'ils avaient toujours marché ici, chez moi.

— Des couvertures, cela existe aussi, chez nous.

Je me démenais. Avec ce foutu sac à dos, si plein qu'on eût dit une bedaine rebondie.

— Pas de doudou.

— Quelle différence?

— Il porte nos odeurs.

— Mon Petit Loup...

Il se tenait derrière moi, si bien que je devais me casser le cou pour le regarder. Il paraissait intimidé; cela ne lui ressemblait guère...

— J'ai là...

Il l'a déposée sur la table. Une superbe pièce de soie, aux teintes chaudes de la terre et du couchant, arborant en son centre le signe de l'Alliance. Je ne disais rien; je respirais l'étoffe onctueuse qui s'insinuait entre mes doigts. Un nouveau doudou, imprégné de sa présence sans laquelle la vie m'était devenue impensable.

La veille de notre départ, en soirée, Peï nous a convoqués, Khaï et moi. Je m'attendais aux dernières recommandations d'usage, mais il fut plutôt question d'un exercice extrême, pour le moins biscornu. Je me suis alors demandé si Peï ne venait pas de nous pondre un exercice sur mesure... Il représentait, selon ses dires, une sorte de synthèse impliquant les trois dimensions de l'être. J'ai compris que Khaï ne l'avait encore jamais pratiqué, et j'ai senti que son appréciation rejoignait la mienne. La position de départ consistait à s'agenouiller face à face; les mains de Khaï en position de Sambok, c'est-à-dire à plat sur les cuisses, paumes vers le haut; et les miennes en position de Loup, soit poing droit contre la poitrine, la Main de Loup aux trois doigts tendus, devant. Suivait une durée, que j'étais seule à déterminer, pour préparer l'esprit à l'effort télékinésique extrême. Une fois prête, je devais le signifier à Khaï en posant mes mains sur les siennes. Puis, se projetant vers l'arrière, il s'allongeait, m'entraînant dans son mouvement, en me retenant mains dans les mains, afin que je m'allonge au-dessus de lui, à distance en lévitant. L'exercice s'apparentait à des redressements, à la différence que c'était la force de Khaï qui, pliant et dépliant les bras, faisait mouvoir mon corps allégé, suspendu dans l'espace par l'esprit, cependant que nos respirations s'accordaient.

— Chaque dimanche au soir, à neuf heures précisément, il vous faudra effectuer cet exercice. Vous débuterez par cinquante temps ; progressivement passerez à cent puis à cent cinquante. Quoi qu'il advienne, vous n'omettrez aucune séance. Cela, jusqu'à ce que l'Alliance soit scellée.

Après quoi, il nous a enjoint de l'exécuter ; en sa présence, comme toujours. Sa gravité ne laissait aucun doute. C'était dément. Une vraie torture physique et psychologique. En me rhabillant, je me suis demandé si Khaï avait eu la même impression... Comme pour se faire pardonner, Peï nous avait préparé un goûter. J'avais besoin de repos ; l'effort télékinésique extrême, tout comme la faculté de sonder, me causait souvent une fatigue mentale profonde. Cette fois, j'eus droit à une tasse de café que Khaï s'est mis à boire avec moi, jambe contre jambe. Ses gestes m'ont soulagée ; il renouait, après s'être refermé comme une huître durant toute la séance. Peï paraissait affecté autant que nous.

— Je reconnais qu'il y a là exigence, et même intrusion qui ne devrait pas. Mais les Écrits sont formels : à nul autre que le Loup de sceller l'Alliance qui demande une élévation extrême de l'être. Par cet exercice, l'esprit se forgera. Confiance, telle est mon unique requête. Daigne l'accepter, Lu.

N'importe quoi pour ne pas se quitter dans le regret. Sans réfléchir, j'ai parlé.

— Toujours Petit Loup en confiance avec toi ; cela est inscrit dans tes yeux bleus.

Pas de mot pour dire l'émotion que j'ai provoquée malgré moi. Ses yeux, complètement décolorés, étaient blancs.

— Bleus... il est vrai. Hélas, ils sont morts depuis.

Première fois que je l'entendais en parler. Il m'a souri, tout caresse-tendresse, et a tendu ses mains usées afin que je lui confie les miennes.

— Il y a là deux joues qui vont se languir de ne plus recevoir leurs bonjour-bonsoir-baisers...

Une idée folle m'a traversé l'esprit. J'ai contourné la table pour le rejoindre. J'ai alors posé la Main de Loup sur son front et concentré mes forces en fixant l'esprit dans mon poing droit, contre mon cœur. Il a vu.

— Là, maintenant, tu sais à quoi Petit Loup ressemble.

Khaï nous a bercés durant toute la nuit ; la dernière. À la fébrilité succédait la peur. Pas du voyage, ni de l'étranger. Peur bête de mourir. Une fois les épreuves franchies avec succès, au Sanctuaire, la vie, la vraie, me tuerait ; je savais.

LIVRE DEUXIÈME

Le Tigre

CHAPITRE I

Une petite gare, dans un village enfoui profond au pied des montagnes. Pas d'arbres, là-haut, que de la pierre ; mais joie, ici au moins, il y avait de la neige ! Blanche, que je me suis empressée de signaler à Khaï. À la descente du train, je pensais que le même phénomène, survenu à l'aéroport, se répéterait. Mais non, le calme plat. Au sortir de l'avion, quand j'avais posé le pied, et ainsi pris contact avec l'Asie, une chaleur suffocante m'avait léché le visage. N'eût été la Main de Loup, qui en avait recueilli l'intensité au cœur de la paume, j'aurais cru à une variation thermique normale, lorsqu'on part du froid pour atterrir dans le chaud. Tous les voyageurs en témoignaient ; moi, j'étais néophyte en la matière. J'ai compris toutefois qu'*ils* étaient là, tout près, qu'*ils* m'accueillaient, me souhaitaient la bienvenue en quelque sorte. J'avais résolu de profiter du voyage comme s'il s'agissait de vacances, et m'étais rigoureusement interdit de réfléchir. Assise sur Khaï, je buvais à grandes lampées du regard, par les hublots, par les fenêtres, ce monde extraordinairement étranger à mes yeux.

* * *

Je ne me lassais pas de la regarder, femme-enfant qui me bouleversait ; encore et encore. Sa capacité d'émerveillement devant la différence me faisait prendre conscience à quel point l'Asie était belle. Durant le trajet, le long du ciel, des routes, de la voie ferrée, je m'étais amusé à percevoir à travers ses propres perceptions, et m'étais surpris moi-même à découvrir le monde d'où je venais.

* * *

Sur les quais, personne ne nous attendait. Au lieu de me désoler, cela m'a réjouie. Quelques minutes supplémentaires de vacances, en compagnie de Khaï qui se parait de notre volumineux barda avec la détermination d'un chameau dans le désert. Heureusement, le Sanctuaire n'était pas loin. En me hissant sur la pointe des pieds, je pouvais en apercevoir une tache de toiture. Nous avons marché parmi les sourires et la gravité des montagnes. L'Asie, peuplée d'extrêmes, avait toujours fasciné mon imagination. J'admirais son raffinement. Autant dans la tasse de thé que dans la torture... Un monde inexprimable.

À la muraille qui délimitait l'entrée du Sanctuaire, on nous attendait. J'ai reconnu Lamaï, premier dans la hiérarchie.

— Soyez les bienvenus... Puisse votre séjour... parmi nous... vous apporter la lumière.

Plutôt solennelle comme entrée en matière ; cela aussi, c'était loin de moi. Et Khaï qui renchérissait :

— Maître, voici le Loup.

Tous, moines ; grands et petits, jeunes et vieux, en salutations et en courbettes. Je commençai à être prise de nervosité. Et, même si je parlais mieux leur langue, j'appréhendais la première question à laquelle la bienséance m'obligerait de répondre. Pour l'instant, je me contentais d'afficher des yeux fuyants et un sourire si contracté par la discrétion qu'il ressemblait à un rictus. Je me suis aperçue que plus personne ne bougeait. Dans un réflexe stupide, je me suis retournée pour constater ce qu'il n'y avait pas derrière moi. Les plus jeunes ont gloussé. Aux côtés de Lamaï, un ours. Qui leur a jeté un sort du regard. N'avait pas l'air commode, celui-là... Lamaï m'a alors présenté Hong, celui qui m'accompagnerait dans les épreuves; l'ours Cro-Magnon. J'étais au bord du désespoir, l'impassibilité de Khaï avait l'allure d'une farandole comparée à la sienne. Lamaï nous a ensuite enjoint de le suivre. La muraille s'est refermée. Trois mois, une éternité...

À l'intérieur, je me suis souvenue de ma première visite chez Peï. La même énergie, plus accentuée; pénétrante, apaisante; partout. J'aimais les lieux de silence. Assurément, j'étais dans le havre de l'Alliance. On nous a assigné nos quartiers respectifs. Des chambrettes, donnant sur le même corridor, mais obliquement opposées. Celle de Khaï, la première à droite, au début du couloir, suivie de celle de mon accompagnateur, en face de celle de Lamaï. La mienne, la dernière, située à gauche, jouxtant une salle de bains. Khaï a déposé son paquetage et apporté le mien. Il paraissait contrarié.

— Hum... Je vais, je reviens.

Il m'a laissée seule aux prises avec mon accompagnateur qui entonna le tour du propriétaire en me bougonnant les lieux.

— Salle de bains... Cuisines... Réfectoire... Salle des prières... Salle des enseignements... Cour intérieure... Appartements administratifs : défendus... Salle des exercices... Salle de l'Alliance... Salles des épreuves...

« En bas », qu'il avait osé commenter, sans me les montrer. Nul besoin, je savais... De retour à ma chambre, j'ai trouvé Khaï, cette fois-ci, satisfait. Une chaise berçante.

Ma condition de Loup m'obligeait à résider sur place, où étaient conservés les Écrits que je devais lire intégralement au cours de mon séjour, en plus de subir les trois épreuves de Loup. Pour ce faire, on nous avait installés dans une section à l'écart, spécialement aménagée, avec un horaire décalé par rapport à celui de la communauté afin de restreindre les contacts avec les moines puisque j'étais une femme. J'anticipais cet isolement, la vie au Sanctuaire. Réconfort fut le premier mot qui me vint à l'esprit. Outre l'énergie qui ennoblissait l'atmosphère, il régnait des odeurs curieusement semblables à celles de mon enfance. À proximité d'une fenêtre, au tournant d'un corridor, dans l'embrasure d'une porte, je retrouvais les mêmes parfums qui stagnaient en permanence dans l'air du petit appartement d'autrefois. L'endroit en était imbibé ; senteurs de cartonnage et de chiffons, fatigués. Des odeurs qui persistaient dans ma mémoire. De bonnes odeurs. J'avais l'impression de renouer avec celle que j'avais été. Je me sentais moins seule. Cette solitude qui, depuis mon arrivée parmi eux, m'avait fait franchir des pics et des fonds, il me tardait d'en rétablir l'équilibre avec lequel j'avais appris à grandir. Je me disais qu'ici serait un bon moment pour y parvenir.

Peï avait écrit à Lamaï pour lui communiquer bilan à mon sujet. Après avoir pris connaissance de la lettre que Khaï lui avait apportée, Lamaï nous convoqua, ainsi que Hong, dans ses appartements administratifs, défendus. Il fut résolu qu'avec Khaï je ferais Sambok tous les matins ; pratiquerais les exercices extrêmes tous les jours, incluant celui de Peï tous les dimanches soir ; et lirais entièrement les Écrits. Les trois épreuves de Loup constituant la dernière étape de la formation, la tâche incombait à Hong de me préparer aux épreuves et de me les faire subir. Pour la seconde fois, j'ai refusé le Bâton de Loup, le véritable, qui se trouvait, avec les Écrits, dans la salle de l'Alliance. « Uniquement le bâton de Petit Loup », avais-je insisté. Ils n'étaient pas d'accord ; j'étais demeurée ferme. Ils avaient fini par céder après que je leur eus expliqué qu'il ne s'agissait pas d'un bâton de Sambok et qu'il m'était interdit, pour l'heure, de leur dire à quoi il était destiné. Je me suis également opposée à la présence de mon accompagnateur lors des séances d'exercices avec Khaï. Protestations de Lamaï. Cela n'était pas convenable, étant donné la nature des exercices, et surtout le lieu qui, au-delà de sa fonction particulière qui le rattachait à l'Alliance, demeurait d'abord un couvent religieux. Du coup, je redevenais femme, occidentale. Exaspérée, j'ai alors usé de ma connaissance de Loup :

— *Se méfier du Tigre, préférer la Tortue.*

Ils en furent, tous trois, bouche bée. Je venais de leur révéler l'identité réelle de l'un des personnages de la prophétie. On surnommait Khaï « la Tortue », parce que son physique en imposait tant qu'il ne manifestait jamais sa colère. En citant les Écrits, je désirais insister sur le fait que l'Alliance était dangereuse et que je devais pouvoir compter sur mon Protecteur. En ce sens, j'estimais le temps venu d'approfondir notre communication que favorisait, entre autres, la pratique privée des exercices extrêmes. Encore là, il m'était impossible de préciser mes intentions ni les événements à venir qui les suscitaient. En définitive, je ne leur accordais aucun choix sinon de respecter la volonté du Loup qui savait.

La vie différait peu de celle que nous menions aux Quartiers du Grand Nord. Seule distinction, pas de restaurant. Si bien que nous disposions, Khaï et moi, de plus de quartier libre pour nous adonner à diverses activités. Dans cet environnement, pas plus intime mais plus paisible, qui inspirait à la fois intériorité et ouverture, Khaï se retirait souvent dans une petite salle où il dessinait beaucoup. J'ai voulu savoir.

— Réparer, tu as dit. Alors, je lève des plans. Pour reconstruire.

Il était ingénieur de formation. En plus de détenir des connaissances en médecine, faisant de lui un meilleur soigneur et un meilleur tueur ; Protecteur de Loup oblige… Lueur en moi, son esprit, enfin, commençait à s'apaiser. Je ne lui avais rien demandé.

CHAPITRE II

Trois mois, trois épreuves. Les premiers jours furent consacrés à ce que j'appellerais une adaptation polie dans la mesure où, ici non plus, on ne s'était pas attendu, et donc pas préparé, à un Loup de ma sorte. Question de temps… observation et préparation… me répétais-je. Je connaissais le scénario par cœur pour l'avoir déjà vécu. J'étais encouragée de voir ma connaissance, dont je doutais encore, passer en partie de la théorie à la pratique. Cela me rendait un peu plus hardie. Je devenais un Petit Loup actif, plutôt que passif, et ma psychologie, me semblait-il, ne s'en portait que mieux. Néanmoins, Lamaï me préoccupait. Il avait entrouvert une porte, juste au moment où je m'étais retirée à la suite de notre premier entretien :

— Cette méfiance… à l'égard du Tigre… n'est pas inscrite… Il faudra expliquer.

Comme il était homme de parole, je devais m'attendre à ce que, tôt ou tard, il revienne à la charge. Assurément, il n'apprécierait pas mes explications…

Autre souci, Hong, dont la préparation me paraissait étrange. Il me convoquait en salle d'exercices ; je m'y présentais ; et là, agissait comme si je n'y étais pas. Absence de regard, de parole ; pas d'accueil, ni de directives. En somme, aucun contact direct ou indirect. Puis, peu à peu, il s'est mis à se comporter comme si lui-même n'y était pas. Nous restions debout, en parallèle, et cela pouvait durer des heures. Je me demandais ce qu'il espérait de moi. Regarder, parler, bouger, sonder ?... Je l'ignorais. Alors, je finissais par me fondre dans l'espace immobile, et me distrayais l'esprit en m'adonnant à mon activité préférée, la réflexion. Peï m'avait appris à m'entraîner par l'esprit lorsqu'il m'était impossible physiquement de faire Sambok ou d'effectuer les exercices extrêmes. Chaque jour, le même manège se répétait ; il durait de plus en plus longtemps. Souvent, Hong s'absentait. Je demeurais. Jusqu'à ce qu'il me signifie de me retirer. Ce matin-là, il m'avait fait venir dès l'aube ; il n'est reparu que lorsque le soleil, emmotté de nuages rouille et pervenche, s'apprêtait à se coucher. Silence et gargouillis prolongés ; j'étais à jeun. Je fus presque soulagée de l'entendre bougonner.

— Cette nuit, première épreuve. Le corps.

J'avais réussi à traverser la préparation ; une épreuve en soi. J'ai filé droit aux cuisines. J'ignorais la nature des épreuves de formation et je ne voulais pas risquer ma santé physique et psychologique. En revanche, je connaissais les épreuves qui surviendraient plus tard en Terre Vénérée. Pas jolies... Elles sentaient bon, ces cuisines. Et pour cause, Khaï s'y affairait. Il y avait une table de bois usé avec un banc qui me parut minuscule. Il a dressé un couvert et déposé une généreuse portion. Il attendait, comme toujours, que je commence. Je les regardais, tour à tour, lui et l'assiette, perplexe. J'ai demandé ; il hésitait à me répondre ; j'ai insisté.

— Hum... Tu ne manges pas, je ne mange pas.

Il a ricané doucement en m'enveloppant de ses bras. Dans mon jardin intérieur, des mots ont résonné, silencieux. Il a dû les entendre.

Hong est venu me chercher pendant que je me reposais, incapable de m'assoupir, malgré Gros Minou qui nous avait longuement bercés. « En bas », des corridors dans la nuit, sertis de portes closes. Quelque part, un halo de frêle lumière, vers lequel nous nous dirigions, Hong et moi, munis de nos bâtons. La pièce, vide hormis un lampion mural allumé, parvenait à contenir, en largeur et en profondeur, tout juste deux fois la hauteur d'un homme. Hong a refermé la porte. Les cheveux défaits, j'étais en pyjama, pieds nus sur un sol de pierre concassée. Pas lui ; chauve, en sandales. J'ai aussitôt compris les règles du jeu. Un combat. Dans la pénombre d'une pièce sans fenêtre. Avec, en prime, l'obligation de léviter afin de ne pas me blesser les pieds. Mon Dieu ! l'esprit serait-il assez fort pour se fixer en plusieurs points à la fois ? Comme si cela ne suffisait pas, mon adversaire s'est mis à bougonner à propos de tout et de rien. Me déconcentrer en me déstabilisant psychologiquement, ce n'était pas même raffiné !

Il m'a saluée sèchement, puis s'est placé en garde. J'ai fait de même, avec la ferme intention de ne pas combattre du point de vue de l'offensive, contraire aux règles de Loup, mais de parer chaque coup au meilleur de mes capacités. Léviter, sonder tous azimuts, fixer l'esprit, bouger, parer, exclusivement dans la défensive, quelle dégelée j'allais prendre !... Il a bougé et l'épreuve a commencé. Je parais. Il prononçait des mots blessants. Assurément, il ne me connaissait pas, sinon il aurait su qu'au lieu de la colère il provoquait de la peine. Je ne disposais pas d'un tempérament agressif, sauf à l'égard de l'injustice, sous toutes ses formes et dérivés. À force de bougonner, il s'essoufflait, si bien que je parvenais à prévoir ses coups simplement en écoutant son souffle. Après un certain temps, il s'en est aperçu. D'un bond, il a éteint le lampion puis s'est immobilisé, ajoutant une variable à l'épreuve : l'opacité. Du noir et du silence. Je ne saurais expliquer pourquoi, mais j'étais convaincue que cette épreuve qui, pour eux, concernait le corps impliquait, en réalité, l'esprit, à un niveau beaucoup plus élevé que celui des facultés paranormales. Distraite par la réflexion, j'ai reçu un coup solide sur les doigts, la jambe, le visage, le dos, le bras... À force d'encaisser, j'ai voulu rendre. C'est à ce moment que j'ai su que mes facultés n'étaient d'aucun secours pour moi. Elles m'étaient accordées afin de les protéger, eux ; pas moi. Prendre la douleur. Je suis sortie, pas forte mais pas morte ; après avoir mis un terme au combat. Dans un geste qui contenait la peine accumulée, la pointe de mon bâton avait transpercé le sien en le clouant au sol.

Après l'épreuve, le doux temps. Pendant mon absence, Khaï avait préparé une pommade médicamenteuse, à l'arôme plutôt agréable, dont la composition, à base d'herbes, m'échappait. *Il est des sciences et des secrets que seule la Tortue a le privilège de connaître.* À titre de Protecteur de Loup, il incombait à Khaï de me prodiguer des soins. Il s'est donc mis à la tâche en commençant par nous dévêtir, comme toujours afin d'établir respect et égalité, absence de différence entre l'un et l'autre. Il se comportait de cette manière en toutes choses. Il nous nourrissait, nous lavait, nous habillait, nous soignait, nous entraînait aux exercices, nous berçait. Chaque fois, il recréait pour lui-même la condition ou la non-condition, telle que ne pas manger, ne pas dormir, à laquelle j'étais assujettie. Je dois reconnaître que Hong, adepte de l'obéissance et du devoir, ne s'était pas censuré quant à l'application à la lettre des Écrits : *Au Loup, trois épreuves, trois douleurs, l'Homme infligera.* J'avais le corps qui ressemblait à un champ de bataille. Des ecchymoses et des écorchures. Chaud plaisir de ces mains huileuses... J'ai plutôt échappé un ouf ! On me tripotait, de la tête aux pieds, comme si j'étais de la pâte à pain ; tout juste bonne à pétrir. Voilà qu'il s'enfonce, tant et si bien qu'à la fin le doigt traverse le corps. Et là, ça fait mal ? demande le médecin ! J'avais horreur d'être brusquée.

— Hum. Pas de blessure. Mon Petit Loup s'est bien défendue.

Visage impassible ; feu dans les yeux. Sûr qu'il était fier. Tandis que l'adversaire s'en sortait apparemment indemne, je croyais avoir échoué... à leurs yeux. Pas aux miens. Se pouvait-il que Khaï et moi cultivions, dans nos jardins intérieurs respectifs, les mêmes fleurs fanées ?

* * *

Nous avions convenu de la laisser dormir, le lendemain matin, pendant que nous ferions bilan. Mon Petit Loup ne cessait de me surprendre. Autrefois, je m'en étais sorti passablement plus amoché ; Lamaï aussi. Hong s'apprêtait à nous rendre compte.

— D'emblée, elle a refusé le combat, et choisi la défensive plutôt que l'offensive. Elle est habile, mais elle l'ignore puisqu'elle doute. Intelligente. J'ai commis une erreur, elle a su en tirer profit en cessant, pour un temps, d'user des facultés de l'esprit qu'elle a fait se reposer. Elle a rejeté la colère et reçu la douleur, sans plainte aucune. Elle dispose d'une nature sensible et forte qui la tourmente. En canalisant la souffrance, elle a décuplé ses forces et mis un terme à l'épreuve après que j'eus entaché la mémoire de ses parents. Elle est vulnérable, mais sacrifierait sans hésitation sa propre vie pour défendre celle des autres. Elle a tout du Loup... et du Tigre.

Ce récit m'intriguait; je me rappelais. J'ai regardé du côté de Lamaï qui me fixait déjà.

— Pas de directives... J'ai voulu que Hong détienne... libre comportement. Je me surprends à constater... qu'il s'agit là... de la description de notre propre combat.

— Hum.

— Voilà nombre de ressemblances entre vous... le Loup et la Tortue... Je m'interroge...

J'ai suggéré de revoir les Écrits.

— Oui, Peï m'a prévenu à ce sujet... Un Loup différent engendre une interprétation... différente... Cette méfiance à l'égard du Tigre...

D'un signe, Lamaï a prévenu Hong, qui est parti la chercher.

— Bilan de Peï est... exhaustif. Il est des réalités que même un aveugle parvient à voir. J'ai eu crainte que cela... ne dérange. Je m'aperçois du contraire; en chacun de vous. L'un puise ses forces dans l'autre. Cela, aussi, est... inattendu. Dis-moi, Khaï, tandis que nous sommes entre nous... t'est-il arrivé de te déclarer?

— Oui, Maître.

— *La Connaissance qui se tait*... Il faut beaucoup de courage pour affronter cette règle.

* * *

J'aurais bien aimé leur sourire, mais ma joue enflée m'en empêchait; leur manifester que je ne connaissais pas la rancune, surtout à Piteux-BougHong. Première fois que je lui découvrais une brindille attendrie. Tant bien que mal, j'ai mâchonné :

— Comme au sortir du dentiste...

Ils ont ricané. Pas Hong, allergique au plaisir de l'humour.

— Approche... te joindre à nous...

Je connaissais la tactique, et elle n'augurait habituellement rien de bon. Je me méfiais des sourires avenants. Peï était passé maître dans l'art de me faire parler à force de me fréquenter. Évidemment, je ne lui en tenais pas rigueur; c'était là son rôle, tout comme celui de Lamaï qui n'en était, heureusement, qu'à ses débuts. Mais je n'ignorais pas que j'étais entourée de gens intelligents. Et je devinais le motif. Veiller; et se taire. Toujours le même combat; j'étais fatiguée. J'ai eu le réflexe de me réfugier derrière Khaï, assis, et de poser mes mains sur ses épaules; pour m'appuyer, un peu. Contre mon attente, ses mains ont saisi les miennes. Elles me disaient qu'il était là; cela m'a fait du bien. Les yeux de Lamaï nous observaient attentivement. Étrange, il paraissait satisfait alors que nous affichions blocus et que je n'avais encore rien prononcé.

— Première épreuve... réussie. À présent, il te faudra entreprendre la préparation qui te conduira à la deuxième épreuve... le cœur. Le temps est venu pour la consultation des Écrits.

Il brûlait...

— À ce propos... des éclaircissements, quant à ta connaissance du Tigre, seraient... souhaitables.

Je carbonisais.

— J'ignore qui est le Tigre.

— Il y a là... un ouvrage suffisant... afin de fouiller la question... et obtenir réponse... il me semble.

— Les Écrits ne révèlent pas qui; il n'y a que le que.

— En ce cas, qu'est-ce que ce que?...

Silence insistant. L'esprit de Lamaï réfléchissait vite. Assurément, il me devancerait. La vérité, comme toujours...

— Je ne connais pas son apparence physique, mais je sais qu'il sera parmi ceux qui seront.

— Au moment de ton arrivée... il sera en Terre Vénérée... et vous vous reconnaîtrez. Ce que tu dis... et que j'entends?

— Non. La reconnaissance aura lieu plus tard; conformément

à l'Impondérable ; elle marquera l'avènement de la quatrième épreuve.

— Ainsi donc, lorsque le Tigre et le Loup se reconnaîtront, l'Épreuve de l'Alliance deviendra... inévitable...

Il a soupiré, pensif.

— C'est bien de cela qu'il s'agit... cette méfiance à l'égard du Tigre. Tu crains l'épreuve ultime... parce qu'elle n'est pas inscrite...

— Si, elle l'est ; dans les pages scellées.

Stupeur. Les mains de Khaï se sont resserrées un peu plus sur les miennes, et je me suis pressée contre lui. L'esprit de Lamaï partait dans cent directions à la fois ; il en a choisi une.

— Tu en connais le contenu ?

Je me sentais redevable à leur égard. J'ai essayé de leur expliquer, malgré l'interdit.

— *Se méfier du Tigre, préférer la Tortue* est un conseil donné au Loup. L'Alliance doit se produire de manière... convenable. Elle apportera bienfaits, au-delà de ce que l'esprit peut concevoir, mais demeure dangereuse... très dangereuse.

— De ce danger... qu'adviendrait-il ?

— Il se pourrait qu'elle ne se produise pas.

Je me suis retirée, lentement ; en laissant glisser mes doigts sur Khaï, comme pour emporter un peu de lui avec moi ; en quittant son corps, puis la pièce. Je détestais parler de l'Épreuve de l'Alliance. Je me répétais que l'interdit, qui m'empêchait de demander et donc de recevoir l'aide dont j'avais pourtant grand besoin, laissait la place à l'Impondérable pour agir, et qu'ainsi les épreuves qui m'attendaient en Terre Vénérée ne pourraient être aussi cruelles que ce qui m'avait été révélé. Je cultivais cet espoir absurde afin que tout ne se produise peut-être pas. Sauf l'Alliance. Retour forcé à la case départ ; au doute. Il me restait si peu de temps. Pour affronter cette histoire maudite avant qu'elle n'achève de me détruire ; pour parvenir là où je ne doutais plus de ma peur.

* * *

Pas de mot pour décrire mon tourment. Mon Petit Loup s'est retirée, sans regard. Pas même ce sourire, fait de tendresse et de tristesse, qui, trop souvent, anime son visage et me bouleverse. Lamaï n'avait plus besoin d'explication ; il avait vu ce qu'il voulait savoir.

* * *

J'ai marché jusqu'à mon bâton. En salle d'exercices, j'ai fait petit Sambok. Ma vie n'aurait été qu'une agonie prolongée que l'Alliance éteindrait de sa lumière. Ce jour-là, j'ai su qu'il m'était impossible de prendre ma douleur et de me rendre la paix afin de préserver ma propre vie. Jamais je n'avais connu à ce point la solitude. Au lieu de remettre mon bâton en place, je suis sortie dans la cour intérieure. Les plus jeunes moines jouaient paisiblement. J'ai commencé à marcher de long en large, en faisant tournoyer machinalement mon bâton de bois ; plongée dans le néant. Plus de pensée, ni de réflexion structurée ; le vide. Les enfants, magnifiques, que la vie avait déjà bousculés, s'approchaient à petits pas rompus. Le plus hardi d'entre eux a provoqué une rupture.

— Pourquoi il disparaît, le bâton, quand tu le fais tourner dans ta main ?

La question était si fragile… J'ai d'abord scindé mon bâton en deux ; puis je me suis agenouillée. Inventer une réponse à leur hauteur. Parce que la vie est infinie, et le rêveur heureux. J'ai alors fait s'entrechoquer les deux demi-bâtons.

— Ce qui est dur…

J'ai ensuite empoigné mollement une extrémité et commencé à faire osciller à l'horizontale le demi-bâton de la main. L'illusion d'optique fit en sorte que le rigide vaguait.

— … est mou. Et ce qui est mou…

J'ai interrompu mon geste brusquement et fait claquer de nouveau les demi-bâtons.

— … est dur.

Une conclusion s'est imposée à mon esprit. J'avais un besoin réel d'aide et personne à qui la demander. La voie était pourtant tracée, il suffisait de m'y engager. Lamaï avait raison, les Écrits existaient. Les lire et les relire, m'en imprégner, afin de les porter en moi, comme je portais l'Alliance. Mon engagement était irrévocable. J'ignorais dans quel état, mais je les mènerais tous, hommes, femmes et enfants, jusqu'à la fin, dût-elle être mienne.

* * *

Il n'était pas convenable que mon Petit Loup entretienne des relations avec les moines. J'aurais dû intervenir. Mais la pensée… nouvelle, différente, de toi parmi les plus petits est venue me surprendre. Et c'est Hong qui a restauré l'ordre. Tu as quand même offert ton sourire.

* * *

Des enfants, émerveillés de vie. Je ne quitterais pas le Sanctuaire sans avoir lu les pages scellées.

CHAPITRE III

Avec Khaï, j'ai entrepris la lecture intégrale des Écrits en accordant une attention particulière au Tigre afin de découvrir sa réelle identité ainsi que j'étais parvenue à identifier la Tortue. Entre-temps, la préparation à la deuxième épreuve se déroulait de manière plutôt anarchique. J'en étais à garder mon bâton à portée, le jour comme la nuit, où que j'aille et quoi que je fasse, parce que Hong était susceptible d'apparaître n'importe quand et d'exiger un combat immédiat dans la fichue pièce « en bas ». Une situation irritante, car au fil des jours, elle se répétait de plus en plus souvent dans la même journée. J'étais alors obligée d'interrompre le repas, le sommeil, la toilette, l'exercice, la lecture ou toute autre activité à laquelle je m'adonnais. De plus, je refusais systématiquement de combattre, comme je l'avais fait lors de la première épreuve. Aussi, je recevais des coups; partout. Khaï devait me soigner tous les soirs. Certes, la préparation de Hong engendrait une tension nerveuse, avec ces combats soudains qui me blessaient physiquement, mais l'esprit, étrangement, gagnait en sérénité. À l'abri dans le Sanctuaire, les nuits étaient devenues paisibles. *Ils* venaient me visiter; et je recevais tendresse plutôt que douleur. C'était nouveau pour moi de ne pas souffrir intérieurement.

Ce matin-là, Hong s'est pointé pendant que je faisais Sambok avec Khaï. D'un geste brusque, il a saisi mon demi-bâton, l'a rompu en son centre et jeté par terre, à mes pieds. « Combat ! » m'a-t-il ainsi défiée sèchement. J'avais refusé le Bâton de Loup ; je refuserais encore. J'ai tourné les talons et, d'un pas décidé, je les ai plantés là. Au village, un artisan a confectionné, suivant mes indications, un autre bâton de Petit Loup. J'ai profité de ma sortie de l'enceinte protectrice pour faire un achat. À mon retour, je m'attendais à des remontrances. Silence. Et pas de combat. Jusqu'au lendemain.

Ça bougonnait ferme chez la partie adverse. Je parais… PAN ! Il a sursauté mais a poursuivi en cherchant des yeux d'où provenait la détonation. PAN-PAN-PAN ! Voilà que le dodu sautillait, le visage grand ouvert d'affolement. Au lieu de bougonner, il s'est mis à pomper l'air ; un changement radical qui lui donnait une gueule pas possible. Sans aucun doute, il me punirait pour avoir osé coller des rubans de pétards sous ses sandales. Le combat a cessé net. Il était furieux ; à se tordre !… Il m'a conduite en salle des Murs d'un pas si alourdi par la colère que ça pétaradait joyeusement dans les corridors. En secret, j'ai reçu l'assentiment de toute la communauté. J'avais eu le courage de tenir tête à celui qui ne rit jamais. Bouddha, lui, continuait de sourire.

Emmurée dans la salle des Murs. Une installation à peine descriptible, épouvantable d'ingéniosité. Il s'agissait d'une tranchée très profonde et très étroite, taillée dans la pierre des montagnes. En me tenant par les bras, Hong m'avait fait descendre jusqu'à ce que mes pieds rencontrent deux pierres en saillie dont la distance me contraignait à garder un certain écart entre les jambes. De part et d'autre de mes épaules, deux autres pierres en saillie sur lesquelles devaient reposer mes bras. L'étroitesse faisait que la paroi, derrière moi, servait presque d'appui au dos, cependant que mon visage faisait face à l'autre paroi. Le corps en croix de Saint-André, j'étais suspendue dans un espace qui se poursuivait en dessous comme au-dessus de moi. Il s'agissait de ne pas perdre pied ; sans quoi la chute serait fatale. J'ai remercié Peï de m'avoir si bien formée. J'étais rompue aux enchevêtrements physiques qui nécessitaient souplesse et équilibre. Heureusement, je n'étais pas sujette à la claustrophobie ni à la peur de l'obscurité. J'aimais naturellement le silence et la solitude. Je me suis donc mise, une fois de plus, à réfléchir, histoire de passer le temps et d'éviter à l'esprit de se fixer sur la douleur physique que causait l'immobilité de la posture imposée. Le Tigre... asiatique; dont l'être était insondable... Je n'allais quand même pas tous les sonder. Combien, au demeurant? Cent, cinq cents, mille; hommes, femmes, enfants? Pure folie. *Se méfier du Tigre, préférer la Tortue.* Un conseil, apparemment contradictoire, mais aisé à comprendre pour le Loup qui savait qu'il se présenterait plus d'un Tigre, parmi lesquels le bon, et qu'en revanche il n'y avait qu'une seule Tortue sur qui je pouvais compter. Je savais, par ailleurs, qu'il existait, inscrits dans les pages scellées, et que je ne devrais évidemment pas révéler, deux signes précis de reconnaissance entre le Tigre et le Loup, afin d'éviter tout faux prétendant. Mais, là encore, il me faudrait vérifier auprès de tous... Quoi d'autre à propos du Tigre?... *À la Terre des Morts voudront toucher, seuls le Tigre et le Loup le pourront.* Pas question de faire le pied de grue dans un cimetière. *À l'aura du Tigre, toutes les couleurs.* Khaï, qui connaissait mieux que moi les compositions, m'avait appris que le blanc contenait toutes les couleurs. Une aura blanche. J'étais incapable de percevoir les auras. Blanc, couleur de la pureté, de l'innocence; l'aura du jeune enfant. J'avais du mal à croire que je devrais sceller une Alliance particulièrement dangereuse avec un tel Tigre. Blanc, couleur du deuil, en Asie. La piste me semblait plus intéressante, quoique imprécise. Le Tigre serait-il en deuil? Après la guerre, qui ne le serait pas?... En partant du principe fondamental suivant lequel le Tigre et le Loup devaient sceller l'Alliance et ainsi, tel qu'il était écrit, réunifier l'être primitif dont ils étaient issus, on pouvait conclure qu'il devait y avoir entre ces deux personnes distinctes des caractéristiques communes. Des ressemblances. Cela pouvait peut-être servir de base de recherche. Voyons, comment étais-je?... J'étais... j'étais... Un petit Loup de rien du tout, et tous les foutus Tigres de la terre pouvaient bien aller au diable! La punition se prolongeait; je commençais à éprouver une impression nébuleuse de déjà vu... Probablement la fatigue. Je suis allée puiser des forces là où je vais toujours, en laissant ma pensée vaguer au large. Je ne m'attendais pas à ce que la punition dure à ce point, ni qu'il me faudrait subir la deuxième épreuve, celle du cœur, sitôt extirpée de ma tranchée.

Le monde à l'envers. Alors que la préparation à la première épreuve consistait à demeurer immobile tandis que l'épreuve nécessitait de se mouvoir, voilà que la préparation à la deuxième épreuve, impliquant le mouvement, m'avait conduite à une épreuve exclusivement basée sur l'immobilité. Encore une posture tarabiscotée. Deux dagues, manches insérés dans des cubes de bois fixés au sol, présentaient leurs lames vers le haut. Le grand écart. Une cheville sur chaque pointe. Léviter pour ne pas être transpercée. Poing droit enveloppé de la Main de Loup; pour apaiser le cœur à qui l'on entendait faire subir l'épreuve d'un interrogatoire corsé. J'ai concentré la totalité de l'esprit sur l'effort télékinésique, et refermé toutes les portes intérieures à l'interrogatoire. Facile, l'intériorité, la fuite comme l'appelait Khaï, s'inscrivait dans ma nature profonde. Au lieu d'exprimer verbalement mon refus de répondre aux questions, je me suis tue, blottie dans le silence de mon jardin. J'ai ainsi rompu tous les liens qui me rattachaient à la réalité. De même que pour la première épreuve; le corps selon eux, l'esprit selon moi; je ne saisissais pas en quoi le cœur pouvait, ici, être engagé, plutôt le corps que l'on astreignait à l'inconfort. Je n'ai donc rien entendu de tout ce que Hong a pu prononcer; durant des heures. Il suait.

— Appelle la fin et l'épreuve s'achèvera.

Je n'ai rien dit. Il s'est absenté; sans doute pour demander conseil. Il est réapparu, accompagné de Lamaï et de Khaï qui m'a aidée à me remettre sur pied. Je chancelais. Hong m'a glissé à l'oreille:

— Cœur de pierre.

Ça m'a brisé le cœur. Je n'ai rien dit.

Et de deux. Au moins semblait-on satisfait; j'avais probablement réussi. Il ne leur restait plus qu'à faire bilan. Sans moi, Monsieur le Marquis! J'avais d'autres impératifs. Remettre gentiment en place tous ces muscles écartelés. Autant que possible, suivant la station debout, puisqu'il me fallait regagner mes quartiers à pied. J'ai osé un premier pas tandis que Lamaï et Khaï se rejoignaient étrangement du regard. Aucune envie de savoir. Le deuxième pas fut fatal. Un élancement, à l'intérieur de la cuisse, dont la violence faillit me jeter par terre. Pas question d'accrocher Petit Loup; Hong et Khaï m'ont servi de béquilles. Le muscle venait de claquer. J'espérais qu'il s'agissait d'une simple élongation plutôt que d'une déchirure. Dans ma chambrette, un diagnostic bénin fut prononcé. J'ai décompressé et laissé Khaï me soulager. En entrant, il avait refermé la porte sur nous. J'étais étendue sur mon lit. Assis à mes côtés, il me tournait le dos, cependant qu'il massait d'huile le muscle endolori. Comme ses mains étaient grandes, et chaudes... Mes yeux ont alors commencé à parcourir ce dos que la main désirait. Mon plaisir s'épanouissait. J'ai senti ma main frétiller à peine.

— Cesse, Gros Minou...

— Je te fais mal? Hum...

Sans se retourner, il m'avait répondu de sa voix pleine de souffle qui faisait vibrer son corps, en poursuivant, de ses mains souples, les gestes pénétrants.

— Ne fais pas ça... lui ai-je murmuré sans grande conviction.

Il n'entendait rien. Tellement envie de toi...

— Je t'en prie...

Vivant...

— Khaï...

* * *

Ta main m'a touché; je me suis retourné et je t'ai regardée. Femme...

* * *

Jamais seuls. Hong cognait déjà à la porte et, sans attendre, livrait son message:

— Lamaï te veut voir, Khaï.

* * *

Des réflexions qui, pour moi, auraient été inconcevables quelques semaines auparavant agitaient mon esprit. La présence de cette femme occidentale ; femme-enfant qui attirait naturellement attention, affection de tous... Pas même Hong ne faisait exception... Elle était... différente. Viendrait-elle à bout de nos traditions ? Je me surprenais moi-même à devenir... permissif. Assurément, elle incarnait le changement. Rien ne serait pareil, autour de nous et en nous, après son passage. Se méfier du Tigre... impondérable... Oserait-il désunir le Loup et la Tortue ? La troisième voix... Hong m'amenait Khaï.

— Nous avons là... bilan qui se répète. Il me semble que le Loup traversera toutes les épreuves avec succès... réagissant de même manière que toi... Khaï. Outre les facultés propres au Loup, il y a dispositions... communes. Elle fait Sambok à cinq temps, n'est-ce pas... tout comme toi. Cette similitude me porte à réflexion. Je me demande s'il ne faudrait pas tabler sur les différences... Or, en existe-t-il ?...

— Il en est une.

— Exact... et elle constitue en soi toutes différences. Voyons, en ce cas, si le Loup-Femme pourra franchir la troisième épreuve... sans préparation.

CHAPITRE IV

J'ignorais ce qui s'était dit, probablement à mon sujet, mais durant les jours qui suivirent, j'ai cessé de voir Lamaï et Hong. J'ai supposé qu'ils s'affairaient à d'autres tâches, et que la préparation à la dernière épreuve débuterait plus tard. En revanche, je me trouvais continuellement en compagnie de Khaï; plus présent. Je pense qu'il savait mon malaise et essayait de l'apaiser. Discrètement, il commettait les mêmes gestes, mais avec plus de lenteur, de douceur. Il ne me posait pas de question, ne cherchait pas à en apprendre davantage; ne désirait pas discuter de ce qui s'était passé dans ma chambrette. Moi non plus. Quelque part, dans ce non-dit, nous nous comprenions. Hormis une seule phrase, qu'il m'a murmurée à l'oreille, ce dimanche soir, après l'exercice extrême de Peï; après nous être rhabillés :

— Te donner ajoute à mon désir.

Yeux de lumière, narines légèrement dilatées, signe d'invitation sensuelle. Une impossibilité, compte tenu du respect que nous portions à nos hôtes ainsi qu'au lieu où nous nous trouvions.

Chic ! de la visite ; pour distraire l'esprit. Une délégation de dignitaires religieux. Hong m'a alors affectée d'office aux cuisines pendant que Khaï, lui, avait droit au cérémonial. Encore et toujours l'étiquette femme occidentale ; cacher ce Loup... Une consolation :

j'eus, pour la circonstance, la permission de côtoyer les moines, avec qui je devais préparer le repas du soir, et même de leur parler. Évidemment, le tout orchestré par Ultra-BougHong que la fébrilité faisait bougonner plus qu'à son habitude. L'ambiance aux cuisines était insupportable de lourdeur. J'ai résolu de l'alléger avec la complicité des autres. Hong était sidérant de méthode. Il y avait plusieurs sortes d'aliments à couper, mais il coupait une seule sorte à la fois. Parfois, il s'interrompait entre deux sortes et quittait les lieux afin de vérifier la bonne marche des activités dans le grand réfectoire. J'en profitais alors pour ravir les aliments coupés, les cacher, et remettre à leur place les mêmes aliments, en même quantité, mais non coupés. La première fois, il s'est contenté de s'immobiliser quelques instants, puis, à son insu, il a recoupé les aliments. La deuxième, il s'est gratté la tête en bougonnant pour lui-même. Il a ensuite happé un moine pour lui demander où étaient passés les aliments coupés. Comme convenu, le moine a répondu qu'ils étaient à cuire. La troisième fois, il a éclaté.

— Je deviens fou ! Il y avait là des légumes déjà coupés. Voilà qu'il me faut les couper de nouveau. Il suffit ! Que celui qui sait parle !

Tous, nous le regardions, en faisant semblant d'être étonnés, comme si, effectivement, il était fou. Il m'a alors fusillée du regard.

— Toi ! Il te faudra manger ces aliments coupés cachés !

Sur ce, il a quitté les lieux en empruntant une porte de service dont j'avais inversé les charnières en les dévissant puis en les revissant à l'aide d'un couteau. Il s'est incrusté dans la pauvre porte. La colère à son comble, il m'a menée immédiatement à la punition. Encore emmurée. Pas des heures ; presque deux jours... à bouffer des légumes coupés. J'ai alors considéré la durée de la punition, et en ai déduit qu'elle représentait probablement une préparation à la troisième et dernière épreuve. Je me suis demandé pourquoi une préparation à des épreuves auxquelles j'étais déjà préparée, puisque Peï m'avait formée. J'ai conclu que la préparation constituait peut-être une forme symbolique de purification. J'ai poussé plus loin la réflexion, et j'ai compris que les épreuves de Loup étaient en soi purificatrices et préparatoires aux véritables épreuves, beaucoup plus difficiles, parce que réelles, parce qu'issues de la vie que l'on ne pouvait prédire, et dans laquelle il m'était impossible d'intervenir afin d'en établir le contrôle et l'aboutissement. Des épreuves qu'ils ignoraient tous et qui, suivant les révélations que j'en avais eues, rappelaient étrangement les épreuves de Loup, mais dont la symbolique demeurait encore difficile à saisir hors de tout doute. Le temps s'égrenait à une vitesse que je ne pouvais freiner. Survivre. Je le désirais viscéralement.

L'épreuve de l'esprit fut, pour moi, celle du cœur. Or, s'il était une dimension où j'étais particulièrement sensible, vulnérable, c'était bien le cœur. Comme dans le cas des deux premières épreuves, Hong est venu me chercher au moment où je m'y attendais le moins. Je venais tout juste de terminer mon petit-déjeuner. Ensemble, nous avons franchi la muraille et sommes sortis de l'enceinte du Sanctuaire pour nous engager dans un sentier, vers les montagnes. À flanc, il y avait une grotte dont l'entrée était protégée par des arbustes. Une grande grotte qui donnait accès à une série de cavités aux dimensions variées. Je me sentais minuscule dans cet amas rocheux qui se tenait debout, si près du ciel. Après avoir traversé quelques galeries, peut-être trois ou quatre, à la lueur de la torche que tenait Hong, nous sommes parvenus à destination. Là, il a enflammé un tas de bois sec, et j'ai pu voir les parois irrégulières d'où naissaient des formes disparates d'ombre et de lumière. J'entendais : l'eau qui suintait, l'air qui tourbillonnait ; elles chuchotaient, ces formes. Au centre, il y avait une large dalle plate. Hong s'est retiré dans l'ombre, puis est réapparu avec une pierre, plutôt arrondie, de la grosseur d'une tête d'enfant. Il l'a posée au centre de la dalle. Puis il est retourné dans l'ombre d'où a ressurgi sa voix :

— *Ce que le Loup détruit, nul ne peut le recréer.* Brise-la.

D'emblée, cette dernière épreuve me déplut en raison de son caractère destructif. Je n'avais jamais aimé abîmer les choses, encore moins les êtres. Et je me désolais toujours profondément même lorsque cela se produisait par inadvertance. J'ai malgré tout fixé l'esprit au cœur de la pierre, là où je savais, en sondant, qu'une fissure provoquerait sa désagrégation. J'ai voulu et cela fut. Dans un claquement, elle s'est pulvérisée. De la poussière… J'ai frissonné à l'idée de la puissance de l'esprit. Hong est ressorti de l'ombre pour venir déposer un fruit, une sorte de melon, de la dimension d'une tête d'enfant. Il a regagné le noir.

— *Quatre règnes.* Brise-le.

J'ai accepté à contrecœur. Plus de forme, que du liquide. Poursuivant, il a posé la tête coupée d'une chèvre des montagnes.

— *Cinq, avec l'esprit.* Brise-la.

Ces yeux ouverts, sans vie ; effrayant. Je ne comprenais pas. Combien de règnes avait-il dit ? Trois ? Non, quatre. Minéral, végétal, animal… quel serait donc le quatrième ? Je disposais de peu de temps, et me précipitais dans la réflexion. Trop affectée, incapable de me concentrer. La tête s'est volatilisée. Malgré moi. Je fus stupéfaite de constater avec quelle facilité et à quel point je détruisais. Le pire était que je n'en ressentais aucune douleur. Dieu que je me haïssais. J'ai commencé à reculer vers la sortie en hochant nerveusement la tête. Non… non… Hong a alors amené un enfant. Macrocéphale. Et usant de ce ton *recto tono* qui marquait d'indifférence ses ordres :

— *Afin que douleur soit prise et paix rendue.* Brise-le.

Je n'écoutais déjà plus et j'apercevais à peine ce qui se déroulait devant moi. Je n'avais qu'une pensée : la tête de l'animal mort que j'avais désagrégée sans jamais l'avoir désiré. Comme si l'esprit avait agi au-delà de ma propre volonté. Je voyais jusqu'où la formation m'avait conduite et combien les facultés paranormales dont je disposais s'étaient développées. Pour la première fois, j'eus peur du Loup. Voulant à tout prix éviter que l'irréparable ne se produise avec l'être vivant, je me suis enfuie en hurlant intérieurement mon indignation. Je n'étais plus humaine !…

J'ai atterri dans les appartements privés de Lamaï, haletante d'avoir couru sans m'arrêter. Khaï était là, avec son Maître. J'étais furieuse. En pareil cas, je n'élevais jamais la voix ; je soufflais les mots qui tombaient sèchement.

— L'offensive est contraire aux règles de Loup ; la destruction, je n'en parle même pas !

En surgissant de manière cavalière, je les avais dérangés.

Ils paraissaient contrariés. Lamaï a réagi avec promptitude, mais d'une voix posée, à mon manque de respect dont je me fichais complètement.

Au diable ! Et j'ai repris de plus belle :

— Assez de toutes ces chinoiseries au gré d'une histoire à coucher dehors ! Je ne suis pas un homme, asiatique, qui a reçu éducation, formation, et qui a choisi. Vous ne me connaissez pas. Il est des méandres intérieurs dans lesquels je ne permettrai pas que vous vous engagiez. Un temps pour le Loup, et un autre pour moi. Différente !

Sans dire un mot, Khaï montrait des signes d'impatience anormale. Quoi, il n'était plus ? Au lieu de m'abattre, cela a décuplé mon agressivité. Je cherchais quelque chose qui pourrait les blesser ainsi qu'ils m'avaient blessée, injustement, en m'entraînant, mieux, en m'encourageant, dans une voie que je ne reconnaissais plus comme mienne. Hong arrivait, tout aussi essoufflé pour avoir tenté de me rattraper que moi j'étais étouffée par la colère.

— Il suffit ; bilan s'impose ; retire-toi.

Lamaï avait du chien. Il parvenait à conserver son calme. Simplement, les phrases s'écourtaient, privées de leurs hésitations coutumières ; le ton, curieusement, demeurait bienveillant. Je m'apprêtais à poursuivre lorsque Khaï m'a devinée et devancée.

— Mon Petit Loup, si cela continue, il y aura dispute.

Là, je me suis abattue. Sa voix et ma peine. Je suis sortie ; ils sont restés. Ensemble.

* * *

Différente… Nous avions vu juste, et l'absence de préparation ne semblait pas, ici, être en cause. Il s'était produit quelque chose… d'inattendu. Écouter Hong…

— Je l'ignore, Maître, elle seule sait. La pierre devenue poussière ; le fruit devenu liquide ; la tête de l'animal disparue.

— Comment cela… disparue ?

— Oui, Maître ; plus de matière, tant l'esprit est puissant.

J'ai consulté Khaï des yeux. Son tourment était le mien. Peï nous avait prévenus que les dispositions de Lu dépassaient largement l'entendement des Écrits. Cela faisait presque peur. Voilà bien ce qui l'animait tout à l'heure. La terreur... face à ses propres dispositions. Je me rendais compte qu'elle avait raison. Oui, assez de formation, de préparation, d'épreuves. Le corps, le cœur et l'esprit étaient probablement destinés depuis longtemps. Notre erreur avait été de prolonger une formation innée et de multiplier inutilement les épreuves. En appelant sa différence, elle nous avait mis en garde contre sa vulnérabilité. Comme Peï, qui me relatait, dans sa lettre, l'épisode de la dégustation du biscuit, j'avais omis l'essentiel qu'elle avait pourtant appelé clairement à travers les tours qu'elle avait joués à Hong. Elle avait un cruel besoin d'aide et, en raison de *la Connaissance qui se tait,* ne pouvait la requérir ouvertement, ajoutant la cruauté à sa condition. À nous, aveugles et sourds, de comprendre cette différence. Au lieu de la former, nous l'avions peut-être brisée. J'espérais que cette erreur ne serait pas irréparable... Pour l'heure, il ne me restait plus qu'à conclure.

— Le Loup est prêt.

CHAPITRE V

Au cours des jours qui suivirent, je suis allée voir ailleurs, dans mon jardin, si j'y étais. Et j'ai regardé le ruban de soie se dérouler jusqu'au bout. Je me sentais affreuse. Et Khaï semblait fatigué... Certes, les nuits au Sanctuaire demeuraient calmes, mais je n'en tirais aucune consolation. Même Gros Minou ne pouvait pas m'aider. Je ne savais plus. Le temps passait, et j'allais moins bien. Khaï aussi, d'ailleurs. Toujours, il posait les mêmes gestes; toujours, de la même manière; mais ses yeux me disaient que ça ne tournait pas rond, et cela creusait ma peine. J'aurais voulu lui confier combien, parfois, il m'était pénible d'être le Loup. Je me retenais, pour ne pas l'importuner. Il s'agissait de mes états d'âme, et je jugeais qu'il avait suffisamment à se préoccuper des siens dont il ne parlait pas. Son silence, en ce sens, était éloquent. La vérité, toute bête, était que ma destinée, manifestement incontournable, me pesait. J'étais lasse. Début et fin de la confidence. Après quelques jours, j'ai compris que Khaï était malade. Une mauvaise grippe. Un peu de fièvre, la gorge enrouée. « Rien là qui ne doive t'émouvoir », m'avait-il affirmé parce que je m'inquiétais de lui. Je n'aimais pas cette toux sèche qui le brusquait de plus en plus fréquemment.

— Je vais te soigner.

— Cela n'est pas dans tes attributions.

L'effet d'une pierre. Énorme. Qui venait de me tomber dessus. Vu et touché… Pourquoi m'était-il tout à coup impossible de le soigner ? J'ai détesté cet instant.

— Trois jours, afin que tu prennes du mieux ; sans quoi, j'interviendrai. Avec ou sans ton consentement.

— Je te l'interdis.

— Je n'entends rien.

Celui qui nous aurait écoutés, sans nous voir, eût conclu à une dispute. Mais non.

Je jouais. Comme chaque fois que cela devenait trop douloureux et que les tourments s'accumulaient. Le jeu devenait un exutoire. Quand la réalité imposait sa gravité, qu'il me fallait la prendre au sérieux, et qu'alors la peur me heurtait, je jouais avec les mots et les gestes ; avec les choses et les êtres. Un réflexe, pour me préserver du danger. Lorsque, à bout de ressources, la souffrance me gagnait, je me réfugiais dans ma langue maternelle, puis dans le silence et l'absence.

Moins de trois jours pour que la fièvre grimpe et qu'il se couche. Tôt en soirée. Je ne riais plus. Je suis allée chercher mon thermomètre, gradué en degrés Fahrenheit, les seuls que je comprenais. Comme on disait chez nous, il faisait 104. Boire et se reposer. Cette maudite toux… Je n'entendais rien à leurs poudres et mixtures médicinales. Mal prise, sans les connaissances de la Tortue ; et pas de médicaments occidentaux. Il ne me restait plus que la ponce au gin et la mouche de moutarde, remèdes efficaces selon mes anciens. Une mouche, je n'en avais jamais fait. J'ai opté pour la ponce, encore utilisée dans mon entourage. Je me suis mise à la recherche de quelqu'un, malgré l'interdiction de fréquenter les moines. Dans mon esprit, il y avait urgence. Pas le temps ni l'envie de m'enfarger dans le protocole des traditions. Gin ? j'ai demandé. Pas de gin, fut la réponse. Saké, vodka, tequila ; n'importe quoi ? Rien, pas d'alcool… Au village, je trouverais. Interdiction au Loup de sortir ; protéger le Loup ; ordre de Lamaï. La bestiole commençait vraiment à me taper sur les nerfs.

— Khaï est malade…

— Il est fort. Vois, dans quelques jours.

Hong semblait déterminé à ne pas céder d'un pouce. J'ai battu en retraite. Quand deux cultures, diamétralement opposées, s'affrontent, il en résulte de la destruction. Depuis la dernière épreuve de Loup, j'avais résolu d'effacer de ma mémoire toute notion se rapportant au mot détruire. Je suis donc retournée auprès de Khaï, et j'ai entrepris la nuit. Veille de Petit Loup sur Gros Minou. La plus longue. Depuis notre première rencontre, toutes les nuits où il m'arrivait de me rendre aux toilettes, j'allais aussi, à son insu, jeter un coup d'œil sur son sommeil et, en secret, prendre un peu de sa douleur afin d'apaiser son esprit meurtri. Je me préoccupais de lui; le jour, la nuit; toujours.

Il ne parvenait pas à dormir. En sueur, il frissonnait et respirait bruyamment. J'avais mal avec lui. J'ai décidé de prendre sa température toutes les deux heures. 105; la fièvre montait. Je l'avais aidé à mettre des vêtements chauds et à se coucher sur une couverture. 106; chacun dans sa chambrette, endormi; il tremblait. Je parvenais à communiquer par télépathie, à faire mouvoir les objets, et même à me suspendre dans l'air, par télékinésie, et là, j'étais totalement démunie. Je ne servais à rien. 107; il a ouvert les yeux. Des yeux vitreux, pareils à ceux de la chèvre des montagnes; et je l'ai vu qui s'en allait. Ma vie se meurt! J'ai commencé à prier, dans ma langue, de toutes mes forces, ce Dieu qu'on m'avait appris, et sans lequel je n'étais rien. J'ai eu aussitôt l'intuition qu'il fallait que je le mène dehors. Pratiquement inconscient, il pesait lourd. J'eus l'idée de me servir de sa couverture, sous lui, pour le glisser par terre. Lorsque nous sommes parvenus à la porte extérieure, je l'ai ouverte grande et réalisé le miracle. La pleine lune éclairait la neige qui tombait encore et encore et qui s'était accumulée sans doute depuis plusieurs heures. Je l'ai déshabillé entièrement et j'ai entassé de la neige blanche contre son corps. Il faisait froid mais je ne ressentais rien tant je priais mon Dieu, agenouillée, les doigts crispés, entrecroisés, les yeux rivés vers la lune, seul corps céleste visible parmi les nuages opaques. Khaï a enfin ouvert les yeux; il était revenu. Je me suis alors précipitée à l'intérieur et j'ai couru prévenir Hong. Un médecin, au plus vite ! Je suis retournée auprès de Khaï. Avec mon thermomètre. Le corps se refroidissait ; la température baissait graduellement. Entre-temps, tout le monde s'était levé. Nous avons ensuite ramené Khaï à son lit. Personne n'a dit mot ; dans les yeux, la marque du tourment. Puisque sa couverture était mouillée, je lui ai prêté la mienne. Je l'ai essuyé et rhabillé, seule. Il a voulu parler ; j'ai posé mon doigt sur sa bouche. Il m'a souri, puis s'est assoupi, peu à peu... En ce petit matin, tous, moines, ont prié. Jusqu'à ce que Hong ramène un médecin, occidental, en visite par hasard, au village voisin du leur. Un Français. J'étais soulagée. Les Français disposaient d'une vaste expertise en matière de pharmacologie. Des antibiotiques, contre ce que je devinais être la pneumonie.

Je n'avais jamais eu l'occasion de voir Hong manifester son inquiétude à ce point. Qui plus est, à mon égard. Avec Lamaï et le médecin, il m'avait trouvée endormie par terre, munie de mon doudou, au pied du lit où dormait Khaï, nos mains gauches jointes mollement. Hong a aussitôt entrepris de s'occuper de moi. Il voulait que je me réchauffe, que je me repose, sans m'inquiéter, dans mes quartiers. Il me prêterait sa couverture ; sitôt le médecin en mesure de conclure, il viendrait m'en faire part ; en attendant, il me préparerait un petit-déjeuner, puis me l'apporterait au lit. Ce qu'il fit. Étrange, voilà que Lamaï et Hong me tenaient compagnie pendant que je mangeais. Leur empressement à répondre à mes moindres hésitations... comme ils m'angoissaient ! Après s'être entretenu longuement avec Khaï, le médecin est venu nous rejoindre. Il désirait m'examiner ! J'ai refusé poliment sa curieuse proposition d'autant que je me portais à merveille, les épreuves étant terminées. Mais qu'est-ce qu'il pouvait bien me trouver pour insister de la sorte ? En fait, qu'est-ce qu'ils avaient, tous trois, à me regarder de travers ? Agacée, je me suis levée, impatiente de sortir de la pièce. Dans la salle de bains, j'ai tout compris. Le miroir, juste au-dessus du lavabo, me rendit un visage que je ne connaissais pas. Mes cheveux... à présent, ils étaient ondulés !... Je me suis sauvée des autres en me rendant directement auprès de Khaï.

Il a tendu la main et effleuré ma nouvelle tête.

— Hum… Joli…

J'ai serré les lèvres; sa voix me semblait toute petite. Le médecin s'est ramené, escorté de Lamaï et de Hong. Pour dire que j'avais sauvé la vie de Khaï. Je me suis abstenue de répondre. Je n'avais rien fait et Khaï ne me devait rien. C'est moi qui devais tout, à Dieu.

Vrai qu'il était fort, Gros Minou, mais qu'est-ce qu'il ne fallait pas inventer pour lui faire prendre ses médicaments, en particulier le sirop qui, au dire du médecin, était remarquable dans tous les sens du terme :

— Efficace, mais avec un goût de chiottes. Autant vous prévenir, il refusera.

Des mois que mon existence avait basculé. Ce ne serait pas une petite fiole de jus, qui de plus sentait toute l'horreur du monde, qui affaiblirait ma détermination. Khaï détestait ce sirop qui le faisait bougonner comme Hong. Il en a quand même avalé à quelques reprises. Les grimaces qu'il se payait alors; et nos rires ensuite… Prendre soin de lui. Je m'employais à cette tâche, qu'il avait cru pouvoir me refuser, avec acharnement et bonheur. Je pouvais enfin agir pour lui; de ce côté-ci de la vie. À mon tour d'accomplir tous ces gestes qu'il faisait pour moi. Dès lors, plus aucune différence entre nous. Au fil des jours, il prenait non seulement du mieux, mais aussi goût à ce que je m'occupe de lui en recréant, pour moi, chaque condition à laquelle il était assujetti. En inversant les rôles, nous avons su totalement qui nous étions. Aucun exercice, si extrême fût-il, n'aurait pu établir entre nous un lien aussi profond, aussi durable, que cette maladie qui avait failli nous séparer à jamais. Un soir, alors que je le bordais, j'ai senti le besoin de lui dire :

— C'est grand que tu existes, oui…

Tellement de gravité dans ce visage, quand, parfois, j'atteignais son jardin intérieur. J'aurais souhaité poursuivre, m'engager plus avant, mais je craignais de piétiner l'une de ses fleurs, que je savais fragiles, et risquer de l'abîmer malgré moi. On ne force pas la porte de l'autre sous le simple prétexte qu'on désire le visiter…

CHAPITRE VI

Curieusement, la maladie de Khaï avait détourné mon esprit des préoccupations qui l'animaient juste avant. L'indignation s'en était allée, comme la neige qui n'avait subsisté qu'une nuit. Une neige miraculeuse qu'aucune mémoire d'homme n'avait connue en cette période de l'année. À présent, il me fallait faire bilan. Seule. Je me suis donc installée dans la salle des exercices avec mon cahier d'écolier et mes crayons de couleur. Et j'ai dessiné ; instinctivement. Sans m'interrompre. J'ai ensuite mis des couleurs. Une fois le dessin terminé, j'ai vu. Quatre épreuves ; trois de Loup ; la quatrième, celle de l'Alliance. On avait toujours interprété cette dernière comme étant l'épreuve ultime qui devait se dérouler en Terre Vénérée, raison pour laquelle elle ne faisait pas partie de la formation. Les trois épreuves de Loup avaient ainsi pour objectif de préparer le Loup à l'Épreuve ultime de l'Alliance. En scrutant le dessin que la main venait de tracer et de colorier, je me suis questionnée sur la maladie de Khaï. Elle m'apparaissait autrement, comme une épreuve, purificatrice et préparatoire à la véritable épreuve. Ainsi, dans ma formation, venait-il peut-être de se produire une quatrième épreuve de Loup. Pas prévue, ni inscrite. Vérifier... consulter de nouveau les Écrits à ce propos... J'ai laissé là mon dessin et me suis rendue dans la salle de l'Alliance. Je ne savais pas très bien où chercher, mais j'étais presque certaine de trouver la réponse que je venais de me formuler. En fait, à bien y penser, je savais pertinemment; j'osais encore douter. Ce qui s'était produit pour Khaï trouvait son sens dans ce qui se produirait pour moi; d'une manière différente, certes, mais tout aussi marquante et unifiante, tant pour nous, Khaï et moi, que pour le Tigre et le Loup. J'étais à tourner les pages quand Hong est apparu.

— Tu es inquiète. Peut-être, je peux chercher avec toi?...

Incroyable, il tentait un rapprochement... J'avais très envie de le lui permettre.

— Oui...

— Quel est donc ton tourment?

Je n'étais pas habituée à communiquer avec lui d'aussi près. J'hésitais, mais au même instant, je me remémorais ces trois mois, passés déjà, au cours desquels il avait dû me préparer, puis me faire subir des épreuves, physiques et psychologiques, difficiles. Cela avait exigé de lui qu'il se fasse violence et se soumette, tout comme moi, à ces moments pénibles. Pour le moine, l'homme spirituel, et l'être humain qu'il était d'abord, insulter et frapper, en somme, provoquer et ignorer la blessure de l'autre, avait dû être profondément éprouvant, malgré la formation qu'il avait reçue de Lamaï. Je l'avais d'ailleurs entraperçu dans sa chambrette, alors que je soignais Khaï, assis sur son lit, la tête inclinée vers ses mains qui cachaient son visage.

— Pourquoi occidental, le médecin?

Visiblement, il ne s'attendait pas à une telle question. J'ai cru qu'il allait bougonner, mais à son tour il m'a surprise.

— Au village, un enfant était à naître. Personne disponible. Au village voisin, un coopérant.

Sans s'en douter, il venait de me donner la réponse que je cherchais justement dans les Écrits. Presque sous le choc, je me rendais compte combien le passé serait un atout, le temps venu. Maintenant, j'étais convaincue de la réalité, de l'Impondérable, qui agissait sur ma destinée. Hong me regardait réfléchir. Je m'en suis aperçue et cela m'a intimidée. Contre mon attente, il a repris.

— Toi, tu n'es pas de notre monde, et pourtant, tu acceptes

d'offrir ta vie pour ceux qui ne sont pas du tien. Un Occidental, pour t'apaiser… Parce que ta douleur est aussi la nôtre.

Il m'enlevait les mots de la bouche. Leur douleur, j'acceptais de la prendre parce que je croyais fermement en cette chaîne humaine qui nous lie tous, les uns aux autres, au-delà de l'espace et du temps. Voilà que Hong me disait que, malgré les différences raciales et culturelles, nous partagions la même responsabilité. Il me disait que je n'étais pas seule. Le bien que cela me fit, je le lui ai exprimé dans un sourire qu'il m'a rendu.

Puis, le temps qui fait, défait et refait a refermé les blessures. Je suis parvenue à un certain équilibre, réconfort cher à ma solitude, celui-là même que j'espérais à mon arrivée au Sanctuaire. Sa tâche d'accompagnateur accomplie, Hong avait retrouvé sa vie de moine, parmi les siens, avec une autre sérénité. Et tous se joignaient à lui. Khaï, guéri, avait repris son rôle de Protecteur, avec une autre sensibilité. Et moi, je me joignais à lui. Je nous sentais tous l'esprit apaisé. Le Loup fin prêt, Khaï m'a marquée du signe de l'Alliance qu'il m'a tatoué sur l'épaule gauche, côté cœur ; comme pour lui. Quelque chose avait changé en lui. En bien. Il nous restait peu de raisons, à Khaï complètement remis et à moi qui avais réussi toutes les épreuves, de prolonger notre séjour au Sanctuaire. Plus précisément, il n'en restait plus qu'une. Les pages scellées, dont je connaissais partiellement le contenu. Ce qui m'attendait en Terre Vénérée n'avait aucune commune mesure avec la formation planifiée, encadrée, qu'on m'avait donnée. Mais il était déjà trop tard pour reculer. Ce qu'on m'avait appris me servirait justement dans les moments où le doute et la peur surviendraient. Khaï… Encore et toujours ma source inépuisable de force et de courage. Pour lui, les siens, la vie, d'avance j'acceptais tout.

J'avais remarqué, ce matin, que Lamaï paraissait plus songeur qu'à l'accoutumée. Et je me faisais du souci à son sujet. J'espérais qu'il ne s'agissait que d'un détail. Or, la journée avançait et, manifestement, il se refermait. Comme j'allais bien, l'esprit ayant gagné en force, j'eus l'idée de le convoquer, ainsi que Khaï et Hong, en salle de l'Alliance, afin de leur révéler l'une de mes facultés qu'ils ignoraient. Dans cette salle étaient conservés les Écrits, que j'avais presque fini de lire, et les objets nécessaires à l'Alliance, destinés au Tigre et au Loup. Certains d'entre eux étaient visibles; d'autres, sous clef, dans un meuble qui arborait le signe de l'Alliance. J'ignorais son contenu, mais je savais à quoi servaient ceux qui étaient exposés. Le Bâton de Loup, couleur de terre et orné d'une dorure, couleur de lumière, un peu plus court qu'un bâton de Sambok, et une dague, dont le manche était la réplique du Bâton de Loup et dont la lame était à deux tranchants. Aux fins de ma démonstration, je n'avais pas besoin de la dague. En revanche, il me fallait le bâton.

Je les ai fait s'agenouiller, au centre de la pièce, à ma gauche, si bien qu'ils me voyaient de profil, cependant que je me trouvais dans la même posture, le bâton devant moi, posé debout, contre le mur, au fond de la salle.

— Fixez vos esprits sur celui du Loup.

Je n'ai pas eu à les sonder pour m'assurer qu'ils suivaient ma directive. À peine quelques secondes et je percevais déjà une douce chaleur le long de mon corps, côté gauche, qui vint se concentrer au cœur de la Main de Loup. Pour ma part, l'esprit était déjà bien disposé. Je me suis alors levée et mise en marche vers le bâton que j'ai saisi des deux mains. La gauche, pouce vers le bas, paume contre la face visible du bâton; et la droite, glissée derrière, plus bas, à environ une trentaine de centimètres de l'autre main, pouce vers le haut, paume contre la face cachée du bâton. Le principe de cette préhension consistait à encadrer le centre de gravité du bâton avec les mains qui, par pressions opposées, me permettaient de transporter le bâton à la verticale, par simple toucher, sans le saisir à proprement parler. Une façon symbolique de rappeler le respect et l'humilité de l'esprit vis-à-vis de la matière; ce que j'avais eu l'occasion d'enseigner indirectement aux plus jeunes moines dans la cour intérieure. En toute matière, énergie; en tout être, esprit. Munie du Bâton de Loup, j'ai reculé de trois pas, puis me suis tournée face à Lamaï qui se trouvait au centre, avec Hong à sa gauche, et, à sa droite, Khaï qui n'admettait jamais personne d'autre que le Loup à sa droite immédiate. Tout en dirigeant le bâton en position horizontale, j'ai fait pivoter mes mains, si bien qu'en définitive le bâton reposait uniquement sur mes index et mes pouces. Ensuite, je me suis agenouillée. Puis, j'ai fait pivoter de nouveau mes mains, pouces vers l'extérieur, et le bâton s'est retrouvé dans mes mains. Il s'agissait à présent de le scinder en deux. Or, il était creux mais d'un seul tenant et ne disposait d'aucun mécanisme pour s'ouvrir comme c'était le cas pour les bâtons de Sambok. Seul le Loup pouvait, ainsi qu'il était écrit. Alors, l'esprit a divisé la matière. Il y avait de bien belles lumières dans les yeux qui me regardaient. Les Écrits révélaient qu'il existait un signe, entre tous, pour reconnaître le Loup ; je le tenais dans mes mains. Raison pour laquelle ils avaient tant insisté pour que je l'utilise. Mais là n'était pas l'intention de ma démonstration. J'ai donc poursuivi. J'ai fait basculer les deux demi-bâtons en position verticale, parallèles, devant mon visage. Puis, je les ai fait se frapper l'un contre l'autre, pour ensuite les écarter l'un de l'autre, lentement, à la manière d'un éventail que j'aurais déployé devant moi. Et ils ont vu. L'aura du Loup, telle l'eau des glaciers, dessiner une arche qui partait d'un demi-bâton que j'avais posé par terre à ma gauche et qui continuait au-dessus de ma tête, pour rejoindre l'autre demi-bâton, par terre à ma droite. J'avais eu envie de leur offrir ce que Petit Loup appelait dans leur langue « un merci ». Non pour ce qu'ils m'avaient procuré en biens, mais pour ce qu'ils étaient. Des êtres qui m'avaient fait grandir. Sans réfléchir, j'ai fait courir la Main de Loup le long de cette arche. Et l'aura lumineuse de la Tortue est venue se superposer à celle du Loup. Rien de plus magnifique que l'union de l'eau et de la lumière...

— Plus joli avec l'aura de Khaï, oui...

Khaï a passé sa main sur son visage, signe d'émotion extrême. Je me rappelais l'avoir vu effectuer ce même geste lors de notre première rencontre. J'aimais sa pudeur. Je leur souriais, timidement, parce que moi non plus, je ne désirais pas me donner en spectacle. Aussi, après qu'ils eurent vu, j'ai saisi les deux demi-bâtons et les ai fait se rejoindre en position verticale devant mon visage, effaçant du même coup les auras. Lorsque les deux demi-bâtons se sont entrechoqués, quelque chose est tombé, a roulé par terre, pour venir s'immobiliser juste devant mes genoux. Deux anneaux d'or, semblables, mais de taille différente ; un grand et un petit ; sortis tout droit du creux des demi-bâtons. Très intriguée, je fixais ces deux objets qui, assurément, étaient destinés au Tigre et au Loup. Des alliances !... Révélation tout à fait inattendue, qui confirmait la nature masculine du Tigre et la nature féminine du Loup. Un homme et une femme... quelle horreur !

L'inquiétude m'a saisie et, par réflexe, j'ai consulté les yeux de Lamaï.

— Qu'est-ce que c'est ?...

— Je... l'ignore...

Un peu plus et il riait ! Il comprenait la même chose que moi. Évidemment, de me voir, avec ce froid dans le dos, l'amusait. Pas moi. Mes yeux insatisfaits des siens, qui n'entendaient pas me rassurer, se sont rabattus sur ceux de Khaï. Ce que j'ai perçu, alors, me parut si inusité que je n'ai pas osé regarder. Après les émotions, la raison. J'ai confié, sans les toucher, les anneaux à Lamaï en l'informant, par la même occasion, qu'il devrait, le temps venu, lorsque je l'aviserais, se rendre en Terre Vénérée et apporter avec lui tous les autres objets de l'Alliance. Mais cela, il le savait déjà puisque c'était inscrit. Il était le Cerf, le Porteur, dans la prophétie. Bien entendu, pas question de m'obliger à quoi que ce soit qui concernât ma « vie... privée ». Tels furent ses propres termes, devant tous. J'étais soulagée. L'esprit a, par la suite, réunifié la matière afin que le Bâton de Loup ne soit qu'un, tel qu'il se devait conformément aux Écrits. Et je suis allée le remettre à sa place. En revenant sur mes pas, j'ai bien vu que Lamaï avait repris cet air songeur qui flottait sur son visage depuis le début du jour. Je me suis permis de le questionner. Il n'a pas hésité.

— Oui, le Loup doit savoir.

Il avait reçu un message d'Itsuki qui lui faisait part de la situation là-bas. Mauvaise. Cela ne m'a pas même étonnée. Aux doux temps succédaient les temps douloureux. L'existence, parmi eux, s'apparentait à des montagnes russes ; des pics et des fonds, comme je me le répétais souvent. J'en devenais presque habituée... L'espace d'un instant, je me suis amusée à songer que Petit Loup commençait à s'endurcir. Ce n'était pas là une mauvaise nouvelle, tout compte fait. Mais les propos d'Itsuki, que nous rapportait Lamaï, eurent tôt fait de me rappeler à l'ordre en m'extirpant de ma rêverie. La présence de Khaï, à titre de Maître de Maison, était requise par Itsuki qui ne savait plus où donner de la tête tant les embûches s'accumulaient. Inutile de dire que sa loyauté a répondu à l'appel. Il se rendrait donc en Terre Vénérée rejoindre les autres, cependant que je resterais au Sanctuaire. Cela aurait dû satisfaire Lamaï, d'autant que j'étais d'accord avec la décision de Khaï. Mais non. Je me doutais qu'il y avait autre chose, qui me concernait sûrement, mais qu'il préférait discuter en privé avec Khaï. J'ai respecté sa volonté, même si je savais…

Le soir même, Khaï m'a rejointe dans ma chambrette ; pour nous bercer, comme toujours. Après avoir refermé la porte, il s'est placé debout devant moi et a commencé à déboutonner sa chemise dont il a ensuite ouvert les pans. Puis, il a fait de même avec ma blouse. Après, il s'est assis dans la chaise berçante.

— Accrocher, Petit Loup.

Alors, je me suis installée sur lui, face à lui. Cœur contre cœur, il nous berçait.

— Hum… Voilà mon Petit Loup à qui je dis au revoir. Tu seras bien, ici. Je ne te décevrai pas, je t'en fais le serment.

La liste des serments qu'il me fit, ce soir-là, hallucinante. À tel point qu'à un moment donné je lui ai proposé de l'écrire dans mon cahier pour ne pas l'oublier. Il a refusé en en formulant un autre : « Je n'oublierai pas, je t'en fais le serment. » Cette urgence de promettre… Je ne demandais rien, sinon qu'il connaisse enfin la paix intérieure que lui avait ravie la guerre. Généralement, il prononçait peu de paroles, et souvent la dernière. Cette fois, je trouvais qu'il y en avait trop. Je me suis redressée, quittant, pour un temps, la chaleur de sa peau. Il s'est interrompu net. Des yeux, grands ouverts, curieux et amusés.

— Que s'est-il passé durant ta maladie ?

Je le regardais avec insistance. Parmi les serments, il y avait celui de la vérité entre nous. Profondément, il a respiré et plongé sa main dans mes cheveux.

— Une chevelure ondulée… Pour me faire savoir ton sentiment qui est le mien…

Je n'ai pas su que Lamaï lui avait confié les alliances.

Il ne me facilitait pas la tâche. Il n'était pas parti qu'il me manquait déjà. Atroce, quand la gorge se noue et que le cœur suffoque. Pas de sommeil pour Petit Loup. Je tournais en rond sur moi-même. Je me suis levée ; autant faire ma ronde. Khaï disposait d'une acuité auditive à toute épreuve. C'était gentil de faire semblant, et de me permettre de me préoccuper de lui, avant son départ. Je me suis approchée à pas de velours. Rien n'a bougé ; je me suis retirée. Dans le corridor, un détail a suscité mon attention. Les portes, toutes avec des charnières inversées qui les faisaient s'ouvrir vers l'extérieur ; et les poignées, toutes du même côté. Comme il serait cocasse d'entrouvrir délicatement chacune de ces portes et de relier avec une corde toutes ces poignées ; si bien qu'au lever de Hong, toujours le premier, en ouvrant grand et sec, comme à sa façon coutumière, il entraînerait dans le mouvement de sa porte toutes les autres qui s'ouvriraient brusquement…

À l'aube, une série de claquements précipités m'a réveillée ; puis des pas déterminés que je connaissais bien ; et ma porte s'est ouverte en coup de vent. Oh… qu'il n'était pas joli, ce matin… Il fulminait par les yeux et les naseaux. Encore engourdie, je suis allée constater de visu dans le corridor. Toutes les portes ouvertes et chacun avec un point d'interrogation sur le front. J'ai fait mine à Khaï que j'ignorais. Hong me fixait sérieusement.

— Expliquer !

J'avais les yeux ronds comme des billes de me savoir accusée. Alors, je lui ai expliqué ce que je n'avais pas fait.

— L'esprit, Méga-BougHong, c'est l'esprit du Loup qui a agi…

— Méga qui ?

J'ai serré les lèvres et haussé les sourcils bien haut. Jamais je n'ai entendu un rire aussi énorme. Hong nous a quittés en longeant le corridor pour disparaître dans un autre, toujours riant aux éclats, tandis que, tous, nous en pleurions. Cet incident aurait pu, et aurait dû, être sans conséquence. Mais, comme en toutes choses pour le Loup, il y avait là matière à comprendre. Des portes grandes ouvertes ; des gens qui en étaient sortis ; un corridor qui donnait accès au Sanctuaire et à sa porte principale. Je suis allée vérifier. Elle aussi, grande ouverte. Au-delà, le monde extérieur. *Ils* m'appelaient. Plus qu'une dernière tâche dont je devais m'acquitter ; une dernière épreuve. Celle de mon engagement.

* * *

Dans la maladie, j'avais reçu une révélation dont je devais taire la nature. Maintenant, je comprenais la solitude de mon Petit Loup à qui, déjà, on voulait du mal. Au dire d'Itsuki, des contrats avaient été passés. On ignorait par qui et les cibles. On soupçonnait Lu d'être l'une d'entre elles. L'annonce de l'existence et de l'arrivée prochaine du Loup excitait les esprits. Je préférais la savoir au Sanctuaire, en sécurité. Mon regret de l'avoir laissée s'engager dans cette tourmente. Te prendre, te donner mon nom, dès la première nuit…

* * *

— Que fais-tu avec ma couverture ?

— Ta présence, je l'emporte avec moi.

Un homme, entier de force, avec un doudou dans son paquetage.

CHAPITRE VII

Sur le quai, la foule ; sur le chemin de fer, le train. Au revoir, Gros Minou Khaï. Je le regardais intensément, pour imprégner ma mémoire de tout son être, comme si je craignais de l'oublier. Sans dire un mot, il a saisi mon visage, puis fait glisser son pouce sur mes lèvres en accentuant la pression, en les déformant, comme pour me les ravir. Il est disparu dans le train que je refusais de voir partir. Je me suis mise à marcher en direction du Sanctuaire.

— Les quartiers et la salle de l'Alliance sont-ils prêts ?

Hong a bougonné par l'affirmative. Je m'en allais. Attaquer les pages scellées.

J'ai passé droit devant Lamaï et Hong, munie de quelques vêtements et effets personnels ; de mon bâton. Je suis entrée dans la salle de l'Alliance par l'unique porte, que j'ai refermée et verrouillée aussitôt. Les quartiers contigus se résumaient à une pièce. Un lit, une table, un banc ; un coin salle de bains. Une fenêtre, et une trappe par laquelle on me remettrait la nourriture ou toute autre chose que je demanderais par écrit. Interdiction à quiconque d'entrer en communication autrement. Je devais demeurer isolée, quoi qu'il advienne, jusqu'à ce que j'ouvre de nouveau la porte. Une quinzaine, tout au plus, avait affirmé Lamaï à Khaï. Je me suis entièrement dévêtue. Ensuite, je me suis agenouillée au centre de la pièce, face aux

Écrits, juchés sur un lutrin, qu'éclairaient des lampions odorants. Le livre était fermé. Je voyais le signe de l'Alliance gravé dans sa reliure. D'abord, apaiser le corps, le cœur et l'esprit. Une heure plus tard, je me levais. Les pages scellées se trouvaient à la fin du volume. On les appelait ainsi parce qu'elles étaient retenues entre elles par un sceau de cire mêlée à de la poudre d'or et arborant le signe de l'Alliance incrusté dans la cire durcie. À l'aide de la dague, j'ai rompu le sceau. Des pages blanches; une pour chaque jour de mon isolement. La révélation ultime. J'ai sondé; et j'ai lu.

Puisque tu lis, c'est que tu es le Loup.

Sache qu'en le Tigre j'ai mis tout mon amour pour le Loup;
et qu'en le Loup j'ai mis tout mon amour pour le Tigre;
ainsi qu'un seul et même être.

Sache qu'en le Tigre j'ai mis l'esprit, le Soleil, le feu et l'air;
et qu'en le Loup j'ai mis le corps, la Lune, la terre et l'eau;
afin qu'ensemble ils possèdent le monde,
ainsi qu'une seule et même Alliance.

Sache que l'esprit se meurt et que le Tigre se meurt.
Sache que la terre se meurt et que le Loup se meurt.
Sache que seul le Loup peut apaiser l'esprit du Tigre qui se meurt.
Sache que seul l'esprit apaisé du Tigre peut rendre vie au Loup qui se meurt.
Ainsi qu'une seule et même Épreuve.

Sache que l'Alliance préservera la vie
au-delà de l'esprit apaisé du Tigre et de la terre généreuse du Loup.
Sache que le Tigre et le Loup scelleront l'Alliance.
Telle sera l'Épreuve de leur mérite.

J'ai lu durant des jours ; et j'ai su. Pas de mot assez étendu, assez profond, pour contenir la douleur que provoquait la lecture de ces pages létales, vierges de toute écriture apparente. À la fin, je ne dormais plus, je ne mangeais plus ; je ne gémissais plus tant j'avais mal. J'ai fini de lire les pages scellées à l'aube du dernier jour.

Au sixième temps, l'Alliance.
Au septième temps, quatre fois vérité scelleront l'Alliance ;
ainsi qu'une seule et même Vérité.

À présent, vois le Signe de l'Épreuve et marque cette page de ton engagement.
Ensuite, purifie par le feu.

Sache que le Signe de l'Épreuve, désormais, tu porteras
afin que ton engagement demeure
et qu'uniquement dans tes propres pas, toujours, tu marcheras.
Ne t'en détourne jamais car tu te meurs.

J'ai alors senti la Main de Loup se liquéfier au creux de la paume. J'ai regardé le sang écarlate, visqueux, noircir. La mort sans fin ! Horrifiée, j'ai plaqué cette main inhumaine contre ce papier qui me tuait. Et j'ai déchiré le silence à pleins poumons.

J'ai mis un certain temps à renouer avec la vie. Autour de moi, la salle était demeurée telle, et les flammes nues des lampions continuaient à danser délicatement. La dernière page, que j'avais souillée, était redevenue blanche ; et la Main de Loup, redevenue ma main. Hormis une tache brunâtre, en son centre, de la dimension d'une petite pièce de monnaie. J'ai posé le livre, ouvert, sur le plancher fait de pierres. J'ai regardé une dernière fois ces Écrits qui venaient de prendre ma liberté et ma vie pour les unir en un engagement que je savais ne jamais regretter. Puis, à l'aide d'un lampion, je les ai brûlés. Quand j'ai rouvert l'unique porte de la salle de l'Alliance, ils étaient là, à prier et à m'attendre. Ils avaient entendu le Loup hurler.

Malgré les objections de Lamaï et de Hong, j'ai quitté, seule, le Sanctuaire, le jour même.

Tous, moines, à la sortie du Sanctuaire, venus me dire leur regret, avec cette retenue, à ne pas éclabousser l'autre de ses émotions, que j'appréciais tant parce qu'elle me bouleversait.

J'aurais très bien pu tout abandonner sans que cela prête à conséquence. J'avais cru porter en moi l'Épreuve de l'Alliance alors que ce n'était pas le cas. Pour ce faire, il m'aurait fallu lire les pages scellées. Désormais, je savais la fuite impossible. Si je ne respectais pas mon engagement, si l'Alliance ne se produisait pas, ce serait la mort. Plus noire que la nuit. L'engagement sans attente de retour, je pensais que c'était cela qu'on appelait la foi.

Dormir, Petit Loup, et laisser le train te mener…

LIVRE TROISIÈME

L'Alliance

CHAPITRE I

Le trajet en train serait long. Trois jours, comparativement à quelques heures en avion. Tant mieux, j'avais grand besoin de repos et de solitude. Certes, les wagons étaient bondés, mais la lecture des pages scellées m'avait exténuée, et puisque personne ne me connaissait, personne ne me dérangerait. J'ai pu dormir. Comme une pierre. Pour ajouter à ce temps de Loup suspendu, le train est tombé en panne à mi-chemin. Il fallut attendre douze heures avant de poursuivre. J'avais confié à Khaï une partie de mes affaires, si bien que je voyageais léger. Grâce à Hong, je ne manquais pas de nourriture, ni de thé et d'eau. Au moment de quitter le Sanctuaire, j'avais donné la consigne à Lamaï de prévenir les autres de mon départ, pas de mon arrivée. Ainsi, personne ne s'inquiéterait dans l'éventualité d'un contretemps. En réalité, je devais rencontrer quelqu'un. Pour ce faire, je devais me rendre aux Quartiers Est. Comme j'avais imposé à tous l'interdiction d'y aller, j'étais assurée que le secret serait préservé. Du moins jusqu'à ce que j'atteigne les Quartiers Nord où l'on m'attendait. À partir de ces quartiers, une piste me conduirait en Terre Vénérée. En définitive, cette panne brouillerait un peu plus et un peu mieux les esprits. Elle me procurerait l'explication de mon retard, sans trop de mensonges contraires aux règles de Loup… *La Connaissance qui se tait* avait en cela du bon. Moins ils savaient, plus leur engagement trouvait son sens, et plus le Loup était libre d'agir. Question de confiance… Les pages scellées renfermaient la révélation des événements à venir ainsi que des directives, nombreuses et strictes, destinées au Loup. Je devais donc, en premier lieu, veiller à la sécurité des menacés, en requérant l'aide du puissant Lézard, fort dangereux. Question de confiance…

Je suis parvenue aux Quartiers Est très tôt le matin. Merveilleux de voir mes pieds marcher ailleurs. Des maisons et des rues sous une aube engourdie. La ville ; chaude, humide, puante. Joie ! J'ai trouvé aisément l'endroit en suivant mes propres pas, comme toujours. Au bout d'une rue en retrait, un bâtiment à deux étages, le long d'un quai d'arrimage qui flottait sur une eau glauque. Au premier, un entrepôt, immense ; au second, les quartiers. J'ai gravi l'escalier jusqu'à un corridor d'où, de part et d'autre, on avait accès à des logements dont le principal, à droite, où je me rendais, occupait toute la façade du côté de l'eau ; les autres donnaient sur un terrain vague, à l'arrière. La porte était déverrouillée. Je suis entrée. Cachée par un treillis de bois, j'entendais les demi-bâtons s'entrechoquer en alternance. Quatrième et cinquième temps. J'ai aussitôt su qui était là, et qui n'y était pas. Les Maîtres des quatre Maisons, ainsi que Peï, faisaient Sambok dans une grande salle vitrée dont la superficie couvrait presque la moitié de l'entrepôt au-dessous. À pas de loup, j'ai longé le mur jusqu'à la cuisine, au fond, qu'il fallait traverser pour atteindre les quartiers de Khaï. Une chambre et une salle de bains ; curieuse similitude avec ses quartiers du Grand Nord… J'ai posé mon paquetage à côté du sien. Pas défait. Ils venaient d'arriver. Je suis retournée à la cuisine chercher quelque chose à manger. Silence. Sambok était terminé ; ils s'apprêteraient sous peu à manger.

* * *

Après que la Maison de Loup eut déclaré son retrait, j'avais confié mon Petit Loup à Maïko. Il devait l'attendre à nos Quartiers Nord et bien veiller sur elle pendant mon absence. Deux jours, au plus. Je me désolais lorsqu'elle n'était pas là. Et voilà que je percevais ses odeurs. Sans attendre, je me suis rendu à la cuisine. Amaigrie… Pas de mot pour dire mon bonheur et mon tourment. Nul ne savait ce qui s'était produit en salle de l'Alliance, sinon un cri, profond de douleur. Elle aurait dû arriver avant ; et ailleurs. Assurément, elle exigerait des explications… Moi aussi.

* * *

J'étais contrariée et déçue. Je me tenais bien droite, les bras fermement croisés en guise d'armure devant sa stature imposante, déterminée à l'affronter. Diable ! qu'il était beau, basané par le soleil chaud…

— Quelle était la consigne ?

— Quartiers Est, en aucun cas.

— Explique-moi.

— Rien à expliquer.

— Je vois. Pas de lien entre la parole et le geste.

— Pas important.

Ni froid ni distant. Neutre. Rien de plus blessant que l'indifférence. Surtout la sienne. J'aurais dû comprendre que la loyauté, chez lui, n'était qu'affaire d'esprit ; qu'il s'était déclaré dans le seul but de faire un serment au Loup. Cela me donna mal au cœur. Itsuki, qui avait dû percevoir nos voix, bien que nous n'élevions jamais le ton entre nous, est apparu. Avant qu'il ait pu réagir, je l'ai salué. Sèchement. J'étais blessée. Puis, j'ai pris place au centre de la grande table, avec ma petite assiette, pas même remplie d'une mangue coupée en morceaux. J'ai bien vu caresse-tendresse dans leurs yeux. J'ai fait semblant que cela ne m'affectait pas. Je boudais. Comme l'enfant qu'on a trahi. Ensuite, Hu et Taïn, Maîtres des Maisons de Léopard et de Dragon, sont entrés. Enfin, Peï qui, devant tous, contrairement à leurs coutumes, est venu m'offrir un bonjour-baiser sur la joue ; après quoi, il s'est installé à la table. À ma droite, à la place de Maïko, absent. Un à un, ils se sont attablés. Khaï fut le dernier ; à ma gauche, comme toujours. Sous la table, j'ai senti sa jambe se poser contre la mienne. Je boudais encore tandis qu'ils attendaient sagement, en silence. Cela m'exaspérait de me savoir seule en train de manger. J'ai réussi à avaler une bouchée, difficilement, parce que je gardais la tête baissée, me sentant observée. J'ai alors fait glisser lentement la petite assiette jusqu'à mi-chemin, entre Khaï et moi. J'ai serré les lèvres et lancé un regard de biais vers lui, mue par le paradoxe d'être honteuse de ce que je n'étais pas coupable. Il m'a souri. Que pouvais-je bien faire d'autre pour réparer l'atmosphère abîmée, sinon les regarder, tour à tour, en prononçant timidement leurs noms. Nous avons fini par déjeuner tous ensemble. Khaï et moi, dans la même assiette. Puis la même tasse ; et Peï a ouvert la discussion.

— Hier soir, Maison de Loup s'est retirée. Vivement, je dois préciser. Les négociations qui avaient cours avec le gouvernement et les Voisins limitrophes du Sud ont ainsi été suspendues. Les Maîtres des quatre Maisons ont convenu de faire bilan, aujourd'hui ; et Quartiers Est ont été désignés. Nombreuses sont les convoitises, et les intérêts fort divergents, d'où l'instabilité. Le temps est venu pour chaque Maison de se prononcer sur ses intentions.

Hésitant à poursuivre. Itsuki a repris la barre.

— S'il vous plaît… L'argent, Lu, va et vient. C'est-à-dire, à un moment, on accorde ; à un autre, on n'accorde plus. Les pressions politiques ne sont pas qu'internes. L'extérieur a des visées sur la Terre Vénérée. Cela engendre grandes tensions… et menaces…

À son tour d'hésiter, aux abords du sujet névralgique qui, justement, concernait la raison, qu'ils ignoraient, de ma présence. D'un œil, Itsuki a consulté Khaï qui lui a signifié de poursuivre, en fermant les yeux, comme toujours lorsque la vérité se corse et que les mots deviennent plus difficiles à prononcer.

— Contrats ont été passés. On ne sait combien, par qui, ni les cibles ; sauf une… Toi, Lu.

À peine sortie de l'enceinte protectrice du Sanctuaire que déjà la réalité extérieure, sur laquelle je disposais d'un contrôle limité, frappait de toutes parts. Assurément, la peur dominerait mon existence.

— Je sais, oui.

— Qui donc a passé ces contrats ? Tu les connais ? Contre qui ?

Hu procédait toujours avec acharnement, il creusait à coups d'interrogations directes. Moins subtil que son frère Itsuki, il posait des questions jusqu'à ce que son esprit puisse établir une synthèse. Itsuki fonctionnait autrement. L'analyse était plus nuancée, chez lui, et la synthèse, multiple, plus souple, afin de pouvoir s'adapter à plusieurs éventualités. Hu attaquait de façon unilatérale, en profondeur toutefois. Lorsqu'il visait juste, il frappait plus fort que son frère diplomate. Mais sitôt la réalité autre, il lui fallait reprendre l'analyse depuis le début, et reformuler ses questions pour parvenir à élaborer une nouvelle synthèse. Je le savais ferme ; néanmoins juste. Malheureusement, son intransigeance avait creusé un fossé entre lui et son fils, Fuong, qu'il chérissait pourtant d'un amour désintéressé. Tout son être portait la marque de ce lien rompu. Il irait jusqu'à me briser pour savoir.

— Il me faut demander l'aide du Lézard.

— Quel Lézard ?

Hu allait interroger de plus belle, comme je ne répondais pas, lorsque Taïn a répondu à ma place :

— Boris.

Autour de la table, j'ai senti les sueurs froides. Taïn ne posait jamais de questions. Sa démarche était plutôt de nature psychanalytique, si je puis dire, dans la mesure où il observait, il écoutait, il sondait presque, jusqu'à ce qu'il puisse formuler une question sous le couvert d'une affirmation robuste, pleine d'assurance, provoquant l'autre qui, inévitablement, réagissait, lui faisant don de la vérité qu'il attendait. Je savais. Aussi ai-je pris soin de ne pas réagir. Mauvais calcul. Qui ne dit mot consent. Et la vérité s'est sue.

— Mon Petit Loup, Boris est fou dangereux.

— L'esprit de Loup pareillement.

Pulvériser la matière. Vivante. J'espérais ne pas en venir là. Ne plus jamais détruire...

— S'il vous plaît... Tes facultés, elles ne te rendent pas immortelle.

J'ai étendu la Main de Loup, à plat sur la table, et leur ai montré la tache brunâtre, de la dimension d'une petite pièce de monnaie ;

le signe de l'Épreuve, ultime, inévitable. Peï, aveugle, mais qui percevait les souffles, seuls sons parmi le silence, a bougé. Alors, j'ai parlé :

— À présent, la Main de Loup porte l'Alliance ; et l'esprit, les Écrits qui n'existent plus puisque je les ai brûlés, ainsi que les vingt-huit pages scellées qui dévoilaient le chemin que le Loup devra parcourir jusqu'au moment de sceller l'Alliance. Les directives, nombreuses mais précises, qu'elles renfermaient seront difficiles, tant pour vous que pour moi, à accepter et à suivre. Je sais ce que j'ai à faire. J'irai, seule, m'entretenir avec Boris ; et les contrats disparaîtront.

Je n'entendais pas leur quémander des permissions. Ni eux, me les accorder. Une situation déjà vécue, et appelée à se répéter souvent. S'en accommoder. Il le faudrait pour le bien de l'Alliance, le bien de tous. Ils avaient choisi les Quartiers Est, précisément en raison de l'interdiction que j'avais imposée, persuadés que personne n'aurait idée de l'endroit où ils se trouvaient. Durant le reste de la journée, ils ont donc passé en revue les enjeux et précisé la position de chacune des Maisons, vis-à-vis des négociations et au regard de l'Alliance. J'ai assisté et participé aux discussions. Ils ont pu constater l'étendue de ma connaissance. Cela m'a permis de mettre en place un rang de pierres, solide, alors qu'ils demandaient systématiquement à recevoir les directives du Loup concernant chaque aspect débattu. Ils avaient résolu à l'avance de les suivre. En fin de journée, il y avait quatre Maisons, fortes, unies. Tout ce que je souhaitais était que la parole rencontrât désormais le geste.

Pluie sur le soir. « Je nous mets en vacances », avait dit Khaï. Du moins jusqu'à notre arrivée en Terre Vénérée. On m'avait préparé un petit lit, contre le mur adjacent à la cuisine, dans l'immense vide de la salle. Je ne me suis pas couchée, j'ai plutôt regardé le ciel pleurnicher sur la vitre. Je n'entendais pas Khaï. Ici, rien qui sache bercer. Sans quoi je pourrais te dire, comme avant, combien je m'ennuie de nous… Je suis partie à sa recherche. Son lit n'était pas défait ; comme moi, il portait encore ses vêtements et regardait par la fenêtre, les bras croisés, les mains sous ses aisselles, comme toujours lorsqu'il était préoccupé et qu'il réfléchissait. J'ai décidé de ne pas respecter son absence. Je me suis approchée et j'ai posé la Main de Loup sur son bras droit, entre l'épaule et le coude replié. Il n'a pas sursauté; il m'avait sentie venir. En dépliant les bras, il s'est retourné pour me faire face.

— Pas d'accord. Là où tu es, je suis. Ma responsabilité. Ce rendez-vous mystérieux me déplaît. Ici, le danger est différent, parce que tu es différente. Une femme, seule, occidentale, aura tôt fait d'attirer l'attention. Là où tu iras, j'irai, malgré ton opposition.

Je n'écoutais rien. Mes yeux avaient quitté les siens, jusqu'à la tempe; puis longé le côté droit du visage, jusqu'aux lèvres humides qui se mouvaient; contourné la mâchoire, jusqu'au cou; et pénétré dans la fente de la chemise entrouverte. Ma bouche à demi close trahissait mon désir et fit naître le sien. Il s'est interrompu, les narines légèrement dilatées. Quatre yeux de lumière.

— Fais-le, Femme; fais ce qui te tente.

J'ai commencé à déboutonner la chemise. Jusqu'à la ceinture. J'ai écarté les pans; plongé mes mains et mon visage. Intensément, il a saisi ma tête, qu'il a redressée. Il allait enfin prendre cette bouche qui le rendait fou. Cris de Peï! Nous avons fait irruption dans la lumière du couloir extérieur en empruntant une porte de service dans la cuisine. Sous la porte des quartiers de Peï, juste en face, une flaque de sang se répandait et Khaï avait les deux pieds dedans. Il essayait d'ouvrir la porte, mais quelque chose la bloquait à l'intérieur. Je ne respirais plus. Les autres sont accourus pour lui prêter main-forte. Enfin, ils sont parvenus à plier un corps coincé entre la porte et un meuble. Peï était assis par terre, le dos droit contre le mur, une dague à la main. Il vivait. Celui qu'il venait d'égorger portait des vêtements communs. La trentaine; les poches vides; aucun tatouage; un métis. Va savoir... Hu, qui avait ramassé un couteau, courant lui aussi, et qui l'étudiait, a murmuré :

— Quartiers Est, en aucun cas...

Vrai, je savais. Mais les révélations sur lesquelles je comptais éveillaient le doute. Leur symbolique n'était pas aisée à décoder. Considérant la proximité du danger, j'ai décidé de provoquer la rencontre avec Boris, la nuit même. Comme je n'avais pas tout expliqué à Khaï, j'ai dû accepter qu'il m'accompagne. C'est donc lui qui m'a menée. Moi, Petit Loup, qui prétendais négocier avec un Grand Maître de la mafia russe.

Disco techno, rutilante de sons et de lumières, de touristes richards, branchés, et de putes classe. Je détestais l'opulence et j'étais fière de détonner, avec un visage sans maquillage, ni coiffure, vêtue humblement. D'ailleurs, Khaï et moi avions failli ne pas être autorisés à entrer. Heureusement, nous disposions d'un argument de poids : Boris. Connu et reconnu, puisqu'il détenait des parts dans la boîte qu'il fréquentait lorsqu'il séjournait dans la Capitale Est. On nous a fait patienter quelques minutes à l'entrée. Ensuite, un homme, sans salutation, sans parole, nous a signifié de le suivre pour nous introduire dans une antichambre où d'autres nous ont fouillés. Rien dans les mains, rien dans les poches; tous se sont retirés. Il ne restait plus qu'à voir la porte de communication, entre l'antichambre et le bureau, s'ouvrir. Boris avait sa manière bien à lui de recevoir. Jamais il ne se présentait en personne. Il s'en remettait toujours à celle qu'il considérait comme son ombre pour juger de la pertinence de l'affaire en cause. C'était seulement après avoir reçu une recommandation favorable qu'il paraissait. La partie se jouerait donc entre elle et moi. La porte s'est ouverte. Tatia; beauté cristalline.

— Khaï… Il y a longtemps…

Elle ne laissait personne indifférent. Une femme magnifique, tant en son corps qu'en ses gestes et sa voix. Probablement parce que je la connaissais, sans toutefois avoir jamais eu l'occasion de la rencontrer, je ne me sentais pas impressionnée. Pas de distance entre nous. L'étrangeté de savoir, et surtout de percevoir en soi et en l'autre une complicité latente qui ne demandait qu'à s'éveiller; quand le courant passe dès le premier instant. Cela s'était aussi produit avec Maïko.

— Voici Lu, qui demande audience auprès de Boris.

Les grands yeux noirs avaient déjà rencontré les miens; la parole était inutile.

— Je vais m'entretenir avec elle. Boris t'attend.

Une fois Khaï disparu derrière la porte de communication, Tatia m'a invitée à prendre place dans un fauteuil.

— Je t'offre à boire ?

— Crème de menthe.

Elle a entrouvert la porte d'entrée et demandé à un garde, en poste, de lui apporter une crème de menthe et un Chivas sec. Elle m'a rejointe et s'est assise, gracieuse. Face à face. Elle a parlé la première.

— Tu ne ressembles pas…

— Avantageux, n'est-ce pas ?

— Je te l'accorde.

Sourires francs. On nous apportait nos verres. Seules de nouveau ; elle m'attendait. Je lui ai exposé mon affaire.

— Des contrats, issus de la même origine, cherchent preneurs. Je voudrais que Boris les prenne.

— Combien ?

— Quatre, à la mise en circulation. Depuis cette nuit, il en reste trois.

— Que s'est-il passé ?

— Peï, qui était la cible, a tué le type.

— Et si un nouveau contrat est émis ?

— J'en doute. Mais s'il y a lieu, Boris n'aura qu'à le prendre.

— Les autres cibles ?

— Itsuki et moi.

— J'en compte deux.

— Deux contrats sur moi.

Dans ses yeux, la pénombre.

— Tu attends de Boris qu'il les prenne, non pour les exécuter mais pour les retenir.

— Oui, le temps que je sache qui tire les ficelles.

— Combien offres-tu ?

— Rien.

Évidemment, ma réponse l'a déconcertée.

— Sans compensation, pourquoi Boris accepterait-il ? On ne te connaît pas, et tes rapports avec Khaï, pas même une relation d'affaires pour nous, ne justifient pas qu'on te rende ce service.

— Je suis le Loup qui sait.

— Qui sait quoi ?

— Pour Boris et Tatia : même père, même mère, même sexe.

Cruel de révéler sans prévenance, sans délicatesse, un secret qui leur appartenait en propre. Je n'avais pas le choix, il me fallait lui prouver ma nature exclusive, si particulière. Elle s'est levée, digne malgré le choc, et s'est dirigée vers une fenêtre. Elle regardait au loin, dans son jardin intérieur que je venais de piller salement. Je souhaitais tellement son pardon. Je me suis levée à mon tour et me suis approchée d'elle pour entendre son murmure :

— Personne ne sait…

— Personne ne saura.

J'avais l'impression de m'adonner à un chantage. Haut-le-cœur. Alors, discrètement, j'ai pris sa douleur. Enfin, elle m'a souri, au-delà de l'écorchure.

— Lu, Loup…

Elle avait compris et j'ai su qu'elle me pardonnerait. Elle s'est absentée ; puis est réapparue.

— Sitôt qu'il détiendra les contrats, il te préviendra.

J'allais partir.

— Reste encore… J'ai envie de te parler… Tu sais…

Elle m'a raconté. Une partie de son jardin. En retour, je lui ai confié l'une de mes préoccupations personnelles. Surprenant de constater à quel point la confiance, qui se bâtit peu à peu, s'était déjà immiscée entre nous. Plus profonde, plus intense qu'avec ma copine Hong. Entre Tatia et moi, des mots et une écoute uniques.

— Depuis un certain temps, je me sens… un peu chose. Pas malade, mais étrange. Je pense qu'une analyse sanguine…

— Enceinte ?

— Non. Poison.

— Je dispose du meilleur médecin. Très accommodant. Il s'occupe de moi en tout, même en dehors de sa spécialité. Il est gynécologue. Je te prends un rendez-vous, si tu veux. Vraiment quelqu'un de bien, très discret. Il pratique dans la Capitale Ouest.

Boris et elle possédaient une propriété là-bas, et comme, justement, elle devait s'y rendre dès le lendemain, elle m'a offert de partir avec elle ; de séjourner chez eux. Spontanément, j'ai accepté. Khaï est sorti de son entretien avec Boris. Sur le chemin du retour, nous avons résumé de part et d'autre. Je ne lui ai pas dit que j'irais voir le médecin, simplement que je devais passer par la Capitale Ouest avant de me rendre en Terre Vénérée. Puisqu'il y avait beaucoup à faire là-bas, nous avons convenu de nous séparer de nouveau. L'attentat contre Peï à la fois l'inquiétait et le rassurait. Il respecterait la volonté du Loup qui, manifestement, savait ; non sans me soutirer la promesse d'une prudence extrême et d'une absence qui ne dépasserait pas cinq jours, sinon il interviendrait et imposerait sa présence.

Cette nuit-là, je n'ai pas vu Boris, le Lézard.

CHAPITRE II

En vol, avec Tatia, direction Pays Nord-Ouest ; Boris demeuré au Pays Est ; Khaï en route vers le Pays Sud, celui de la Terre Vénérée. Entreprendre l'occupation des lieux, par les quatre Maisons, malgré l'absence de consensus et d'autorisation officielle, c'était ce que je leur avais conseillé, à la lumière de ce que je savais. Et dans ce contexte de forces opposées, annoncer l'arrivée très prochaine du Loup afin de calmer les esprits qui, pour un temps, mettraient fin à l'affrontement. Cet intermède dans la Capitale Ouest n'étant pas prévu, je me considérais, tout compte fait, comme chanceuse dans ma malchance. Les événements parviendraient peut-être à s'imbriquer les uns dans les autres et à former une image suffisamment claire, à mes yeux, d'une situation plutôt gâtée.

Sans tarder, Tatia m'a obtenu un rendez-vous. Dès le lendemain matin, je subissais un examen complet et divers prélèvements. Une pierre, plusieurs coups. Il y avait longtemps que je n'avais pas pris des nouvelles de ma santé. Excellente à première vue. Quant à la Main de Loup, la conclusion s'était imposée d'elle-même : tache de naissance. Une particularité, toutefois :

— Vos yeux présentent une configuration cellulaire vraiment très rare. Au cours de ma carrière, c'est la seconde fois que je rencontre quelqu'un qui dispose d'une acuité visuelle nocturne, un peu comme celle des chats. Intéressant…

En effet. Dommage qu'il ait été tenu au secret professionnel. J'étais plus que jamais à la recherche du Tigre. J'ai quitté le cabinet du médecin, fatiguée de la veille et de l'avant-veille. Trop de tension accumulée ; d'abord Peï, ensuite Boris ; après, courir vite, vivre peu. Je suis retournée chez Tatia avec l'envie d'un bain chaud et de sommeil. Les résultats des analyses seraient disponibles d'ici vingt-quatre à quarante-huit heures. Je pensais avoir droit à un répit, être momentanément au bout de mes peines passées, et pouvoir profiter de mon bref séjour pour y voir plus clair. Pour voir, j'ai vu. Dans le miroir qui couvrait tout un pan de mur de leur grande salle de bains… Des cheveux ondulés dont la teinte différait sensiblement de la mienne ; le grain de la peau, changé lui aussi, légèrement plus pigmenté de la tête aux pieds ; et ces yeux, ambre violacé, qui ne m'appartenaient pas… L'idée folle de penser que l'Alliance requérait un Loup à la juste mesure, aux goûts du Tigre ! J'étais devenue irréelle.

Je suis revenue d'un sommeil noir, tard en fin d'après-midi ; le corps, le cœur et l'esprit dans la neutralité ; reposée. Boris était arrivé ; je percevais sa voix effilée et celle de Tatia qui me parvenaient du salon, au premier. Je les ai rejoints. Paradoxe. Dans leur luxueuse demeure, alourdie d'étoffes, de cuir et de boiseries, nickelée à souhait, comme il sied aux gens de leur condition, entourés de gardes et de domestiques, invisibles, un couple accueillant, sans cérémonie, pieds nus, coton léger, parfum frais. À l'encontre de l'image qu'ils projetaient en public, l'accès à Boris fut aussi immédiat qu'avec Tatia. Il savait que je me tairais. J'aurais souhaité me plonger dans la réflexion. Mais ils étaient là, visiblement heureux de ma présence. Ils voyageaient beaucoup, cultivaient une multitude de connaissances que j'ignorais, et qu'ils adoraient partager avec d'autres. Malgré leurs occupations, plus douteuses les unes que les autres, ils rayonnaient de vie ; s'aimaient profondément ; donnaient sans limite.

Retenu à l'extérieur, le médecin m'a téléphoné le lendemain matin pour m'aviser que les résultats lui étaient parvenus et qu'il y avait joint son diagnostic par écrit. Il suffisait de me présenter à son cabinet où on me les remettrait. Entre-temps, Boris était sorti; un rendez-vous... Comme en toutes choses qui me touchaient, j'ai exprimé le désir d'être seule en refusant que Tatia m'accompagne. Elle m'a respectée. Dans la ville, je marchais; dans les mains, une enveloppe cachetée. Un ancien réflexe, celui de me cacher, dans une ruelle, sale. Adossée à une clôture chambranlante, parmi les ordures, j'ai lu. Une longue liste de mots et de chiffres; et une lettre manuscrite:

« [...] Vous avez été mise en contact avec des substances chimiques naturelles, principalement organiques, qui, seules ou combinées entre elles, provoquent des intoxications. Ces poisons, de fabrication artisanale, ont été administrés par voie orale. Dans l'ensemble, il n'y a pas lieu de s'inquiéter quant à votre santé. Les doses de résidus suggèrent un calcul afin de provoquer une immunité de l'organisme suivant le même principe qu'un vaccin. En revanche, parmi ces poisons, il en est un qui apparaît en quantité plus appréciable. Dans certains cas, il peut entraîner la stérilité irréversible chez la femme. D'où l'interruption des menstruations. Ce serait donc votre cas. Il n'est pas dans mes attributions de préjuger, mais on aurait voulu vous rendre stérile qu'on ne s'y serait pas pris autrement. À mon avis, votre premier contact remonterait à un mois environ. [...] »

La lecture des pages scellées, seul moment où je recevais la nourriture sans voir qui me l'apportait... Trahie dans mon corps, dans mon être. Ils donnaient leurs paroles, prêtaient serment, aussi facile que d'avaler une gorgée d'eau; après, ils faisaient ce qu'ils voulaient. J'ai replié les papiers, les ai réinsérés dans l'enveloppe. J'ai sorti, de l'une des poches de mon jean, une allumette de bois que j'ai grattée, d'un geste brusque, contre le haut de ma jambe. Une vieille habitude qui refaisait surface. Et de la main droite, j'ai mis le feu à l'enveloppe que tenait la main gauche. Je sentais la force de ma respiration, la contraction de mes mâchoires et la présence de mes yeux comme chargés d'un métal froid. Après, la fureur; sans voix, à coups de pied dans les poubelles, dans la merde des autres. Enfin, j'ai redressé la tête pour laisser l'air entrer librement de nouveau. Devant, au deuxième, une ombre à la fenêtre. Quelqu'un qui m'avait observée et qui, ne voulant pas que je sache, reculait pour se fondre dans le noir de la vitre, quand la distance devient telle que du dehors on ne perçoit plus le dedans. Au plus secret de mon jardin, quelqu'un a tressailli.

Boris revenu ; Tatia sortie. Dans un visage raviné, des yeux mi-clos, vifs ; le Lézard me regardait.

— Tu vas, tu viens, comme et quand tu veux.

Je n'étais pas en état de discuter l'impression qu'il me donnait de savoir de qui et de quoi il parlait. J'ai quand même apprécié. Sa porte grande ouverte. En préparant mon paquetage, j'ai trouvé dans mes affaires un couteau, de l'eau en bouteille, des noix et des fruits séchés. Comme si on l'eût prévenu de ce que je venais à peine de décider. À travers les méandres de son monde parallèle, il n'y avait pas que le Loup qui savait.

CHAPITRE III

Je suis partie à pied ; cette fois, directement pour la Terre Vénérée ; en empruntant une piste qui rejoignait celle des Quartiers Nord, juste aux abords de la Terre. J'éviterais ainsi les quartiers. Je disposais de plusieurs heures de marche devant moi. Réfléchir, et apaiser l'esprit. J'avais toujours aimé la ville et la forêt, tandis que la campagne, avec ses champs plats, étendus, cultivés, ne me disait rien ; là, aucune vie secrète. J'ai franchi la frontière illégalement, ainsi qu'il était inscrit dans les pages scellées. Quand, enfin, j'ai pénétré dans leur forêt, je me suis sentie mieux, à l'abri. Un bon temps pour démêler l'esprit emberlificoté dans une réalité merdique.

Une Terre Vénérée. Plutôt un vaste territoire convoité. D'abord par quatre Maisons. Unies ; problème en moins. Dont l'objectif principal était l'Alliance, à partir de laquelle la reconstruction et le repeuplement seraient possibles. Ensuite, par les Voisins limitrophes, particulièrement ceux du Sud, déchus et entassés. En raison de sa position et de sa configuration géographiques, la Terre comportait de multiples ouvertures ; terrestres, sur plusieurs autres pays, et fluviale, avec un accès direct à la mer. Sans compter les montagnes, les maquis et les cours d'eau, abondants, impossibles à surveiller. Une mine d'or pour les contrebandiers. Autant conclure, convoitise de même nature de la part du gouvernement, mais avec un bémol qui expliquait qu'on faisait traîner en longueur les négociations. Une reconstruction réussie, qui projetterait à l'avant-scène internationale l'image d'un pays, au sortir de la guerre, en voie de guérison soutenue par une administration apparemment saine, constituait un poids politique non négligeable vis-à-vis des autres ; riches, puissants, étrangers, qui avaient beaucoup à offrir aux yeux de ceux qui sauraient prendre habilement, sans pour autant hypothéquer les possibilités d'utilisation et d'exploitation parallèles. D'où un intérêt certain partagé entre le gouvernement, corrompu mais pas complètement fou, et les Voisins déviants. En fait, la stratégie consistait à investir le moins possible dans la reconstruction, sans toutefois empêcher les quatre Maisons de réaliser leur projet, récupérable par la suite. Pour l'heure, il suffisait au gouvernement de prendre le temps de convaincre les Voisins récalcitrants du bien-fondé de la démarche gouvernementale dans la mesure où eux n'avaient pas forcément besoin de la reconstruction.

Restait le point épineux des contrats. À la limite, je comprenais le choix de Peï et d'Itsuki comme cibles. Peï avait beaucoup d'influence sur la prise de décision concernant les quatre Maisons, et Itsuki, dans cette affaire, agissait à titre de maître d'œuvre au nom des quatre Maisons en plus de détenir la tirelire commune qu'on lui avait confiée. Quant à moi, aux prises avec deux contrats et une panoplie de poisons, que pouvais-je envisager comme explication ? Il y avait peut-être des dissidences, que j'ignorais, au sein de la partie cléricale. Chose certaine, s'il existait des tractations nébuleuses entre le Sanctuaire et d'autres, hormis les quatre Maisons déjà rattachées, c'était au profit du profane. Cherche l'explication, trouve toujours l'argent. Qui donc avait intérêt à ce que l'Alliance ne se produise pas ? Car, en définitive, je n'étais là que pour cela. Certes, le Loup qui savait détenait un pouvoir décisionnel capable de tout faire basculer. Or, l'interdiction de se rendre aux Quartiers Est bafouée et les poisons administrés à mon insu prouvaient le contraire. Sauf si, par mesure de sécurité, on décidait de s'en tenir rigoureusement aux Écrits. Suivant ces derniers, la Terre Vénérée revenait de droit au Loup. En éliminant le Loup, on empêchait l'Alliance, et on neutralisait le Tigre ; du coup, on s'appropriait la Terre. Deux contrats visant le Loup... Et la lumière fut. Deux ; pour pallier toutes les éventualités. Le premier, un Loup mort, avec les conséquences que je venais de m'énoncer. Le second, plus tordu, un Loup vivant, mais soumis, apprivoisé de force, pour bénéficier de sa connaissance et de ses facultés paranormales. Dans quel but ? Je l'ignorais. Trouver le mobile ; et la main qui tirait les ficelles, je pourrais alors la couper.

J'atteignais le Grand Rocher Blanc, au carrefour des pistes partant de la Capitale Ouest et des Quartiers Nord, et marquant le commencement de la Terre Vénérée. Depuis la capitale, je m'étais retournée à quelques reprises ; il n'y avait personne. Fausse impression d'une présence qui me suivait. Par la suite, j'avais réfléchi si intensément que j'avais oublié. Là, j'ai vérifié. J'étais seule.

Lorsque j'ai posé le premier pied, de l'autre côté du rocher, j'ai su que j'étais en Terre Vénérée. J'ai aussitôt ressenti un malaise qui s'est traduit par un élancement au cœur de la tache de la Main de Loup. J'ai poursuivi mes pas. Et j'ai constaté l'état tout à coup clairsemé de la jungle. Anormal. Plus de sons. Absence d'animaux, d'oiseaux et d'insectes. Dans les arbres, sur les plantes, des signes d'abattement, comme si les tiges et les feuilles n'en pouvaient plus de se supporter. Sur le sol, aucune piste, ni excrément. J'ai puisé une poignée de terre. Elle avait la couleur et la texture de la cendre. J'ai puisé un peu d'eau d'un ruisseau, à proximité. Elle avait l'odeur des cimetières de mon pays, lorsqu'en juillet le soleil humide de la canicule a frappé tout l'après-midi. Eau presque gluante ; le pus d'une Terre à l'agonie. Stérile ; comme moi.

Un bon moment déjà que je marchais, et je songeais à faire une pause quand j'ai perçu un ronronnement derrière moi. Un tigre. Vivant, avec, dans sa gueule, un amas distordu de singe à moitié entamé. Je n'en revenais pas, un vrai de vrai, sans cage, avec son pyjama rayé. Je n'avais pas peur, j'étais plutôt curieuse. Je me suis dit qu'il avait déjà suffisamment à manger. Non, ce qui m'intriguait et me mettait en confiance, c'était qu'il ronronnait. Familier avec la présence humaine ?...

Il est venu poser son baluchon à mes pieds ; puis s'est assis. Pour la première fois, j'ai remarqué : ses yeux, on les rencontrait partout en Asie. J'ai cru comprendre qu'il m'offrait ou, du moins, me montrait fièrement sa prise. J'ai sorti de mon sac à dos l'eau, les noix et les fruits de Boris. Je me suis assise, adossée à un tronc d'arbre. Et nous avons mangé, ensemble. Je n'ai pas touché à son goûter ; lui, en revanche, a bien apprécié mes abricots séchés. Repus, nous nous sommes accordé du temps pour digérer ; et nous toucher. Si on m'avait dit qu'un jour je flatterais un tigre sauvage ; c'était bien uniquement parce que j'étais le Loup... Nous n'étions plus très loin du village, de son emplacement d'autrefois, j'entends. Dans quel état allait-on me rencontrer ? Propre, que je me suis dit. Alors, en compagnie de mon nouvel ami, j'ai pris un bain dans une petite rivière encore relativement saine. Comme des enfants, nous avons joué, en nous chamaillant, sans malice, toutes griffes rétractées. En une Terre aussi près de la mort, je me surprenais à voir cet animal plein de vie qui me redonnait espoir, me poussait presque à tout pardonner.

Je ne saurais dire si c'était le tigre, ou le Loup, ou le tigre et le Loup, mais nous avons fait une entrée remarquable, têtes hautes, museaux droits, digne des monarques. Dans un village désert. Heureusement, il traînait, ici et là, des hamacs, des paquetages, des cantines, indiquant clairement qu'on occupait les lieux. Je me sentais les jambes molles et les paupières pesantes. J'ai avisé un hamac, à l'ombre ; j'ai supposé que c'était celui de Khaï en raison du paquetage juste à côté. J'ai posé le mien ; puis me suis étendue. Une brise chiffonnée tourbillonnait dans la chaleur. Et la réalité s'en est allée.

* * *

Nous nous doutions que mon Petit Loup voudrait connaître en détail l'état de la Terre Vénérée. Nous avions donc résolu de soumettre le territoire à une inspection approfondie. Nous en étions à notre dernière journée. Après quoi nous avons regagné les quartiers des Maisons de Loup et de Tigre, aménagés dans l'aire du village. En arrivant, nous avons eu l'heureuse surprise de la voir, endormie paisiblement dans mon hamac. Chacun voulait sa part de regard et, peu à peu, nous en sommes venus à l'encercler. Quand une vingtaine d'hommes tentent de ne pas éveiller le Loup qui dort, il arrive que c'est le Loup qui les éveille.

* * *

J'ai senti vaguement une présence autour de moi, mais j'étais si loin… Un effort, pour entrouvrir les yeux. J'ai reconnu celui dont la chevelure avait toujours évoqué en moi le clair de lune. Cela m'a fait sourire, je crois…

— Hé, Jenko…

La nuit toute noire.

CHAPITRE IV

Quand je me suis réveillée pour de bon, des odeurs et des murmures. On préparait le repas du soir tandis que certains sirotaient une bouteille de bière et discutaient, nonchalants. Les corps et les esprits au repos. Je me trouvais sur un balcon qui faisait le tour d'une construction de fortune sur pilotis, d'environ six mètres de largeur sur sept de profondeur. J'ai descendu les quelques marches qui menaient à une sorte de terrasse naturelle, surélevée par rapport à la place centrale du village, en terre battue. Je me suis dirigée vers la gauche, là où des chaudrons sentaient bon sur le feu.

— Bientôt, ce sera prêt, Lu. En attendant, voici l'apéritif.

Je retrouvais, avec bonheur, la prévenance d'Iiu qui me tendait une bouteille de bière. J'ai goûté. Tablette; pas de réfrigérateur... J'ai fait une drôle de moue à Khaï, debout, adossé à un arbre. L'air amusé, il a haussé les sourcils en guise de réponse. Ensuite, je me suis dirigée vers Peï, assis sur un petit banc, et lui ai offert un bonjour-baiser.

— Tu as fait bonne route?

— Oui.

On s'est mis à m'observer plus attentivement. Surtout Jenko que j'avais nommé.

— La jungle est dangereuse. Tu as risqué en t'y aventurant seule, il me semble.

— Je n'étais pas seule, j'étais avec Pyjama.

— Pyjama ?… Qui est-ce ?

Question fatale, réponse fatale.

— Un tigre…

Des yeux qui n'en pouvaient plus de s'agrandir, il y en avait en quantité ; et des souffles en demi-sourires aussi.

— Tu as mené un tigre ici !

Itsuki venait de mettre le pied à bord. Ça tanguait. J'ai lorgné Maïko qui, visiblement, se demandait comment je parviendrais à m'en sortir. J'ai pris une grande respiration et j'ai expliqué que j'avais laissé Pyjama m'accompagner pour me protéger.

Cependant, j'avais perçu une voix ; des paroles. Des « Mais qu'est-ce qu'elle dit ? », des « Chut ! » et des traductions par bribes dans une autre langue qui ressemblait à la mienne. Un Occidental s'était rapproché, avait franchi la barrière du cercle qui s'épaississait depuis mon arrivée, pour venir s'installer à côté de Jenko qu'il questionnait. Olivier, français et agronome. Sa présence a attiré mon attention. Non que j'étais surprise, c'était dans l'ordre des événements que je savais, mais il paraissait un peu tôt dans le scénario. Cela m'a fait frissonner. Khaï s'en est rendu compte. Comme pour m'aider à cacher mon malaise, il a repris l'enquête.

— Hum… Drôle de nom.

— Quand j'étais enfant…

J'ai instinctivement hésité. J'ai bien vu ceux qui me connaissaient échanger des regards. J'étais sur le point de parler de ma vie, celle que j'avais toujours tue. Parce que cela demeurait difficile pour moi d'évoquer un passé mort. Itsuki m'a encouragée à poursuivre, presque à fleur de lèvres.

— S'il vous plaît…

Je n'ai pas voulu les regarder, ni écouter ce que je leur dirais. Trop de douleur…

— Enfant, je croyais que les zèbres étaient des chevaux à qui on mettait des pyjamas rayés pour les distinguer des autres. Quand j'ai aperçu le tigre, avec ses rayures, je me suis rappelé…

Pyjama s'est pointé pile à l'heure du repas, au moment où la vie communautaire prenait son envol pour moi, solitaire malgré mes racines urbaines. L'animal a franchi la foule avec la souplesse du vent à travers la forêt, pour venir s'asseoir sagement tout contre moi en ronronnant. Si on n'avait pas cru le Loup, une chasse à Pyjama eût été lancée sur-le-champ. Dès lors, l'apaisement. J'étais là ; pour les protéger. Certains, plus que d'autres, savaient déjà à quel point j'en étais capable.

Installée par terre, adossée au gros arbre où se trouvait Khaï, je buvais, seule, du café noir ; parce qu'on me connaissait déjà. Partout, calme et discrétion, en dépit de la curiosité que j'inspirais, Pyjama étendu à mes côtés. À mon tour de les observer. Il y avait là les hommes de la Maison de Loup. Des visages familiers. Tuang, gourmand et costaud. L'un de ses yeux, en verre, ne bougeait pas, ce qui lui donnait l'air mauvais alors qu'en réalité il était le bouffon de la Maison. Il déplaçait tellement d'air, avec son corps bien enveloppé, à la limite du rondouillard, sa voix forte et son rire franc. Rien de subtil, chez lui, sauf la parole, emplie de jeux de mots et de phrases déconstruites, qui témoignait d'un esprit intelligent. Lorsque la route s'annonçait longue, il valait mieux voyager avec lui, et son paquetage. Il n'oubliait jamais l'heure des repas. Et comme il débordait de générosité, il considérait que s'il y avait à manger pour lui, pour un, il pouvait fort bien y en avoir aussi pour deux, trois, quatre… ; sans compter. Prévisible et ponctuel ; telle la flèche à sens unique du temps, ce qu'il affirmait qu'il ferait, il le faisait toujours. Mari et père, fidèle. Il n'avait que des filles et s'était pris d'affection pour le plus jeune de la Maison de Loup, un garçon de seize ans, déjà costaud et hardi, la dernière recrue d'Itsuki, passée aux mains de Khaï, et que Tuang avait surnommé Le Petit. Un fils dont il s'occupait. Le Petit, ainsi que tous avaient fini par l'appeler, oubliant jusqu'à son véritable nom, suivait tant bien que mal ce père adoptif entier, aux manières brusques mais sincères. Ensemble, ils formaient une joyeuse paire, préoccupés l'un de l'autre. Toujours en train de jaspiner, ils incarnaient l'atmosphère vivifiante de la Maison de Loup. Vrai qu'ils étaient tous un peu givrés. Durant les années de guerre, pour certains, les seules qu'ils aient pratiquement vécues, il avait bien fallu apprendre à se débrouiller, au risque de perdre un peu de sa cervelle… et de ses scrupules. Ce qui, au demeurant, avait inspiré une sorte d'anti-maxime, sous la forme d'un cri de ralliement, souvent appelé par Tuang, et entamé par tous à l'unisson sur un air chantant, presque idiot :

— Ahou… hou… hou…

— Maison de Loup, Maison de Fous !…

Après quoi ils riaient aux éclats. Ils étaient bien, mes gens.

Quant à la Maison de Tigre, là aussi on n'avait pas froid aux yeux. Pour les mêmes raisons. Mais l'influence d'Itsuki était telle qu'on se contenait un peu mieux. Du moins en sa présence. Tous les hommes étaient présents en Terre Vénérée. Entre autres, Jenko, fils légitime d'Itsuki. À cause de son apparence, il était albinos, il avait été pressenti pour être le Tigre. Une destinée contre laquelle il s'était insurgé. Au point d'avoir rompu avec la Maison pendant presque deux années, pour enfin y revenir définitivement. Il m'était impossible d'affirmer qu'il ne l'était pas… Grâce à son père, il avait pu bénéficier, tout comme Khaï, d'une formation universitaire qui l'avait conduit à l'étranger. Avocat. Et fantasque. Il fréquentait depuis plusieurs années une prostituée, de dix ans son aînée, au grand regret de son père. Sous une carapace placide, un esprit aussi téméraire que celui de la Maison de Loup. En cela, il me ressemblait…

J'allais entreprendre le portrait de l'ambigu Olivier lorsqu'un petit groupe, en provenance de la direction du cimetière, a fait son entrée dans l'aire centrale du village. J'ai senti que je n'étais pas seule à redouter Sieng Paï.

— Arrivés ce matin…

— La journée pour s'en remettre… m'ont glissé à l'oreille Tuang et Le Petit.

J'ai regardé du côté de Khaï. Dans son visage impassible, le ciel se couvrait. J'ai considéré, à mesure que Sieng Paï s'avançait, le paquet qu'il transportait. Quelque chose, enveloppé dans une étoffe noire. Par la forme, j'ai deviné. Et mon sang n'a fait qu'un tour. Je me suis levée. Autour de moi, tous ont fait de même, formant une muraille humaine autour du Loup. J'ai ordonné à Pyjama qui feulait de se retirer en lui indiquant du doigt la sortie. Il m'a obéi aussitôt. Visite impromptue et paquet-surprise. Lamaï aurait dû me remettre en personne les objets au moment où je les lui aurais demandés. Impossible de me fier à quiconque ! Je commençais à être échaudée. Sieng Paï recevrait la note. Salée. D'un bond, j'ai passé directement du palier de la terrasse à celui de la terre battue. On me suivait de près ; Khaï à ma gauche, Maïko à ma droite. Sieng Paï m'a saluée. Cette fois, j'ai sondé. Tiède... je m'attendais à beaucoup plus froid. Agissait-il sous la contrainte ? Je n'ai pas répondu à son salut. Personne, d'ailleurs.

— Reçois mes humbles hommages, Loup. Je t'apporte respectueusement ton Bâton et ta Dague, sacrés.

Il s'exprimait bien, dans la langue. Trop bien. À bout de bras, il m'a tendu le paquet défait, laissant entrevoir les objets. Courbé vers l'avant, la tête vers les pieds, il s'est immobilisé. Avec des manières aussi précieuses, il puait le mensonge. J'ai fait signe à Khaï de prendre le bâton et la dague. Tunique rouge orangé, celle des moines du Sanctuaire ; tête et visage frais rasés ; mains, pieds et sandales impeccables. Des lunettes à la fine monture d'argent encerclaient des yeux gris, d'une extrême pâleur. Rien de cet homme n'était asiatique. Défiante, je l'ai interrogé dans sa langue maternelle, histoire de tester sa vivacité d'esprit.

— De quel État venez-vous ?

Sourire froid ; il a encaissé le coup en me répondant sans hésiter.

— Je suis né ici.

En entendant son anglais à l'accent typiquement américain, j'ai souri de satisfaction, ce qu'il a interprété à tort, persuadé qu'il m'avait convaincue de sa bonne foi. Moins futé que je ne le prévoyais ; ou plus ironique... Trop tôt pour en juger. J'ai résolu de me taire à propos des objets qu'il n'aurait pas dû m'apporter, ni si tôt...

— Permets-moi de te présenter Xien Lu... Ma nièce bien-aimée...

Jolie. Asiatique. Pas nièce. Lorsqu'il mentait, ses yeux bifurquaient en diagonale vers le bas durant une fraction de seconde ;

intéressant. Elle affichait plus d'assurance; plus d'expérience. Elle avait de beaux grands yeux, couleur noisette, affairés sur Khaï. Elle s'est courbée, silencieuse, mains jointes en gardant la tête relevée. Fierté khmère. Cela m'a plu. Sachant qu'ils représentaient le danger, je l'ai quand même nommée, sans toutefois la saluer. Par solidarité.

— Ma nièce présente certaines… dispositions. Moins méritoires que les tiennes, mais elle est venue te les offrir, humblement.

Et le revoilà en courbettes, les yeux rivés au sol. Pas elle. Sa fierté prévalait contre son véritable rôle. Quel rôle au juste?…

— Dispositions?… ai-je alors demandé.

— Quelques arts…

Encore lui qui parlait. J'ai compris qu'il redoutait de me voir la regarder mentir. Intéressant, cela aussi… Les deux hommes qui les escortaient étaient fiables; ils appartenaient à la Maison de Tigre. Ayant récupéré mes objets, j'allais reprendre ma place quand…

— J'étais présent lors de ton séjour au Sanctuaire. Hélas, nous n'avons pas eu l'occasion de nous rencontrer. Je m'occupe des novices sur le point de prononcer leurs vœux. Je les prépare. Je suis en quelque sorte un avocat du diable.

Quelle drôle d'insistance et quel étrange regard qui l'accompagnait! Un avertissement; que je sache qu'on me surveillait. Le souvenir de la saloperie cachée dans ma nourriture, et que je me retenais de lui faire cracher devant tous, a provoqué en moi un durcissement inattendu. J'ai murmuré dans sa langue:

— Je sais cela.

Il a pâli. Je crois bien que, cette fois-ci, il avait compris. Maudit moine qui me ramenait en arrière!

D'un acquiescement discret de la tête, Itsuki m'a signifié que je pouvais me retirer en paix; il s'occuperait de ces visiteurs importuns. Cette interruption avait jeté sa pesanteur sur le village. Trop de secrets, pas assez de vérité… J'en avais marre. Comme s'il avait lu dans mes pensées, Le Petit a exprimé spontanément le malaise de tous.

— Stupide, se battre pour une Terre morte!

Alors, je leur ai raconté une histoire.

— Un jour survient la fin du monde. Plus d'êtres vivants ; sauf un homme. Il pense : peut-être y a-t-il un autre survivant quelque part, dans la maison, le quartier, la ville, le pays, le continent, le monde ? Il cherche. Tant et tellement qu'à la fin il rejoint le premier de ses propres pas. Toute la Terre il a fouillée ; personne il n'a trouvé. Un homme seul dans le monde... Il pense : mourir. D'un toit il se jette. Il tombe, encore et encore, tandis que résonne la sonnerie d'un téléphone. Voilà un homme mort pour avoir cherché ailleurs ce qu'il portait en lui. Car toujours la vie appelle la vie.

Le Petit écoutait. Ils écoutaient tous parler le Loup. Ils s'étaient assis, si près de moi, pour entendre ; si près les uns des autres. Le temps était venu. J'ai levé la Main de Loup afin que tous voient. La tache.

— Il y a là de la Terre qui pleure sa douleur et des Morts qui gémissent. Il nous faut réparer ; rendre vie par celle qui est en chacun de nous. Reconstruire, repeupler.

— Mais les négociations, Lu, elles n'ont plus cours à présent. Pas d'autorisation...

Même lorsqu'il s'opposait, Iiu conservait sa bienveillance. Je les ai regardés et j'ai su combien, malgré les esprits tourmentés, ils valaient plus que toutes les peines qui me seraient causées.

— On s'en fiche !

Alors Tuang s'est époumoné. Et les gens des Maisons de Loup et de Tigre ont hurlé leur appartenance. Seuls Sieng Paï et Xien Lu se sont tus, l'air ahuri de nous voir rire aux éclats.

J'avais proposé à Peï de l'accompagner à ses quartiers qu'il avait établis en retrait, avec Maraï, son compagnon de longue date et Gardien moral de la Maison de Tigre, dans une cabane tournée vers le Grand Fleuve sur lequel flottaient les couleurs brûlantes du couchant. Nous marchions côte à côte. Pas de parole ; que de la tendresse, comme dans les yeux de Gros Minou en train de raconter aux autres les tours que son Petit Loup avait osé infliger à l'impassible Méga-BougHong, connu de tous. Maraï, le miniature. Court, frêle, la peau flétrie par le soleil et ce sourire, celui de l'Asie tout entière. Émouvant. Pas de parole ; que de la tendresse.

Sur le chemin du retour, des étoiles naissaient dans l'eau lisse. Plus loin, au centre du village, des exclamations et des rires, autour d'un feu de joie. J'avais du mal à croire qu'on m'avait trompée. En parler avec Peï. Pour ne pas cultiver d'amertume...

La cabane donnait directement sur le fleuve qui s'enfonçait dans les terres, formant une baie où les hommes avaient l'habitude de prendre leur bain, en fin de journée, avant le repas du soir. Au centre émergeait à fleur d'eau un énorme rocher plat. La dalle. La même qui figurait sur la photo, accrochée au mur, chez Peï, aux Quartiers du Grand Nord, et que j'avais sondée par mégarde. Un long chemin parcouru depuis... En face, de l'autre côté, une rive escarpée. Là, c'était la terre qui pénétrait l'eau. Une langue surélevée qui s'avançait dans le fleuve et qui pointait vers l'autre rive que regardait fixement Pyjama. Je ne saurais dire ce qui m'a poussée à le rejoindre. Debout, à la limite de la Terre Vénérée, j'ai senti mon être se tendre au-delà du fleuve, comme si, derrière la lisière des premiers arbres, des premières ombres, une autre Terre m'attirait à elle. Jamais je n'avais encore ressenti une telle sérénité.

La nuit s'éveillait peu à peu. Pyjama et moi avons tourné le dos à cette autre berge qui s'estompait. Parvenus au sentier que j'avais emprunté, Pyjama a pris à gauche, vers la piste conduisant aux Quartiers Nord, cependant que je rebroussais chemin, vers la droite, en longeant la rive, au fond de la baie. À ma gauche, trois sentiers menaient à d'autres lieux cachés du village... Le sentier principal débouchait sur un grand champ en friche, gardé par un Bouddha en pierre que la guerre avait épargné. Au fond, la lisière d'un sous-bois dans laquelle une large ouverture naturelle, encadrée de deux gros arbres, marquait l'entrée de l'aire centrale en terre battue où crépitait le feu. À gauche, une construction de fortune, sur pilotis, pourvue d'un balcon courant le long de la façade, plus imposante que celle, en face, où la Maison de Loup avait établi ses quartiers, servait de quartiers à la Maison de Tigre. On avait logé Sieng Paï et Xien Lu, plus loin, au-delà du cimetière, isolés, avec deux accompagnateurs. J'avais encore sommeil. J'ai prévenu Khaï en allant tirer sur la manche de sa chemise. Personne n'en fit cas; on les avait préparés.

Encore, tendresse dans les visages. On avait beaucoup parlé de moi. En présence de Sieng Paï et de Xien Lu…

Khaï m'a montré mes quartiers. À l'intérieur, juste à côté de la porte, à droite. Un futon et un banc rectangulaire, sous la fenêtre, qui ferait office de table pour écrire et dessiner. Une installation à la japonaise. Il avait rassemblé toutes mes affaires, dans le coin. Une grande pièce où je ne dormirais pas seule. Veiller sur le Loup, à l'intérieur comme à l'extérieur. Au centre, une table avec des bancs. Pour discuter… et me soigner. Au fond, on avait aménagé un cabinet de toilette avec de faux murs et un rideau en guise de porte. Plutôt rudimentaire mais abondamment pourvu en seaux d'eau pour l'évacuation. On avait même songé à un lavabo et à un miroir. Une bécosse de luxe. Dehors, comme au-dedans, l'éclairage était assuré par des lampes à huile qu'on commençait à éteindre. Bientôt, on s'apprêterait à se coucher. Khaï m'a bordée. Une couverture et mon doudou.

— Il y a là tes gens. Je reste, dehors, avec toi.

Un sourire. Pas de bonne-nuit-baiser…

Première nuit en Terre Vénérée. Difficile. Il faisait si froid dans le cimetière… et si chaud sur la dalle… D'où arrivaient Sieng Paï et Xien Lu ?

CHAPITRE V

Quand la nuit toute noire s'endort, arrive l'heure de faire Sambok. Fermé. J'avais déjà avisé Peï de mon intention de laisser les hommes faire Sambok entre eux, dans le grand champ au hangar, derrière les quartiers de la Maison de Tigre, auquel on avait accès directement à partir de la place centrale par un escalier de pierres, juste à côté des quartiers. Tandis que je ferais de même, toujours avec le bâton de Petit Loup, à l'arrière des quartiers de la Maison de Loup, à l'abri des regards. Mon premier petit Sambok en Terre Vénérée, au son des troisième, quatrième et cinquième temps. Une énergie, nouvelle, se diffusait dans l'aube frêle. Cela me fit le plus grand bien. Suivraient bientôt un bon repas et, joie, du café noir, odorant.

Pas de Pyjama, ce matin. Il s'affairait à faire le guet, au loin, sur la pointe. Je pouvais l'apercevoir à travers la large ouverture dans le sous-bois. Au centre, sur la terre battue, on se préparait à dresser une grande table en disposant des chevalets et des planches, pris dans le hangar, une structure en tôle, qu'on avait assemblée, et qui servait d'entrepôt pour les matériaux, les outils et les vivres ; les armes et les munitions étant réparties parmi les hommes. Depuis que j'avais annoncé la reconstruction, ça grouillait d'enthousiasme.

Après le repas, assemblée générale. Présidée par Itsuki.

— S'il vous plaît… Il vous faut laisser Lu s'approcher…

Il gesticulait dans la lumière déjà chaude du petit matin. On s'est distancé pour me laisser passer. Mais, sitôt parvenue, le cercle humain s'est refermé. Parce que tout le monde voulait voir et entendre. De la Terre grise ; des hommes heureux. Sur la table, style réfectoire, enserrée par tous, on avait étalé une carte topographique du vaste territoire que constituait la Terre à renaître. Itsuki m'a tendu un crayon et les sons se sont tus.

J'ai donc indiqué, en commentant, l'emplacement de chacune des constituantes du nouveau village, en suivant les indications inscrites dans les pages scellées et le principe fondamental de l'Alliance, *nourrir et protéger la vie.* Sous le chapitre « nourrir », il y avait les bienfaits de l'eau et de la terre. Un port avec un débarcadère, une usine d'apprêt et de conservation ; au moins deux rizières, diverses cultures et plantations, des bâtiments pour la machinerie et les animaux, un lieu pour entreposer et apprêter. Parce que nourrir impliquait aussi de faire commerce. Un village portuaire, autonome, ouvert sur l'extérieur. Ensuite, il y avait la nourriture intellectuelle et spirituelle. Une école, un temple et la maison de Sambok, afin que la tradition de l'Alliance se perpétue. Le chapitre « protéger » comprenait, outre les habitations, un hôpital-dispensaire, la maison du Conseil où se trouverait aussi le dépôt d'armes que j'ai volontairement omis de mentionner en raison de la présence de Sieng Paï. À proximité, la maison du Gardien des Armes. Je me suis contentée de gribouiller une tache, gauchement, comme si la main eût été prise d'un faux mouvement. Vite, j'ai regardé Khaï qui, d'un signe presque imperceptible de la tête, m'a fait savoir qu'il comprenait. Sur la rive du fleuve, en deux endroits nettement plus élevés, au nord et au sud, j'ai ajouté deux phares ; en fait, des tours d'observation à partir desquelles il serait possible de surveiller l'horizon sur trois cent soixante degrés. J'ai clos le sujet des constructions par la maison des Visiteurs, plus ou moins un hôtel, en retrait, précisément là où Sieng Paï et Xien Lu séjournaient, afin que nul ne trouble l'intimité du village. Ils ont tous bien apprécié. Restaient ce que j'appelais les inviolables. Entre autres, l'environnement naturel, qui pourrait être aménagé par endroits, selon les besoins futurs, mais qu'il faudrait respecter, sans quoi l'Alliance cesserait. Même principe pour l'aire centrale et le grand champ au Bouddha qui devraient conserver leur fonction première, demeurer des lieux de rassemblement. La cabane du Pêcheur, où Peï et Maraï avaient établi leurs quartiers, la seule qui ait été épargnée par le temps et l'histoire, serait entièrement rénovée et deviendrait la maison du Gardien moral du village, digne successeur du Tigre et du Loup. Enfin, le cimetière, source de conflits proches dont j'ignorais encore la nature... Personne n'a parlé, mais j'ai senti Sieng Paï se raidir et Olivier se recueillir lorsqu'en guise de conclusion j'ai cité les Écrits : *À la Terre des Morts voudront toucher, seuls le Tigre et le Loup le pourront.* Un peu essoufflée d'avoir autant parlé dans leur langue, je me suis tue et, comme eux, j'ai regardé un moment, en silence, ce grand papier qui renfermait les promesses d'une Terre vivante.

Le plan de base a rencontré l'assentiment unanime, et je pouvais déjà lire la fierté dans leurs yeux. Plus qu'un projet, il y avait là tout un pays à rebâtir. Pour soi, les siens; pour les autres après soi. Une perspective d'avenir. La première depuis la fin récente de la guerre. Itsuki a pris la parole et coordonné les échanges à propos de la manière dont il faudrait procéder pour entreprendre immédiatement les travaux. Il fut résolu que les quatre Maisons s'uniraient deux par deux pour se partager les responsabilités. Les Maisons de Tigre et de Loup s'occuperaient de l'ingénierie. Itsuki continuerait à assumer la gestion financière, Khaï dirigerait les travaux de construction et Jenko veillerait aux aspects légaux, notamment aux droits de propriété et à l'achat d'électricité. Les Maisons de Léopard et de Dragon s'occuperaient de l'approvisionnement, achats et transport. On pouvait déjà compter sur l'expertise marchande de Hu et de Taïn de même que sur celle de leurs fils respectifs, Fuong, réputé habile négociateur, et Sambeke, une vraie fouine, celui-là. Le choix d'Itsuki, à titre de maître d'œuvre et de représentant officiel vis-à-vis de l'extérieur, fut réitéré. Par extension, on lui confia également les communications qui, faute d'électricité et de téléphone, se faisaient par radio et par courrier écrit ou oral, comme au temps de la guerre.

La première étape consistait à prévenir les gens des Maisons de

Léopard et de Dragon des décisions qui venaient d'être prises, et à leur communiquer une liste de biens nécessaires qu'ils apporteraient par bateau. Pendant ce temps, on amorcerait l'aménagement d'un réseau de pistes, dont les trois principales, déjà existantes et qui se prolongeaient jusqu'aux bornes du territoire, soit le Grand Rocher Blanc au nord, la route gouvernementale à l'est, la première ville au sud, devraient être élargies et des ponts construits afin de permettre à des véhicules motorisés de circuler, cependant qu'à l'ouest le fleuve, qui, comme la route gouvernementale, s'étendait sur l'axe nord-sud, constituait la quatrième frontière. Il faudrait aussi prévoir la réfection du débarcadère, au pied de la pointe, pour amarrer plusieurs embarcations. Enfin, entreprendre l'étude exhaustive du potentiel d'exploitation agroalimentaire de la terre et du réseau hydrographique. Cette dernière tâche fut confiée à Olivier, membre officieux de la Maison de Tigre ; les pistes et le débarcadère à Maïko, pour permettre à Khaï de se consacrer, dans un premier temps, à l'élaboration de plans architecturaux plus détaillés, à partir de ceux qu'il avait déjà tracés au Sanctuaire ; et la vie quotidienne, nourrir, soigner, protéger, c'est-à-dire vivres, pharmacie, armes..., à Iiu. Avec l'arrivée prochaine des deux autres Maisons, on disposerait d'une main-d'œuvre suffisante. Près d'une centaine d'hommes ; et d'un Loup, dégagée de toute obligation concrète, pour se préparer à l'Alliance, disaient-ils. Injustement. Il aurait plutôt fallu dire à l'Épreuve... Mais les esprits rayonnaient de motivation à l'idée d'agir. L'action comportait en cela un avantage. Elle fatiguerait les corps, occuperait les esprits et, ainsi, apaiserait les cœurs, ce dont j'aurais particulièrement besoin puisque c'était là ma propre faiblesse. Dans un monde à refaire, plus personne d'inutile... sauf Sieng Paï et Xien Lu qui, je venais de l'apprendre d'Olivier, arrivaient du sud.

Nous avons mangé. Succinctement. Parce que les bouches, au lieu de nourrir, disaient leur enthousiasme, exprimaient leurs idées qui s'entremêlaient suivant l'intérêt et la connaissance de chacun. Je les trouvais courageux, je les admirais, ces hommes. Je découvrais en eux une source exceptionnelle de vie malgré les années de guerre. Rapidement, des groupes se sont formés. Il fallait d'abord dresser une liste d'approvisionnement et, par la même occasion, un inventaire de ce qui se trouvait déjà sur place. Ensuite, répartir les tâches et élaborer les séquences des travaux en fonction du plan de base et de la topographie du territoire.

Maraï, impatient de me voir à l'œuvre, m'entreprenait déjà avec Peï. Pas de formation; que de la préparation. Essentiellement mentale. Extrême. J'étais épuisée d'avance. Sieng Paï et Xien Lu, n'ayant pas été invités à participer, cherchaient quel groupe pénétrer. Ils se sont rabattus sur nous. Je me suis alors aperçue qu'Itsuki et Olivier discutaient, et, à voir leurs mines, j'ai compris qu'il y avait un problème. Je savais, mais en Terre Vénérée il revenait à eux seuls de provoquer les événements qu'ils ignoraient. Moi, je devais attendre et me taire. Sieng Paï proposait mielleusement ses services d'avocat diabolique et ceux de sa nièce *karate kid.* Maraï et Peï ne l'entendaient pas de cette façon. Je les ai laissés discutailler. Xien Lu avait la voix agile, mais perçante. Quand j'en ai eu assez, je me suis mise à réfléchir; songer à Boris, dont la réponse me parviendrait bientôt, et à Itsuki qui, plus tôt que je ne l'aurais cru, me confierait son problème...

Bien qu'on ait procédé à une inspection de l'ensemble du territoire avant mon arrivée, on ne m'avait toujours pas informée de l'état général de la Terre. Et pour cause. Je fus convoquée aux quartiers de la Maison de Tigre le soir même. Étaient présents Itsuki, Jenko, Maraï, Khaï, Maïko, Peï et Olivier; avec en prime Tuang qui montait la garde près de la porte d'entrée. Les hommes se tenaient debout, autour d'un bureau sur lequel était partiellement déroulé le plan de base. On me regardait, hésitant. Olivier a entrepris un exposé de la situation tout en pointant le doigt vers certains secteurs.

— Un hic. Au moins à trois endroits, pour ce qu'on en sait. Au nord-est; là, au sud-est; et ici, à l'embouchure de la baie. Truffés de mines.

J'ai acquiescé de la tête pour signifier que, d'une part, je savais et que, d'autre part, cela ne me posait pas de problème a priori. Sauf l'eau.

— Sonder dans l'eau représente une difficulté? s'est alors enquis Maïko.

— Peut-être… Je verrai avec Peï comment faire pour établir une sorte de chaîne humaine qui renforcerait l'esprit. Mais je ne suis sûre de rien…

Au tour de Jenko d'intervenir.

— On risque de manquer d'hommes pour le déminage. Sans compter que ces trois secteurs, on les connaît bien, mais il se pourrait qu'il y en ait d'autres.

Et voilà. Le temps était venu… déjà.

— Chaque fois que surviendra un problème, il faudra faire appel à la Cinquième Maison, ainsi qu'il était écrit : *À toutes énigmes, la Cinquième Maison.* Je pense que c'est le cas.

— Cinquième ? a demandé Itsuki.

— L'Alliance implique cinq Maisons. J'ignore tout de cette dernière. Je sais par contre qu'elle représente en nombre deux fois les quatre Maisons réunies. Et je sais comment l'appeler.

— Comment ? a vivement insisté Itsuki, l'air de plus en plus préoccupé.

— Avec le Bâton de Loup.

Peï paraissait songeur. Il a voulu en savoir davantage.

— C'est tout ce que je sais.

— Mon Petit Loup, explique-nous comment tu feras l'appel.

— À l'aurore, depuis la pointe surélevée au pied de laquelle se trouve le débarcadère ; entrechoquer les demi-bâtons ; cinq temps.

— La pointe, dis-tu ?

Itsuki avait l'air si sérieux… J'ai compris que la Cinquième Maison posait un problème en soi.

— Ceux que tu entends appeler, d'où viendront-ils ?

— Je l'ignore, Peï ; de l'autre rive, je suppose.

Il a baissé la tête et Itsuki s'est assis lentement sur la chaise de bureau. Silence. Sur les visages, une profonde réflexion. Cependant que j'attendais une réaction. Lorsqu'elle est survenue, j'ai été fort intriguée. Ils ont tous posé leurs yeux sur Olivier.

— Tu es certaine de ce que tu dis ? a-t-il renchéri.

— Quand il s'agit des pages scellées, impossible de douter. J'ai passé suffisamment de jours, je ne raconte pas, pour le savoir.

Olivier s'est mis à ronger la question.

— Le déminage devrait se faire avec la Cinquième Maison issue de l'autre rive. C'est bien cela ?

Je n'ai pas répondu ; j'avais tout dit. Itsuki a alors interrogé Khaï sur ce qu'il fallait décider. Je me suis impatientée.

— Il est des éléments et des événements qui devront être afin que l'Alliance se réalise. Vous n'avez pas le choix, sinon ce que vous savez et taisez.

— Le Jaraï, mon Petit Loup, ça te dit quelque chose ?

Non, cela ne me disait rien. Itsuki m'a expliqué.

— Il n'a rien d'un Jaraï. On l'appelle ainsi en référence au Roi du Feu à qui, autrefois, le roi d'Angkor versait un tribut. Il est puissant ; rusé, intraitable, dangereux, violent, sans scrupules. Son véritable nom est Kuhaï. Enfant, il faisait partie de la Maison de Tigre. Rebelle, délinquant, déviant, il n'a jamais pu tolérer l'autorité. Il a rejeté l'Alliance et nous a quittés. Il a rompu tous les liens, sauf avec Olivier, pour des raisons qu'il te dira s'il le désire, et a choisi de s'adonner à la guerre, à la contrebande d'armes et de drogues, au vol, au meurtre. Avec près de trois cents hommes à ses côtés, il dispose d'une véritable armée de fortes têtes, très bien organisée, aux relations multiples et étendues à travers le monde. Particulièrement intelligent, surdoué pour l'apprentissage, celui des langues entre autres, terriblement idéaliste ; pas de chef dans son groupe, que des hommes égaux. Il est tout ce qu'il y a de malsain, de meurtri dans un homme. Je le regretterai toujours…

Charmant personnage… Comme si je n'avais pas assez des Morts qui me harcelaient ; des trois épreuves de Loup qui se répéteraient ; du Tigre à trouver ; de l'Épreuve de l'Alliance à traverser ; de la Connaissance qui devait se taire ; des événements qui surviendraient et qui mettraient en péril les vies que je devais protéger ; de la douleur physique et psychologique à prendre afin d'apaiser les cœurs et les esprits ; de la stérilité, la mienne et celle de la Terre, à soigner ; des poisons et des contrats à éliminer ; de Sieng Paï et Xien Lu qui me causeraient du tort ; des conflits ouverts et secrets entre les Maisons, les Voisins du Sud et le gouvernement ; du climat accablant; des installations sans eau potable ni électricité; des mines… De ma chienne de vie. Folle envie de rire. Peï l'a fait à ma place.

— Ah! Le programme n'a pas débuté qu'il est déjà chargé! J'ai choisi l'Alliance et fait le serment de marcher dans les pas du Loup. S'il faut accueillir une Cinquième Maison, la pire entre toutes, je dois concéder, soit!

— Il exigera de l'argent. Beaucoup d'argent. Il ne fait rien au hasard. Pas plus qu'il n'acceptera de révéler les autres emplacements minés, s'il y en a.

— Itsuki a raison, mon Petit Loup, Kuhaï est une tête brûlée dont il faut se méfier comme du mal. Rien à son épreuve.

— Vous lui offrirez 50 000 $ US, versés en totalité une fois le déminage achevé. En compensation pour cette rétribution qu'il jugera peu élevée, il pourra récupérer les mines désamorcées. Les pages scellées demeurent précises : il acceptera.

Olivier affichait un air sceptique, presque hautain. Cela m'a vexée. Je ne savais pas de qui, mais je savais de quoi je parlais. Je devais absolument réussir l'Alliance. Je n'avais aucun désir de mourir. Xien Lu et Tuang argumentaient près de la porte. Contrarié, Khaï a ordonné à Maïko :

— Vire-moi la pute.

Soulagement. Je n'étais pas seule à savoir qu'il n'existait pas de nièce.

CHAPITRE VI

À l'aurore de mon troisième jour en Terre Vénérée, j'ai lancé le premier appel à la Cinquième Maison. Il avait été convenu que je sonderais les endroits où les travaux seraient entrepris, soit le débarcadère et la piste nord, conduisant aux Quartiers Nord dans le Pays Nord-Ouest voisin. Nous avons commencé par l'eau. J'ai demandé que les esprits se fixent sur celui du Loup. Nous avons tous pénétré dans le fleuve. Je n'ai rien discerné. Prudence étant le mot d'ordre, nous avons laissé Maïko et son groupe commencer la réfection du quai en les prévenant que si quelqu'un posait le pied sur une mine, je pourrais, grâce à mes facultés, le tirer de ce mauvais pas. Puis, avec Khaï et les autres, nous avons parcouru toute la piste nord et examiné attentivement ses abords, de part et d'autre, sur une largeur d'environ six mètres. Pas de mines du côté ouest. À l'est, une profusion. Depuis l'orée du village jusqu'à pratiquement le tiers de la piste ; une distance équivalant à près d'une heure de marche. Un long couloir miné dont la largeur, en moyenne, courait sur une douzaine de mètres, dans la jungle. Pire que ce que nous avions envisagé. À l'aide de branches coupées, j'ai commencé à marquer l'emplacement des mines, une par une. Et le déminage a débuté. Je sondais, encore et encore… Nous ne serions pas assez nombreux ; nous avions un réel besoin d'aide.

Cinquième appel. Sans réponse. J'ai regardé Pyjama qui,

comme tous les matins et tous les soirs, m'accompagnait sur la pointe. « Sourd et têtu ! » que je lui ai dit à voix haute. Il s'est mis à ronronner. Le déminage se poursuivait, lentement mais sûrement. J'avais proposé de faire des rotations parmi les hommes pour éviter les accidents qui surviennent quand la mémoire conditionne inconsciemment les gestes et que l'esprit, oubliant le danger, relâche sa concentration à force de tension physique et psychologique continuelle. Aussi, tous les deux jours, la composition du groupe changeait. Ceux qui avaient déminé s'affairaient alors à la réfection presque terminée du débarcadère ou à l'aménagement de la piste qu'il fallait élargir ; et vice-versa. J'étais la seule qui demeurait tout le temps. On s'en inquiétait, mais j'étais le Loup… Alors, je sondais et je plantais dans la terre grise des bouts de branches mortes. Je servais d'éclaireur ; j'ouvrais le chemin pour qu'ils puissent marcher. Dans mes pas. Sans crainte ni douleur.

Pour ne pas céder au geste de l'inconscience, je m'accordais des pauses, et je laissais l'esprit se libérer. J'avais fini par comprendre pourquoi Lamaï m'avait fait porter si tôt le bâton et la dague. J'avais cru d'abord à un impair de sa part, trop empressé ; alors qu'il m'envoyait un message par un moyen détourné : se méfier. En chargeant Sieng Paï de la commission, Lamaï nous permettait de surveiller le moine, librement, sans éveiller ses soupçons. Sieng Paï avait probablement accepté avec empressement, pour la même raison… Dangereux, mais astucieux, je devais le reconnaître. Et puis, le hasard avait si bien fait les choses que l'appel à la Cinquième Maison, survenu lui aussi plus tôt que je ne l'avais présagé, s'accomplissait dans les formes, avec le Bâton de Loup plutôt qu'avec celui de Petit Loup, conformément à la description contenue dans les pages scellées. Détail non négligeable. Plus la réalité s'apparentait au texte, plus la vérité chassait le doute et rétablissait la confiance en moi.

Ce matin, à mon retour du septième appel, j'ai trouvé Olivier adossé à l'un des deux gros arbres qui encadraient l'entrée de l'aire centrale en terre battue. Il m'avait observée.

— Il ne viendra pas.

— Tu veux parier ?

Je savais sacrément ce que je faisais.

Le fait de risquer nos vies chaque jour, de partager la même peur froide de mourir ou de nous faire estropier, nous avait tous rapprochés les uns des autres. Une complicité qui avait fini par avoir raison de la gêne entre nous ; entre eux et le Loup. J'étais Lu, l'une des leurs. Pyjama, dont le comportement ne laissait pas trop à désirer, avait fini, lui aussi, par être accepté, sans toutefois qu'on oublie complètement qu'il s'agissait d'un animal sauvage et donc imprévisible du point de vue de la logique humaine. Moi, je préférais demeurer naïve, persuadée qu'il me préviendrait du danger, qu'il me défendrait si j'étais menacée et qu'il continuerait à m'obéir. J'avais moins peur de lui que de l'autre, le Tigre... Je préférais de loin les animaux aux humains. Eux, ils ne connaissaient pas la trahison.

Nous étions tous occupés à nos tâches respectives lorsque deux bateaux se sont amarrés au débarcadère, peu avant midi. J'étais enfoncée profondément dans la jungle, parce que je venais de découvrir un banc de mines. Une étendue appréciable qui s'étirait vers l'est. Je n'en finissais plus de sonder. Khaï est venu me prévenir que les Maisons de Léopard et de Dragon étaient arrivées avec, à leur bord, vivres, matériaux, équipements, armes et courrier ; un paquet qui m'était adressé ; et des gens. Quand nous avons atteint le village et que j'ai vu de qui il s'agissait, j'ai compris à quel point le temps s'écoulait beaucoup trop vite. Tout en marchant, je me suis rapprochée de Khaï. Ses yeux m'ont dit qu'il était toujours là, même si notre existence commune avait radicalement changé, même si depuis l'attentat contre Peï nous vivions détachés l'un de l'autre.

J'ai tout de suite senti qu'Itsuki essayait de contenir son inquiétude tout en s'acquittant de son rôle d'hôte avec l'élégance qui était sienne. Une équipe de coopérants occidentaux, parachutés par le gouvernement. Devions-nous nous réjouir d'une reconnaissance de notre présence et d'une éventuelle invitation à reprendre les négociations ou plutôt nous inquiéter d'une ingérence imposée par le gouvernement désireux de savoir ce que nous tramions ?... De quoi rendre fou Itsuki. Ils étaient six ; autant d'hommes que de femmes : Walter, allemand, comptable, responsable de l'équipe ; Peter, australien, biologiste-botaniste ; Francis, français, chimiste-hydrologue ; Gertrud, allemande, nièce, véritable celle-là, de Walter, infirmière ; sœur Thérèse, québécoise, religieuse-enseignante ; enfin, Marion, française, ethnologue et... journaliste. Comme Itsuki, j'ai retenu ce dernier mot dans la présentation de Walter ; moi aussi, il me contrariait... Je savais Marion bavarde. Elle n'a pas perdu de temps à me questionner.

— Vous êtes coopérante, vous aussi ?

Itsuki n'avait pas même eu l'occasion de me présenter. À moi de le faire. Quel statut déclarer ?... Le vrai.

— Non. Vous êtes ici chez moi.

L'effet de surprise fut suffisant pour clore la discussion. Alors que Sieng Paï semblait inconfortable dans la vérité, comme dans le partage de l'espace, qu'il occupait jusqu'à présent seul, à loisir, pour me surveiller, tous les hommes ont souri discrètement, fiers de ce que je venais de reconnaître ouvertement mon appartenance.

Avec Olivier, agronome, à qui Itsuki avait confié aussitôt l'équipe de coopérants, nous disposions d'une expertise variée et pertinente. Walter serait un conseiller et un intermédiaire intéressant pour établir des liens avec des sources de financement étrangères. Les spécialités de Peter et de Francis compléteraient bien celle d'Olivier. Une infirmière représenterait toujours un avantage ; et puisque les lieux communs, particulièrement le dispensaire et l'école, comptaient parmi les premières constructions, Gertrud et sœur Thérèse pourraient faire bénéficier de leurs expériences Fuong et Sambeke chargés de l'approvisionnement. Restait Marion qui n'avait pas vraiment sa raison d'être mais qui, contrairement à Xien Lu, saurait m'aider tout en l'ignorant. Un peu superficielle, curieuse et bavarde, elle déborderait de joie de vivre ; elle saurait distraire les esprits aux moments les plus difficiles, d'autant qu'elle n'était pas dépourvue d'intelligence. Évidemment, il fallait loger tout ce beau monde. Itsuki et Olivier se sont concertés. Dans les quartiers de la Maison de Tigre. Les Maisons de Léopard et de Dragon ayant prévu établir leurs quartiers à l'est, au-delà du champ au hangar, les hommes de la Maison de Tigre iraient s'installer près de la rivière qui serpentait à côté de l'endroit où avaient été logés Sieng Paï et Xien

Lu, tandis que la Maison de Loup conserverait ses quartiers tels quels. De cette manière, les principaux axes seraient couverts en attendant que le déminage soit terminé au nord.

Étant donné l'interruption générale des activités, Itsuki a proposé que tous profitent de l'occasion pour se sustenter et converser. J'ai pu ainsi renouer avec Hu et Taïn, et faire la connaissance de leurs fils. Fuong, qui tripotait parfois dans la drogue et les armes, comme tous d'ailleurs, avait le regard direct, teinté d'une légère arrogance, que je préférais nettement aux yeux vaseux de Sieng Paï. Et Sambeke, qui s'est figé net. Une révélation pour lui, à laquelle je ne pourrais malheureusement jamais répondre. Il avait épousé une chipie et engendré avec elle deux petits monstres; tout ce qui pouvait l'emmener au loin était synonyme de libération.

— Putain! Visez-moi le matou!

Francis venait d'apercevoir son premier tigre en liberté. Blanc qu'il était. Avant que Pyjama ne reçoive une balle de fusil, j'ai fait les présentations, ai rassuré quant au danger et ai conseillé une distance polie d'au moins deux mètres. Pyjama est venu se frotter familièrement contre mes fesses; puis, considérant la foule, il s'est retiré de lui-même. J'ai pensé que c'était là une bonne idée. Toutes ces voix, ces mouvements, m'étourdissaient.

On avait déposé sur le banc rectangulaire qui me servait de table à écrire et à dessiner le paquet qui m'était destiné. Je l'ai ouvert. Sur le dessus, un billet signé: « Affectueusement, Tatia ». Une belle écriture, parfumée. Elle m'envoyait une toilette, inutile en pleine jungle. Une robe longue, noire comme le soir, des bas, des chaussures et, dans un écrin, une chaîne et de fines boucles d'oreilles en or. Il y avait aussi une autre robe, plus légère. Vraiment très jolie. Je la porterais avec plaisir en ville. Enfin, une enveloppe. La réponse de Boris que j'espérais:

Contrats ont été confiés à quelqu'un de sûr.
Les recherches se poursuivent.
Confiance, on veille sur toi.
52724

J'avais demandé à Boris de m'aider à démasquer le responsable. Je soupçonnais Sieng Paï d'accomplir certaines tâches. Entre autres, de servir de messager. Raison pour laquelle je tenais tant à savoir d'où il arrivait. J'étais presque certaine qu'il y avait au sud, peut-être dans la capitale, quelqu'un qui décidait, qui détenait le pouvoir. À défaut de savoir, j'étais soulagée. Les contrats avaient été pris. Je pouvais compter sur le temps qu'ils seraient retenus. J'ai examiné le message écrit dans ma langue. Curieux ces chiffres au lieu d'un nom… Et cette calligraphie, grossière, bourrue, aux lettres petites et épaisses, plutôt carrées, écrasées sous le poids d'une main alourdie au point de marquer le verso du papier de son relief. J'ai sondé. Je n'ai pas su quelle main, mais j'ai su que ce n'était pas celle de Boris.

Comme prévu, Marion a rapidement pris ses aises en parlant haut et fort à tout le monde. Francis, qui avait peut-être quelque chose à prouver, lui aussi, lui a emboîté le pas. À deux, ils ont occupé l'espace acoustique en se racontant sans pudeur. Des gosses de riches qui avaient parcouru le monde entier, à les croire. Pendant ce temps, Itsuki et Walter, en dehors de leur intérêt pour les questions financières, se découvraient une passion commune : les échecs. Peï s'est gentiment occupé de la très timide Gertrud ; Olivier, de Peter et des rizières dont l'emplacement projeté semblait problématique. Quant à sœur Thérèse, elle était membre d'une congrégation qui possédait une propriété dans la Capitale Ouest sur laquelle Hu et Taïn avaient des visées depuis longtemps. Encadrée de Khaï et de Maïko, j'ai pu éviter les interrogatoires de bon usage. Pas question, pour l'heure, de leur révéler l'existence du Loup, ni l'Alliance. Sieng Paï, que cela démangeait par contre, était serré de près par la prévenance d'Iiu, tandis que Jenko et Fuong chaperonnaient la jolie Xien Lu. Rien encore n'avait commencé que, déjà, tout se compliquait.

CHAPITRE VII

Le lendemain, le huitième matin, je suis allée faire Sambok, comme toujours, pendant que Sieng Paï, sa pseudo-nièce et les coopérants, prévenus que des claquements de bâtons, qui ne les concernaient pas, se feraient entendre, dormaient. Les lève-plus-tard sont apparus tandis que nous mangions déjà.

— Pas d'appel, ce matin, mon Petit Loup?

— Pas nécessaire.

Les hommes ont compris qu'il faudrait s'attendre, le jour même, à de la visite. J'ai décidé de me verser une seconde tasse de café et de me dégourdir les jambes sur la terre battue. Marion, à l'entrée des gros arbres, était en train de montrer ses photos de voyage. Je les ai regardées, un peu distraite. Jusqu'à ce que je tombe sur l'une d'entre elles. Insignifiante. Marion, à côté d'un téléphone public, quelque part sur Terre. Une photo de touriste, sans âme. Sur le coup, je n'ai pas compris pourquoi je m'attardais tant sur cette photo en particulier. Un téléphone; des chiffres et des lettres. Je me rappelais les chiffres inscrits au bas du message qu'on m'avait fait parvenir. Pour m'amuser, j'ai remplacé les chiffres par les lettres correspondantes du téléphone. J'ai obtenu l'identité de l'auteur, celui qui détenait mes contrats.

— Je me réjouis de ne pas avoir parié contre toi... m'a glissé à l'oreille Olivier.

Je ne suis pas sûre d'avoir compris, cependant qu'Itsuki, Khaï et Maïko passaient derrière moi. J'ai rendu à Marion sa photo et commencé, sans m'en rendre compte, à reculer dans le grand champ au Bouddha, encore sous l'influence de la réflexion que venait de m'inspirer l'image plastifiée. Je tenais ma tasse à deux mains ; j'ai pris une gorgée sans savoir ce qui se passait dans mon dos. Soudain, une chaleur, si intense qu'on eût dit un mur de feu. Je ne pouvais plus continuer. J'ai dû m'arrêter net. Je me suis retournée, consciente de la présence des quatre hommes qui m'encadraient. J'ai levé les yeux. Ça m'est tombé dessus. Comme la foudre. En une fraction de seconde, je me suis retrouvée projetée en arrière, au plus secret de mon jardin, là où je m'étais pourtant juré de ne plus jamais remettre les pieds, là où celle que j'avais crue morte et enterrée venait de se réveiller. Pour de bon. J'en ai voulu à cet homme et souhaité le lui faire payer. Je l'ai regardé droit dans les yeux. J'avais toujours considéré le regard comme étant la porte d'entrée du jardin intérieur. Le sien semblait parfaitement vide. Un regard inerte qui vous passait au travers comme si vous n'existiez pas. J'aurais dû réagir, le saluer ou esquisser un sourire. Non. Je restais là, immobile de toutes parts ; comme lui, impénétrable, inaltérable, insaisissable. Sur le torse nu, une cicatrice qui reliait le cœur au foie. La vingtaine d'hommes qui l'accompagnaient affichaient exactement la même attitude que la nôtre ; froide, et pourtant si brûlante ; et tout le reste, autour, avait cessé d'exister. D'une manière et sur un ton que je connaissais bien pour les avoir vus et entendus, employés trop souvent autrefois, j'ai dit ce que j'avais à dire. Dans ma langue ; la mienne, la seule.

— Une proposition. Si ça fait pas ton affaire, *scram* !

Pas un atome de son être ne s'est manifesté. Sauf les yeux, dans lesquels il y avait assez de mépris pour maudire toute la planète ; ajoutant à la fureur intérieure qui m'empoisonnait. Quitter au plus vite ces lieux ! Malgré le feu, insupportable, que je percevais autour de lui comme une aura, j'ai traversé, en passant à sa droite, la muraille de ses semblables, alignés, parce que, soi-disant, ils étaient tous égaux, arrogante et défiante. Hors de moi. Khaï a choisi de me suivre. Nous nous sommes cachés des regards, au bord de l'eau, dans la baie.

— Il en sait long. Beaucoup trop.

— Hum…

— J'ai reçu un message. Les contrats seront retenus le temps de trouver qui les a commandés.

— Mon Petit Loup, bien courageuse.

— Je le sens mal, ce Jaraï. Ça se voit ?

— Tes yeux, tout de violet…

Nous avons accordé à l'esprit un moment pour s'apaiser. En vain. Je ne parvenais pas à accepter que le passé puisse ressusciter. Cet homme, en qui j'avais reconnu le monde d'où je venais et celle que je croyais avoir définitivement reniée ; cette énigme latente et silencieuse qui ressemblait à la mienne, ravivant malgré moi ma propre existence d'autrefois, se baladait impunément avec mes contrats !

La Cinquième Maison a dressé ses quartiers au sud, à la lisière du village, au-delà du cimetière et de Sieng Paï.

Quand ils sont reparus, Maïko avait déjà installé sur la grande table de fortune, qui servait à présent de table à manger aux coopérants et aux deux visiteurs isolés, le plan de base, seule carte couvrant l'ensemble du territoire dont nous disposions. Entre-temps, Itsuki, Khaï et moi discutions à l'intérieur des quartiers de la Maison de Loup. Itsuki nous a alors raconté que le Jaraï n'avait pas accepté l'offre tout de suite, considérant la somme insuffisante vu le danger couru par ses hommes. Mais Itsuki avait fini par avoir gain de cause en mentionnant ma présence, celle du Loup, et en acceptant d'effectuer immédiatement un premier versement de 20 %, non sans obtenir sa parole que le déminage serait accompli en entier. Pour ma part, j'ai informé Itsuki à propos des contrats. Comme moi, il fut soulagé ; d'autant que nous étions les cibles. Depuis l'arrivée des bateaux, il disposait d'un ordinateur portable qui lui permettrait d'avoir accès à l'extérieur et d'aviser ses relations afin d'entreprendre des recherches et, par la même occasion, de vérifier que les contrats avaient bel et bien été pris. Je savais Boris digne de confiance. C'est à ce moment que je leur ai appris qui, en réalité, détenait les contrats. Khaï s'est inquiété de savoir si le

Jaraï profiterait de la situation pour les exécuter. La réponse d'Itsuki ne laissa planer aucun doute.

— Il ne tue que pour se défendre.

Nous avons rejoint les autres, penchés sur le plan de base. Je n'avais pas encore entendu sa voix et, manifestement, ce ne serait pas pour bientôt. Il s'exprimait par un intermédiaire, en chuchotant à l'oreille d'Olivier, dont toutes les phrases commençaient par : « Jaraï dit que… » Le don de m'indisposer. Pas moyen d'avoir une prise.

— … qu'il faudrait demander à Siam. Lui saurait s'il y a d'autres mines, ailleurs.

Siam dirigeait le plus imposant et le plus influent regroupement des Voisins du Sud. Vrai qu'il serait de la partie à venir. Une partie difficile, et j'étais fatiguée à force de sonder. J'ai opté pour une bifurcation dans le scénario de la Connaissance, sachant qu'un autre possédait aussi la réponse à notre interrogation.

— Demandez plutôt au Pingouin.

Ricanements parmi les hommes; et Cinquième Maison de glace. Pour mal faire, j'ignorais son nom. Je l'avais surnommé ainsi parce que l'une de ses jambes était légèrement plus courte que l'autre, si bien qu'il oscillait un peu en marchant. Trop compliqué à expliquer dans la langue… Devant tous qui, au demeurant, me voyaient sonder à longueur de journée, j'ai posé la Main de Loup sur le front de Khaï et fixé l'esprit sur l'image que je connaissais. Il a vu. De la même manière que Peï, le soir précédant notre départ pour l'Asie. J'espérais que cette initiative susciterait la confiance de la Cinquième Maison. Or, c'est à partir de ce moment que les hommes du Jaraï ont commencé à m'appeler la Génie Blanche. Dans cette partie du monde où les superstitions avaient encore cours, j'ai pensé qu'il s'agissait là d'une marque de respect.

L'aménagement de la piste nord et le déminage à l'est ont repris. L'après-midi même. Itsuki, Khaï et moi étions convenus que Khaï se rendrait, avec quelques hommes, à la ville, pour s'enquérir auprès du Pingouin quant aux autres mines éventuelles, et tâter le terrain du côté de Siam en vue d'une reprise des négociations. Pendant ce temps, Itsuki prendrait rendez-vous avec le Ministre, membre du gouvernement et principal interlocuteur dans notre affaire. Nous jugions qu'il valait mieux démontrer notre bonne volonté plutôt que de dénoncer l'ingérence des coopérants.

En marche, l'un vers son paquetage et l'autre vers l'aire de déminage. Maïko nous attendait au pied de l'escalier des quartiers de la Maison de Loup. Khaï lui a confié son Petit Loup avec une liste appréciable de recommandations. À croire que je n'étais qu'une enfant ! Maïko m'a adressé un clin d'œil complice tout en écoutant sagement. Khaï m'a dit qu'il reviendrait. Dans cinq jours. Maïko et moi avons emprunté l'un des trois sentiers, partant de la piste nord, pour rejoindre les autres déjà en route. En un sens, j'étais contente. Nous n'avions pas eu beaucoup de temps pour nous retrouver, seuls ensemble. Je crois qu'il partageait ce point de vue.

— Ce sera grand honneur de te border, vraiment grand honneur…

Il se moquait de nos petites habitudes. J'ai fait semblant d'être froissée et je l'ai bousculé gentiment. Nous avons commencé à nous chamailler, en riant. Comme frère et sœur. Notre premier véritable contact physique.

CHAPITRE VIII

Le déminage allait bon train puisqu'il y avait plus d'hommes. En revanche, j'étais de plus en plus fatiguée parce que je devais accélérer la cadence, sonder et repérer plus rapidement pour continuer à les devancer. J'étais sidérée de voir le Jaraï désamorcer les mines, exiger de lui-même autant qu'il était exigé de ses hommes. Pas de rotation dans la Cinquième Maison. Ils étaient là, continuellement, comme moi.

Quatrième jour que nous déminions, et nous nous éloignions de plus en plus du village. Quatre heures de l'après-midi. Chaleur torride, écrasante d'humidité. Je n'en pouvais plus. De songer à lui, avec mes contrats. J'ai remis en place la longue corde, munie de pieux à ses extrémités, qui servait de ligne de démarcation, et que j'installais avant chaque pause en guise d'indicateur. Défense de l'enjamber sous peine de se faire estropier. J'ai rejoint Maïko pour l'aviser que j'avais besoin de repos et que je reprendrais le lendemain.

— Neuf jours que tu sondes...

Incroyable, il les avait comptés!... Nous avons donc trouvé normal que je sois exténuée, et nous avons considéré qu'une interruption serait appréciée de tous. Il n'a pas eu de mal à convaincre les autres. Même ceux de la Cinquième Maison. Comme le village était assez loin et que nous estimions pouvoir finir de couvrir et de déminer le reste du secteur nord-est en une ou deux journées, nous avons décidé de camper sur place. Maïko a chargé quelques hommes d'aller chercher ce qui nous manquait. Avant de partir, Le Petit a voulu savoir si je désirais quelque chose en particulier. J'ai demandé du chocolat parce que je subissais des chutes de tension de plus en plus fréquentes. J'en ai obtenu plus rapidement que je m'y attendais. Un homme du Jaraï. Par politesse, je me suis contentée d'en prendre une rangée, mollasse, même si les vivres, empaquetés dans des sacs en plastique hermétiques, étaient conservés avec les bouteilles d'eau et de bière à l'ombre dans l'eau. La Terre abondait en cours d'eau. Une toilette rafraîchissante s'imposait et une bouteille d'eau aussi. Après, je suis allée me dégourdir les jambes et la nuque parce qu'il fallait souvent s'accroupir. Je marchais, je respirais, lentement, désolée de voir la Terre grise, silencieuse, stérile. Je ne cessais de me répéter combien tout cela me paraissait injuste, et inutile. Il a surgi de nulle part. Devant moi, son regard fixe et vide.

— Pourquoi diable as-tu pris mes contrats ?

— La guerre, tu connais ?

Une voix d'outre-tombe. Comme je ne répondais pas, il a enchaîné, sans attendre, sur un ton méprisant :

— Tu ne sais rien.

Piquée au vif. Il tournait les talons et s'en allait. Cela m'a fait sortir de mes gonds. Je me suis mise à sa poursuite, en trottinant parce que ses enjambées étaient beaucoup plus longues que les miennes. Parvenue à marcher presque sur ses talons, je lui ai lancé, cassante :

— Tu veux savoir ce qu'elle fait, la guerre ?… Elle te prend tout !

Il s'est brusquement retourné et a posé sa main sur moi. Entre nous, une distance équivalant à la longueur de son bras tendu. Il ne me repoussait pas, ne me retenait pas ; je ne sentais aucun contact, au-dessus de ma poitrine qui battait à tout rompre. Si je n'avais pas eu des yeux pour voir, je n'aurais pas su qu'il me touchait. Très lentement, il a retiré sa main tout en s'approchant. Puis, il est venu poser son front contre le mien, de sa manière presque irréelle, et ses mains se sont glissées, à fleur de peau, dans les miennes. Nos doigts se sont refermés… J'ignore combien de temps nous sommes demeurés ainsi, à entremêler nos souffles. Les yeux fermés, le corps, le cœur et l'esprit apaisés, je me suis abandonnée à ce moment de sérénité ; la même que j'avais ressentie, au bout de la pointe, le soir du jour de mon arrivée en Terre Vénérée. J'entendais, portés par l'air chaud qui s'agitait timidement, des voix et des bruits ; les autres, parmi lesquels nous étions, nos doigts entrecroisés, comme en prière. Il a resserré l'étreinte de ses mains ; j'ai fait de même.

— Mungo.

Je n'ai pas sursauté, mais j'ai ouvert les yeux. Il se détachait, il s'en allait. Tout juste le temps de m'apercevoir que, comme moi, il avait fermé les yeux. Il est parti sans me regarder. J'ignorais la signification de ce mot.

Soirée douce. Pas envie de réfléchir. Trop de fatigue. On était venu m'apporter quelques affaires, rassemblées par Iiu : sac de toilette, vêtements de rechange, couverture, bâton de Petit Loup et… chocolat. Pas de doudou, ni de cahier et de crayons ; pas de dague non plus puisque je la portais sur moi en permanence, insérée dans une poche intérieure cousue dans le cuir de ma botte gauche. Tuang et Le Petit jaspinaient. Au plaisir des autres. Autour d'un feu qui crépitait, on buvait paresseusement, Cinquième Maison d'un côté, quatre Maisons de l'autre. Rapprochement poli… Olivier nous avait rejoints. Il s'entretenait avec le Jaraï, assis en retrait dans l'ombre. Près du feu, je ne voyais personne, je n'entendais personne. Maïko était assis à ma droite. À ma gauche, le vide.

— Quelque chose te préoccupe…

Maïko, qui savait lire dans les silences, les absences, devinait. Je n'étais pas prête, incapable de formuler ma pensée. Trop tôt. Je me suis contentée de l'interroger des yeux, comme pour lui signifier : « Comment fais-tu pour savoir ? » À croire qu'il m'a entendue.

— Tes bottes.

Vrai que, sans m'en rendre compte, je les fixais depuis sans doute plusieurs minutes. Je croyais pourtant avoir cessé de réfléchir… J'ai décidé de me mettre à l'écart, à côté de mon paquetage.

Son entretien terminé, Olivier est venu me prévenir que le rendez-vous avec le Ministre aurait lieu dans la Ville du Sud, d'ici une semaine. Comme il s'apprêtait à se relever pour partir, j'ai ouvert la bouche, mais aucun son n'en est sorti.

— Je sais. Ça peut te paraître étrange. Vivre avec la Maison de Tigre et être lié à la Cinquième Maison, comme tu l'appelles, ce n'est pas forcément incompatible. Crois-moi, tu devrais essayer.

Il est allé prendre la place que j'occupais juste auparavant à côté de Maïko et qui était demeurée vacante. Les hommes s'étaient tus. Bonne fatigue... Je suis retournée à mes bottes. Elles ne me disaient plus rien. J'aurais voulu... recommencer. J'en désirais plus. Je me faisais peur.

La nuit fut terrible. Les révélations, accumulées depuis tant d'années, survenues éparses et fragmentées dans le temps et l'espace, commençaient à prendre une forme chronologique, en concordance avec les Écrits, avec plus d'acuité. Elles devenaient réelles. D'abord, la douleur, celle de la Terre souillée et de ses Morts, dans la Main de Loup qui portait la marque de mon engagement. Je me suis éveillée parce que cela me faisait trop mal. J'avais réveillé tout le monde à cause de mes plaintes. Maïko était déjà là, tout à côté.

— Oh Maïko!... la Terre se meurt et je me meurs avec elle!...

Avec le pouce de la main droite, qui soutenait la main gauche, je massais la tache pendant qu'il m'essuyait les joues de ses mains. Je ne parvenais plus à me rendormir et je ne voulais pas que Maïko, qui avait décidé de me veiller le reste de la nuit, se fatigue inutilement. Je l'ai renvoyé se coucher et lui ai dit que j'irais faire quelques pas. Il a fini par se contraindre contre ma promesse de le réveiller si jamais j'avais besoin de lui, même sans raison. De la douleur, il ne subsistait plus que des frétillements. Cette nuit-là, j'ai su que pour apaiser l'esprit du Tigre et réussir l'Épreuve de l'Alliance, il me faudrait apaiser le mien; ce qui impliquait de ma part de pardonner le passé, de me pardonner. Dieu que je refusais! On m'a retrouvée le lendemain matin, assoupie, blottie au pied d'un arbre mort.

J'ai fait petit Sambok, je me suis nourrie, j'ai sondé et repéré des mines; j'ai passé au travers de la journée. Jusqu'au bout. En fin d'après-midi, les hommes m'avaient rejointe parce que le champ de mines s'éclaircissait de plus en plus. Nous avions enfin terminé le déminage du secteur nord-est. Nous avons néanmoins décidé de rester sur place et de consacrer la matinée suivante à une dernière inspection afin de nous assurer qu'il ne restait plus aucune de ces armes vicieuses, pernicieuses.

Durant toute la journée, j'étais demeurée silencieuse, en retrait ; honteuse de mes hystéries nocturnes incontrôlables. J'appréhendais la nuit à venir. J'ai résolu de m'éloigner. Quand j'en ai fait part à Maïko, il s'est opposé et s'est empressé de reparler de mon malaise et de ma décision. Cinq Maisons en parfait accord, pour la première fois, me rappelant combien plus d'une trentaine d'hommes étaient capables de ronflements. Ils avaient drôlement raison !

Je ne m'étais jamais retrouvée, en songe ou en révélation, dans cette partie de la Terre. J'ai eu envie d'explorer. L'air sentait bon ; parfums de fleurs. Curieuse, je me suis mise à leur recherche. Des fleurs que je ne connaissais pas. Ici, la Terre semblait moins affectée. Je me suis demandé si la prophétie s'appliquait seulement au village et à ses abords immédiats plutôt qu'à l'ensemble du territoire. Je ne voyais pas pourquoi... Et puis, j'ai compris. Nous avions déminé, en quelque sorte purifié la Terre, retiré d'elle une part de mal. Et les fleurs recommençaient à respirer. Je me suis retournée. Encore, il survenait de nulle part ; il s'approchait. Encore, ses doigts m'effleuraient, glissaient, s'enchevêtraient aux miens. J'ai cru qu'il poserait son front. Ce sont ses lèvres, chaudes, qui ont touché les miennes, se sont entrouvertes. Nos mains se sont mises à parler en silence. Sa langue, elle était partout dans ma bouche... Puis, très lentement, il a retiré ses lèvres, et ses mains, et nous avons ouvert les yeux. Il est parti sans me regarder. Encore. N'importe qui aurait pu nous voir.

Durant toute la nuit, personne ne s'est éveillé ; je n'ai pas dormi.

CHAPITRE IX

Plus de mines. De retour au village, Khaï était là. J'ai demandé à Itsuki la permission de prendre trois jours de congé. Ça tombait bien, Fuong devait justement effectuer un bref aller-retour dans la Capitale Ouest. Il m'a proposé de monter à bord. Comme le Pingouin arriverait sous peu afin d'aider Khaï à clarifier la question des mines, Maïko fut désigné pour m'accompagner à titre de Protecteur. Ensemble, à l'insu des autres, nous avons convenu qu'il se rendrait chez sa compagne pendant que je séjournerais chez Tatia et Boris. Le déminage étant suspendu parce que je m'absentais, le Jaraï et ses hommes sont retournés sur l'autre rive, rejoindre les leurs et s'occuper de leurs autres affaires en cours. Leurs quartiers laissés en plan, ils reviendraient. Le bateau a quitté la Terre vers midi. Un fleuve, un pays. Magnifique.

Tatia et Boris n'étaient pas là ; sortis. J'ai pris une douche et j'ai dormi. J'ai presque fait le tour du cadran. Le lendemain midi, toujours pas là ; encore sortis. J'ai décidé d'étrenner ma nouvelle robe, vraiment jolie. Et je suis allée me perdre dans la ville. Besoin de me retrouver. Anonyme. J'aurais pu être n'importe où, cela n'avait aucune importance. Du moment que j'étais dans une ville. Bruyante, grasse et puante. À force de Terre Vénérée, de Loup, de Tigre, d'Épreuves et d'Alliance, je ressentais un besoin terrible, presque effrayant, d'excès de vie. J'ai dû marcher durant des heures, au gré de mes pas. Si bien que je ne savais plus où je me trouvais. Noir d'êtres. Si bien que je ne savais plus qui j'étais. Atteindre le fond, lorsqu'il ne reste plus qu'à remonter, qu'à réapprendre à vivre. J'imaginais que ce serait là l'apaisement que je m'interdirais. Et s'il n'existait pas de fond ? Alors, je continuerais à m'enfoncer. La mort sans fin. Probable que c'était là où je me rendais et cela collait bien à ma peau. Je me reconnaissais.

Impression d'être suivie. J'aurais voulu sonder, mais mes facultés ne me servaient à rien lorsque j'étais en cause. J'ai commencé à accélérer le pas et à serpenter, de plus en plus, à travers la foule, le trafic, le dédale des rues. Surréaliste. Ne pas se retourner. À quelques centaines de mètres, je savais qu'il y aurait la ruelle où j'avais pris connaissance de la lettre du médecin. Avant de m'y engager, j'ai avisé la rue. Tellement de monde, impossible de savoir qui. À ma gauche, un amas de planches, qui tenait lieu de garage domestique, dont l'entrée, sans porte, se trouvait du côté opposé à la ruelle. Je suis allée me cacher au fond, debout, adossée au coin de la bâtisse, derrière un amoncellement de caisses sales à l'équilibre incertain. Ça sentait le diable. Des objets abîmés, rouillés, et des ordures, jetés épars, des bestioles, de la merde. Une poubelle géante. Et moi dedans. La lumière, qui parvenait depuis l'extérieur, par l'entrée, et qui courait par terre, s'est noircie. J'ai regretté mon jean et mes bottes ; la dague... Il est entré et s'est arrêté droit devant moi. Ses yeux ont alors longé la rangée de boutons qui s'étendait depuis le col arrondi jusqu'au-dessus de mes genoux, et qui fermait ma robe. Il s'est attaqué à un premier bouton, entre la taille et la poitrine. Il a tout déboutonné, vers le bas. Calmement. Ensuite, il a sorti son couteau, ouvert les pans de ma robe, inséré la lame à plat et, d'un geste vif, a coupé ma culotte le long de la couture, du côté gauche. Après quoi il a planté le couteau, à bout de bras, au-dessus de nos têtes, dans une planche du mur. Il ne lui restait plus qu'à libérer son sexe. Sans préliminaires, il m'a pénétrée. Doucement... longuement... Nos corps unis, il a lié nos mains, puis nos lèvres et nos souffles. Désir plus brûlant que le feu ; foudroyant. À peine si j'ai entendu s'écrier une femme qui nous entendait ou nous voyait depuis sa fenêtre : « Allez faire vos cochonneries ailleurs ! » Malgré moi, j'ai laissé échapper une plainte et mes genoux ont fléchi. Il a joui presque au même instant, s'écroulant à son tour ; nos souffles bruyants. Nous sommes demeurés quelques minutes, front contre front, mains enlacées ; corps torrides, dans la rumeur de la ville. Puis, il m'a saisie par les hanches pour m'aider à me relever. Il s'est rhabillé, a repris son couteau, qu'il a fait disparaître aussitôt. Il est parti. Sans m'embrasser, sans dire mot, sans se retourner. J'ai pu le suivre des yeux par une petite fenêtre poussiéreuse qui me rendait une image translucide de la ruelle qui s'élargissait en une sorte de cour intérieure. Il est disparu derrière une porte. Ça me coulait entre les cuisses. J'ai achevé de me défaire de ma culotte, me suis essuyée. J'ai reboutonné ma robe et j'ai jeté la culotte, n'importe où. Quand je suis parvenue au deuxième palier, pour prendre une douche et passer d'autres vêtements, j'ai entendu Boris et Tatia en train de faire ce que le Jaraï et moi venions tout juste de terminer.

Au salon.

— Ce soir, je dîne à l'extérieur. Une affaire à régler. Vous sortirez ?

Tatia s'est empressée de répondre par la négative. Cela m'a surprise. Elle aimait bien sortir la nuit. Boris s'est retiré pour finir de se préparer. Seules…

— Tes yeux pétillent de lumière. Tu me raconteras…

Stupéfaite d'apprendre à quel point j'étais devenue transparente.

— Faire l'amour, ça me donne faim ; pas toi ?

Je n'osais plus répondre. Nous avons grignoté à la cuisine et entamé une bouteille de bon vin rouge. Boris est venu dire au revoir, et l'embrasser. Il me tardait de connaître cette liberté d'aimer. Mais j'étais trop intense, et engagée dans une histoire où je représentais un danger pour tous ceux que j'aimais. Facile de menacer quelqu'un, à qui je tenais plus qu'à moi-même, pour avoir prise sur le Loup. Nous sommes retournées au salon, avec le vin. Face à face. Elle m'attendait.

— Cet après-midi, j'ai fait une bêtise. Un homme m'a suivie jusque dans une ruelle. Je l'ai laissé me prendre. Je ne regrette pas.

— J'ai déjà lu quelque part que le viol consenti comptait parmi les premiers fantasmes sexuels les plus courants chez la femme. Ça devrait te rassurer. C'était bien ?

— Mieux que tout…

Ça, je le regrettais.

— Évidemment, il t'a laissé sa carte de visite pour que tu puisses le retrouver.

J'ai fait mine que non, en riant avec elle. Quoique… à bien y penser, de même qu'il avait écrit de sa propre main la réponse de Boris et apposé des chiffres afin que je recompose son identité, de même il m'avait fait savoir où se trouvaient ses quartiers dans la Capitale Ouest en me prenant juste à proximité. Intelligent et subtil… Considérant mes yeux, elle a deviné.

— Tu le connaissais, n'est-ce pas ?

J'ai hésité avant de répondre. Le danger que cela pouvait représenter pour elle de savoir…

— Je ne voudrais pas qu'on te fasse du mal à cause de moi.

Elle est venue s'asseoir à côté de moi, sur le canapé.

— Les secrets, ça me connaît ; tu le sais.

Je me suis résignée. Tellement besoin de me confier !… J'ai murmuré ce prénom qui m'obsédait depuis le premier instant où j'avais levé les yeux sur lui.

— Oh, ma chérie… J'adore Kuhaï, mais toi, je t'adore plus encore. Sa réputation le précède. Toutes les femmes le savent. Il ne baise que les putains. Jamais il n'a baisé deux fois la même. Tu es différente des autres ; il aura eu envie de s'amuser. Sa première Blanche… Dépêche-toi de l'oublier.

Ainsi, mon tour était déjà passé. Une petite mort de plus.

Boris n'a pas eu grand nouveau à m'apprendre. À sa demande, Kuhaï avait accepté de prendre les contrats et de les retenir. D'ailleurs, à ce sujet, il n'y avait plus de contrat sur Peï et celui sur Itsuki était appelé à disparaître. Les contrats sur moi demeuraient valides jusqu'à nouvel ordre. Un accroc, toutefois : Kuhaï n'était parvenu qu'à en obtenir un seul. Boris ignorait lequel. L'autre allait et venait, apparaissant puis disparaissant, comme si l'on attendait de voir venir les événements et ce à quoi le Loup se résoudrait. Sieng Paï, nom de moine, était en réalité un ancien soldat américain qui avait déserté l'armée durant la guerre, profitant d'une bataille perdue pour s'enfuir. Porté disparu, on l'avait cru mort aux mains de l'ennemi. Il avait fini par trouver asile au Sanctuaire où, jusqu'à l'apparition du Loup, on avait toujours apprécié l'ardeur avec laquelle il s'était imposé une vie austère en rémission de ses fautes. Selon toute évidence, depuis la nouvelle de mon existence, quelqu'un l'avait joint, et sous la menace du chantage, celui de le dénoncer à l'armée, l'avait contraint à mettre en circulation les contrats et à me surveiller. Ainsi Kuhaï le Jaraï avait-il négocié avec Sieng Paï, agissant pour le compte d'un autre, sous le couvert de Boris le Lézard qui, en réalité, ne détenait pas les contrats. L'art de tout compliquer… Pour bien faire, Kuhaï et moi avions, en apparence, du mal à communiquer. Indirectement et malgré moi, cela protégeait Kuhaï et Boris, persuadant Sieng Paï que je n'entretenais aucune relation avec eux et donc que j'ignorais tout des contrats. Boris m'a conseillé de chasser Sieng Paï au premier prétexte crédible, considérant qu'il serait alors plus facile de suivre ses traces. Il communiquait par Internet, à partir de son ordinateur portable, et connaissait bien les limites du système. Impossible d'intercepter ses conversations électroniques qui ne dépassaient jamais le temps nécessaire pour retracer son interlocuteur. Quant au rôle de Xien Lu, il était limpide. La jolie prostituée engagée par l'intermédiaire de Sieng Paï devait séduire le Tigre qu'elle détournerait de l'Alliance qui alors ne se produirait pas ou, à tout le moins, serait suffisamment retardée. Une ignorance des Écrits, des pages scellées en particulier, qui risquait de me coûter la vie. En revanche, cela confirmait mes doutes. La Terre Vénérée renfermait sûrement un secret, bien gardé, et on attendait du Loup qu'il le découvre pour s'en emparer. D'une manière ou d'une autre, je me disais qu'à ce rythme je ne vivrais peut-être pas assez longtemps pour connaître le fin mot de ces histoires qui venaient se juxtaposer à une prophétie qui, manifestement, ne se réaliserait pas tel que prévu…

Je suis remontée à bord du bateau avec une accumulation de pincements au cœur.

— C'était bien ?

J'ai failli répondre « mieux que tout », mais Maïko n'aurait pas compris. Cruelle ironie.

— « Mungo », qu'est-ce que ça veut dire ?

Il a froncé les sourcils.

— Où as-tu entendu cela ?

— Kuhaï...

Étrange, il m'a souri.

— Mungo était son mentor et son meilleur ami. Un homme remarquable, avec énormément de charisme. Olivier et Mungo étaient alors étudiants en Europe. À leur retour, Olivier a présenté Mungo au jeune Kuhaï, survolté. Mungo a fait l'éducation politique de Kuhaï. Aussi idéalistes l'un que l'autre, ils se sont engagés, convaincus du bien-fondé de la guerre qui chasserait les Blancs occidentaux et rendrait au peuple son pays. Lorsque la lutte s'est transformée en un carnage où la folie poussa les frères à se dénoncer, les enfants à tuer leurs parents, ce fut une atroce désillusion. Mungo et son jeune protégé ont refusé l'horreur. Trahi à son tour, Mungo a été assassiné par ses pairs sous les yeux de Kuhaï. Ce jour-là, il est mort avec son ami.

Cela m'éclairait...

— Comment est mort Mungo ?

— On les a attachés, puis torturés. Kuhaï en porte la marque. Couteau. Mungo est mort par asphyxie. Un sac en plastique sur la tête. Les hommes étaient partis et Kuhaï n'a pas pu se libérer de ses liens à temps.

— Il s'est vengé ?

— Il a retrouvé celui qui lui avait ouvert le torse et mis le sac...

— Comment ? ai-je insisté.

— On raconte qu'il aurait attaché l'homme à un arbre, lui aurait ouvert la poitrine avec son couteau et lui aurait arraché le cœur alors qu'il était encore vivant.

— J'avais besoin de savoir.

— Je sais.

Je n'ai pas compris ce que pouvait sous-entendre ses derniers mots. Encore, Kuhaï me faisait savoir… Cette fois, qui il était. Pourquoi tenait-il tant à ce que je sache ; pourquoi avais-je tant besoin de savoir ? Et surtout, comment était-il parvenu, malgré sa mort intérieure, à continuer ? Je ne saurais l'expliquer, mais j'étais convaincue qu'il subsistait une fleur dans son jardin. Une fleur qui me faisait du bien.

CHAPITRE X

De retour au village, j'ai senti une tension dominer les esprits. Il y avait beaucoup de monde. Trop d'armes... Les coopérants étaient nerveux; les quatre Maisons aussi. Les yeux, tous assombris. Les Voisins du Sud, le Pingouin en tête; et la Cinquième Maison revenue. On étudiait le plan de base en vue de poursuivre le déminage. Secteur sud-est. À peine si j'ai eu le temps de poser mon paquetage que déjà je sondais la carte. Ce que j'ai vu m'a découragée.

— C'est toi, la Génie Blanche?

Décidément, le mépris se répandait comme une épidémie dans ce pays. Le Pingouin me mettait à l'épreuve, me défiait de trouver. J'étais de sale humeur. J'ai répondu à tout le monde, aussi bien dire à personne en particulier, les yeux fixés sur le plan pour ne pas laisser paraître la colère :

— Il y en a pour des semaines. Il faudra prévoir des rotations dans toutes les Maisons. On aura besoin de craie en poudre.

— Pourquoi pas de la farine?

Ils s'amusaient bien, ces Voisins. J'ai poursuivi sans me préoccuper d'eux; les Maisons, elles, m'écoutaient.

— On devra se déplacer pieds nus, et celui qui disposera des plus longs pieds devra me suivre le premier. Uniquement dans mes pas, vous devrez marcher. Ça vous rappelle quelque chose?

J'ai levé les yeux. On acquiesçait. Cela m'a détendue. J'ai conclu.

— Il y a là deux champs de mines superposés.

À voir la gravité des visages, j'ai su qu'ils avaient compris. Tiens, le Pingouin et ses comparses n'entendaient plus rigoler. La Génie avait trouvé.

— Là et dans la baie ; pas ailleurs.

Je n'ai pas pu m'empêcher de sonder le Pingouin. Il disait vrai.

— Le cimetière, il te faudrait peut-être le sonder ?...

Sieng Paï... de quoi se mêlait-il, celui-là ?!

— Plus tard.

— Les cadavres, ils te rendent nerveuse ?

Le Pingouin se moquait. En réponse, je lui ai offert le plus arrogant de mes regards. Devant tous. Jusqu'à ce que ses yeux ne le supportent plus. Une petite humiliation pour lui chatouiller l'honneur. Trop en colère pour me rendre compte que je venais de poser le pied sur une mine à retardement dans le chemin de l'Alliance.

Le départ des Voisins, environ une demi-heure plus tard, fut accueilli comme un soulagement. J'ai rapporté à Itsuki et à Khaï ce que m'avait appris Boris à propos des contrats et de Sieng Paï. J'ai suggéré à Itsuki de s'informer s'il n'y avait pas, parmi les hommes, un crack en informatique pour nous aider à dépister les conversations électroniques entre la Terre et l'extérieur. J'ai annoncé mon intention de parler au Jaraï pour savoir précisément ce qu'il détenait et ce qu'il se proposait de faire avec le contrat manquant. J'avais une idée à ce sujet. Notre crack pourrait peut-être le prendre en brouillant nos propres pistes. L'idée a plu. Je n'ai pas mentionné le rôle de Xien Lu. Elle faisait partie des événements à venir sur lesquels je ne pouvais intervenir.

Tôt en soirée, je suis allée voir Kuhaï. Seule. La Terre chatoyait des couleurs du couchant. Lorsqu'il m'a aperçue, il est venu à ma rencontre, si bien que personne n'était en mesure de nous entendre. Pas de salutation entre nous. Il se tenait droit, debout devant moi, le regard comme si je n'avais jamais existé. Ça m'a vexée. Avec lui, je perdais toujours mes moyens. Au diable ! je me suis jetée au feu. Cassante.

— « Contrats ont été confiés... » Évidemment, j'ai lu *les* contrats et non *des* contrats. Pourquoi ne m'as-tu rien dit ?!

— Tu n'as pas demandé.

Tout juste si je parvenais à respirer.

— Lequel tu as ?

— Le bon.

Qu'est-ce que je pouvais répondre à ça ? J'étais sur le point de partir de mon côté, et lui du sien, quand je me suis entendue lui demander, presque par dépit :

— Tant qu'on est dans les confidences, pourquoi m'as-tu prise ?

— Doux dans ta bouche ; j'ai voulu savoir pour ton sexe.

Il n'avait pas même hésité et m'avait répondu comme si la conversation portait sur le pluie et le beau temps, sans aucune pudeur. Je suis partie. Sans le regarder.

Nous avions cru bon d'élaborer un horaire hebdomadaire entre le déminage et les chantiers des pistes est et sud. L'homme aux plus longs pieds s'est trouvé être Kuhaï, qui me suivait pas à pas, toujours, ayant refusé de participer aux rotations qui, pour la Cinquième Maison, se faisaient entre le déminage et l'autre rive. Je n'étais pas d'accord. Impossible de lui faire changer d'idée. Tous les jours, je m'obstinais à le relancer. J'avais presque décidé de le rendre fou. Tous les jours, il s'obstinait à ne pas me répondre, à ne pas me regarder. Je me disais que ce serait lui qui me rendrait folle. Pas une, mais tout un troupeau de mules dans le crâne ! En secret, il me plaisait davantage.

Dimanche. Quartier libre. Depuis l'arrivée des coopérants et de la Cinquième Maison, j'avais remarqué que les échanges se faisaient plutôt rares avec les quatre Maisons. Certes, les journées étaient bien remplies, pour tous. Lever et coucher tôt ; besogne jusqu'au soir. Les rotations, qui survenaient tous les jours et qui faisaient que les équipes changeaient continuellement, ne favorisaient pas vraiment les rapprochements. L'effort pour combattre la chaleur, l'humidité et la tension accrue par la complexité des déplacements nous accablait. Pas tellement envie de bavarder durant les pauses. Et la Cinquième Maison restait discrète, dans son coin. Par contre, on demeurait poli avec l'autre et même préoccupé par lui. Cela d'ailleurs me surprenait. Nous avions eu l'occasion de déminer durant plusieurs jours dans le secteur nord-est, et ici, au sud-est, la tâche était encore plus ardue. Pourtant, aucun signe d'impatience, ni de plainte. On faisait son boulot, au meilleur de ses capacités, jusqu'au bout. Leur ténacité, leur courage avaient de quoi susciter l'admiration. Des hommes remarquables.

Chaque jour, avant le repas du soir, les hommes des quatre Maisons et de l'équipe de coopérants prenaient leur bain, ensemble, dans la baie. La Cinquième Maison, elle, se baignait dans une rivière à l'écart, à proximité de ses quartiers ; et passait ses soirées autour d'un feu sur la berge. Repliée sur elle-même. Pour les femmes, il y avait la rivière, qui serpentait à côté des quartiers de la Maison de Tigre, à la hauteur d'un détour, à l'est, protégé des regards par la végétation. Comme je quittais le champ de mines la dernière, je me retrouvais toujours seule pour le bain. Pour encourager les rapprochements, donner le ton, j'ai proposé un bain de soleil aux femmes avec lesquelles j'avais très peu de contacts à cause de mes occupations. Constamment entourée d'hommes, je ressentais le besoin de compagnie féminine. Nous nous sommes donc réunies, et avons toutes apprécié notre dimanche après-midi. Radio-Marion diffusait sans relâche. Elle procédait par question-réponse. Plutôt original comme moyen de provoquer la discussion. Par exemple, elle nous a demandé si, selon notre opinion, les femmes en viendraient un jour à porter des vestons, aux poches multiples, semblables à ceux des hommes, qui élimineraient, enfin, le port du sac à main. Bonne question… qui a conduit chacune à énumérer le contenu affolant de babioles inutiles qu'elle avait l'habitude de traîner avec elle et dont elle ne pouvait se passer. Nous avons bien ri et conclu qu'aucun veston ne serait digne de contenir pareil chargement, à moins de vouloir ressembler au Bonhomme Michelin.

Après le bain, pour moi plus tôt que d'habitude, je suis allée me préparer. Rendez-vous avec le Ministre… Cette rencontre rendait tout le monde anxieux. Exposer le Loup comportait des risques. Et le Ministre était reconnu pour être pointilleux quant à l'apparence. Itsuki m'avait prévenue et avait veillé à plusieurs reprises à s'assurer que je disposais d'une toilette adéquate. L'envoi de Tatia me sembla sur mesure. Le bateau était prêt, l'équipage aussi. Khaï finissait de se préparer lorsque je suis entrée dans les quartiers de la Maison de Loup. Il m'a éblouie. Il était bel homme. À mon tour d'épater la galerie. Je ne disposais que du miroir installé dans le coin toilette. Avec un peu de maquillage, emprunté à Marion, et une touche de parfum, celui de ma copine Hong, depuis le dessus de la tête jusqu'à la poitrine incluse, cela me parut fort respectable avec les bijoux de Tatia. Pour la suite, je devrais m'en remettre à leurs yeux. Quand j'ai fait mon apparition sur le balcon, j'ai vu au-delà de mes propres attentes. Longtemps qu'on ne m'avait pas regardée, appréciée en tant que femme… Nous nous sommes mis en route pour le débarcadère. Pas évident de marcher sur la terre avec des talons hauts. Dans le champ au Bouddha, je traînais la patte. Cela a permis à Kuhaï, qui se trouvait là, de me chuchoter discrètement, tout en arborant son sempiternel visage impénétrable :

— Plus de classe qu'elle.

Elle, c'était Tatia. Ma main au feu qu'il se rendait chez Peï.

Le bateau nous a menés jusqu'à la première ville portuaire, au sud, en bordure de la Terre Vénérée. Nous étions tous silencieux, chacun plongé dans la réflexion. Une fois de plus, je savais ce que j'avais à faire. Je l'ai fait. J'ai laissé le Ministre et ses conseillers me dévêtir à loisir, et Itsuki se débattre. Tiède, tirant sur le froid, le Ministre. Pas moyen de lui arracher un engagement ferme, dans un sens ou dans l'autre, quant à l'octroi ou au rejet d'une participation financière gouvernementale. Le temps venu, j'ai agi. À ma demande, tout le monde s'est retiré et je suis restée, avec Khaï, mon Protecteur, et le Ministre, seul. J'avais peu à dire et beaucoup à risquer.

— Qu'est-ce qui vous empêche de refuser ?

Une façon détournée de lui faire comprendre que je connaissais la réponse. Comme chacun d'entre nous, il détenait un secret, jusque-là silencieux. En osant m'introduire dans son passé, j'exposais le mien. Probable qu'il l'ignorait, sauf s'il connaissait celui qui commandait ma vie à coups de contrats. Je voulais savoir. Il m'examinait très attentivement, ses yeux soudés aux miens. Il évaluait la garantie qu'on ne lui avait pas encore offerte et que je lui présentais. En échange de son engagement concret, la promesse du silence ; à défaut de quoi, il se prévaudrait de la garantie. Ma vie. Il comptait parmi les responsables ; lui aussi devait réparer. La récolte fut abondante. Quinze millions de dollars américains que je lui ai soutirés sans négocier. Trop facile. J'ai su qu'il aviserait celui qui détenait le pouvoir. Le transfert des fonds entraînerait la disparition définitive des contrats, sur Itsuki et sur moi, le Loup mort, que détenait Kuhaï. Ma vie, ainsi jetée en pâture, prenait dangereusement de la valeur au fil du temps. Un grain de sable en comparaison de la mystérieuse puissance vénérée, enfouie dans la Terre...

Pas un mot durant tout le trajet de retour. Khaï bouillait de colère. Il avait très bien saisi le jeu malsain auquel je m'étais résolue. Sa colère venait du fait qu'il ignorait le rôle du Ministre dans la prophétie. Itsuki connaissait suffisamment bien Khaï pour savoir qu'il valait mieux laisser la poussière retomber avant de l'entreprendre. Moi, je n'avais qu'à appliquer à la lettre les directives contenues dans les pages scellées. Déconcertant de simplicité. Quand la réalité apparaissait dans sa clarté, quand les éléments et les événements, à force de s'unir, parvenaient à composer une image sensée, le symbolisme des mots tombait, tel un masque, et la vérité écrite rencontrait la réalité vécue. Une nuit qui, bientôt, s'éveillerait ; puis un autre jour. Peur froide. Je ne doutais plus.

Khaï et moi avons fait la paix. En pleine nuit. Nous nous sommes retrouvés nez à nez sur le palier de la porte des quartiers de la Maison de Loup. Besoin de dire à l'autre... Au pied du Bouddha.

— Mon Petit Loup, je ne suis pas bien ici. J'enrage à la pensée qu'on veuille te faire du mal. J'ai fait le serment de te protéger et voilà que j'ai l'impression de manquer à ma parole.

Vrai que ma vie ne valait pas cher... ou trop. Les menaces, nombreuses, se diffusaient partout, si bien qu'il m'était pratiquement impossible d'en retracer la source au-delà de Sieng Paï, le messager, et du Ministre, un intermédiaire supérieur.

— Combien sont dangereux ? Trois, peut-être quatre. Combien ne le sont pas parce qu'ils ont choisi de s'engager, de risquer leur vie pour aider le Loup ? Cinq cents, mille... en comptant les femmes et les enfants. Te rends-tu compte à quel point on m'entoure ? Quand les circonstances nous séparent malgré nous, toujours il y a quelqu'un à mes côtés. Quand je m'absente, quand tu n'es pas disponible, Maïko est là. Il est le Chien, le frère du Loup, tu le savais ? Il ne me borde pas, comme toi, et il ne me bercerait pas, comme toi, mais il est là, toujours présent. Comme toi. Comment pourrais-tu manquer à ta parole ? Quand le Loup agit, qu'il s'expose et qu'il offre sa vie, ne va pas croire que c'est sans savoir. Je suis rigoureusement les Écrits et je n'interviens jamais si je doute. Je n'ai nullement envie de mourir, Khaï.

J'ai repris mon souffle et senti le sien moins agité.

— Tu n'es pas heureux ici. Je sais... Trop de douleur. On me demande d'où je viens, qui je suis, où je vais. Je me tais. Ta douleur, je la comprends ; elle est aussi la mienne.

— Raconte-moi...

— J'ai tellement pleuré que mon cœur s'est asséché et ma langue, devenue pierre. L'irréparable, je refuse de me le pardonner.

— Depuis que nous sommes en Terre Vénérée, les choses ne semblent plus pareilles entre nous. Parfois, je me demande si l'attentat contre Peï ne devait pas être, précisément pour nous éviter de quitter nos propres pas.

— Je le crois.

— Hum... J'ai résolu de m'occuper de Xien Lu. Un temps. Apprendre ce qu'elle sait, puis la chasser.

J'aurais voulu le mettre en garde, mais cela m'était interdit. À lui seul de choisir. Je n'avais pas même le droit de savoir.

— Hé !... Gros Minou avec toi, à jamais. Mon serment.

— Petit Loup, pareillement, oui...

Nous sommes retournés nous coucher. Séparément, comme toujours.

Le lendemain, durant une pause, j'ai proposé à Kuhaï un compromis, en m'inspirant du principe question-réponse de Marion. Je lui ai rappelé ses propres paroles : il ne m'avait pas dit parce que je n'avais pas demandé. Il a accepté de répondre et donc de me dire, chaque fois, à condition que je lui demande. J'ai aussitôt sauté sur l'occasion pour l'éprouver. Il était allé voir Peï pour connaître ma destinée. Quelle importance, puisqu'elle était déterminée !... C'était du moins ainsi que je la percevais. L'impression de subir, passivement, même lorsque le Loup agissait. Ironique, cet engagement auquel je prétendais avoir librement consenti. Voilà que la foi me quittait, que je cessais de croire en l'Impondérable. J'avais oublié qu'il faisait aussi partie de moi.

Je dirais que la semaine s'est bien déroulée. Peut-être à cause des gestes mieux apprivoisés, et puis d'une bonne nouvelle. Itsuki nous avait enfin déniché un jeune membre de la Maison de Léopard, un futé de l'informatique, avec des dents de lapin. Astucieux, et gentil. Non seulement il ne comptait pas les heures qu'il passait rivé au petit écran plat, mais il prenait le temps de tout expliquer afin qu'Itsuki comprenne. Intelligent et bon pédagogue. Il fallait voir et entendre Itsuki nous expliquer, par la suite, avec le plus grand sérieux, comme s'il était né dans un ordinateur ! On s'amusait souvent à le taquiner. Il avait eu la piqûre. Moi, je continuais à être allergique aux aiguilles. Je préférais les contacts directs, humains, avec ce qu'ils pouvaient comporter de spontanéité, de sensibilité, de risque...

Autre dimanche entre femmes. Nous en avons appris un peu plus à propos de certaines. Marion, comme Francis, était enfant de diplomate. Née en France, de parents français, elle avait grandi et vécu à l'étranger. Différents pays. Toujours le même milieu. Aisé, protégé. Si bien qu'elle demeurait d'abord française, avec de jolies couleurs, toutefois, empruntées aux autres. Elle savait s'exprimer et ses récits nous apparaissaient comme des films. Elle débordait de vie. Par moments, j'enviais presque sa superficialité qui ne lui faisait apprécier que le bon côté des choses. Gertrud, quant à elle, n'avait connu que la stabilité. La petite dernière, après quatre frères. Elle avait toujours désiré être ce qu'elle était devenue : infirmière. Son oncle, Walter, séparé plutôt que divorcé, père de deux adolescents, trop souvent absent, lui avait proposé de l'emmener. Ici. Sans lui dire à quoi s'attendre. Première fois qu'elle se permettait une fantaisie dans sa vie jusqu'alors aseptisée. Blonde à la peau blanche, elle souffrait du climat. Mais l'expérience de travailler seule, sans supervision immédiate, la stimulait et lui faisait découvrir une partie d'elle-même qu'elle ignorait. J'appréciais son humilité. Oui, répondit sœur Thérèse à Marion, indiscrète, elle avait fréquenté un jeune homme qu'elle devait épouser. Après avoir achevé ses études universitaires, le nouveau notaire en avait préféré une autre. Elle avait appris leur mariage de quelqu'un… Une dépression terrible. Une retraite dans un couvent, pour soigner sa blessure. C'est là qu'elle avait découvert un monde à part et pourtant si près des gens. D'une solidarité plus dure que la pierre, et dont le mortier était un Dieu compatissant et aimant. Elle avait choisi de s'engager et d'offrir sa vie. Comme elle disposait d'une formation en enseignement et qu'elle aimait apprendre, elle avait adressé une demande pour œuvrer en Afrique, un continent dont on parlait beaucoup à l'époque. Par hasard, une place s'était libérée… en Asie. Plus de trente années écoulées. Pas d'autres questions parce que le temps filait. Xien Lu et moi, nous venions d'autres planètes. Impossible de raconter sans risquer de se trahir. Au moment de se séparer, elle a osé un pas dans ma direction.

— Et toi, d'où viens-tu ?

— Des poubelles. Comme toi.

Nous avons ri de bon cœur.

Inquiet de la rapidité avec laquelle nous avions investi le territoire sans autorisation officielle, Itsuki est venu m'annoncer en personne que l'argent, consenti par le gouvernement, avait été déposé en totalité dans le compte bancaire de la société qui regroupait les quatre Maisons. Il jubilait, en plein champ de mines. Ce soir-là, j'ai vu cinq Maisons et une équipe de coopérants, des vies si divergentes, se rassembler. Kuhaï est venu me dire que les contrats qu'il détenait avaient été annulés. Sans que j'aie eu à le lui demander. L'autre contrat, celui du Loup vivant mais soumis, manquait à l'appel. Disparu…

Avec le temps, des couples se formaient. Encore rien de concret, mais pour certains, cela ne tarderait pas. Marion et Francis ; dans l'ordre des ressemblances qui s'assemblent. Timide Gertrud avec Gentil Crack qui avait entrepris de lui monter un programme sur mesure ; informatique, j'entends. Pendant que sœur Thérèse passait ses soirées à discuter avec Peï, en qui elle avait découvert « une spiritualité vivifiante » ; ses propres termes. Patiemment, j'attendais Xien Lu qui se mourait de savoir. Mais c'est Marion qui s'est ruée sur mon cas comme un chien sur un os.

— Khaï et toi, ça fait longtemps que vous êtes ensemble ?

Ne pas tout prendre au pied de la lettre.

— Ensemble ?...

— Ouais, je sais bien que vous ne dormez pas ensemble, mais enfin, tu sais, coucher quoi !

Avec Khaï... Les occasions n'avaient pas manqué. Dans une certaine mesure, le désir non plus. De part et d'autre. L'amour existait entre nous. Profond et durable. Je me suis mise à songer à Hong qui s'épanouissait dans un amour paisible avec Iiu. Étais-je capable d'amour... paisible ? Quand l'un et l'autre s'appartiennent. Son Petit Loup... Khaï et moi étions comme une seule et même personne. Nous le savions depuis toujours, et l'avions amplement vécu pour nous rendre compte qu'il était insoutenable de s'aimer soi-même à travers l'autre. L'engagement, qui faisait que l'on revenait parce qu'il nous était toujours donné de partir, voilà ce que Kuhaï m'avait appris et que je désirais ardemment. Avec Khaï, cette liberté d'aimer ne semblait pas exister.

Comme je ne répondais pas, Xien Lu s'est risquée à le faire à ma place.

— Il ne t'a jamais prise...

C'est à ce moment que j'ai compris combien elle l'aimait. Sincèrement.

Marion suggérait que Maraï et Peï... Je ne suis pas intervenue. L'amour n'avait rien à voir avec le sexe. Ce n'étaient jamais deux sexes qui s'aimaient, mais deux êtres. À regarder ces femmes occidentales et asiatique, je me suis dit que je ne ressemblais plus à personne.

J'étais devenue une ombre dans le feuillage. Je m'ennuyais de Tatia qui, elle non plus, ne ressemblait à personne. J'ai laissé là les femmes et je suis partie à la recherche d'Olivier. On m'a informée qu'il se trouvait dans les quartiers de la Cinquième Maison. Je l'ai trouvé, au bord de leur rivière. Accueil silencieux; Kuhaï me regardait... Olivier est venu à ma rencontre.

— Trop de questions. Le temps est venu d'instruire les coopérants. Tu verras avec Peï.

Il me tardait de terminer ce déminage ainsi que celui de la baie, et d'entreprendre la reconstruction. Tant que les esprits n'étaient pas apaisés, l'Alliance était impossible. Réparer, leur avais-je dit; ce qui signifiait se réconcilier, ensuite reconstruire. Pour apaiser les esprits, j'avais fait le pari hasardeux de procéder à l'inverse. Cela commençait à porter des fruits. Les langues se déliaient durant les pauses. Puis pendant le déminage. Pas d'accident regrettable, on reprenait confiance. Les cinq Maisons apprenaient graduellement à communiquer, laissant entrevoir une préoccupation des uns pour les autres moins par politesse que par estime mutuelle. En soirée, des amitiés se forgeaient, des êtres se reconnaissaient. Itsuki et Walter, heureux devant leur échiquier, une rouleuse, une pipée et deux bières. Xien Lu, qui croyait naïvement tout savoir, se rapprochait de Khaï qui ne la repoussait pas. Jenko, de passage entre deux dossiers acheminés au gouvernement, fumait un joint avec Peter. Olivier, de plus en plus avec Kuhaï qu'il rejoignait, là-bas, emmenait parfois Maïko qui partageait le silence de mes confidences. Moi, je faisais de longues marches avec Pyjama à qui je disais tout ce qui me passait par la tête, sans crainte d'être trahie. Ainsi avais-je découvert un endroit, quelque part à l'est du village, enfoui dans la jungle moribonde. Plus froid que le cimetière. Là où l'Épreuve de l'Alliance surviendrait... Y retourner. Régulièrement. Pour apprivoiser ma peur. Entre-temps, que devenait Sieng Paï?... Pas moyen de le coincer. Trop discret depuis l'annulation des contrats.

Tôt ce matin, j'ai sondé la carte. En secret. En un lieu que j'aimais bien et auquel on accédait en empruntant le troisième sentier à partir de la piste nord. Une fine cascade, qui ressemblait à une fontaine se déversant dans un bassin ; elle rigolait dans le soleil. L'érosion avait taillé dans la pierre une sorte de banc rocheux sur lequel on pouvait s'asseoir dans l'eau. Avec Pyjama, j'allais souvent m'y baigner. On y jouait à pattes de velours. Je voulais m'assurer qu'il n'y avait plus de mines ailleurs que dans la baie. Agenouillée au-dessus du plan, la Main de Loup parcourait le territoire. Je ne voyais rien. Le cimetière était noir et froid. Je ne parvenais pas à percevoir dans la Terre des Morts. Ce n'était pas encore le temps. Appuyée sur ma main droite, posée distraitement sur le papier, je me suis tout à coup brûlée. D'instinct, j'ai retiré ma main. Elle se trouvait sur l'emplacement de la dalle, dans la baie. Mais qu'est-ce qu'elle avait donc, cette dalle ? Et depuis quand la main droite pouvait-elle sonder ? J'ai frissonné. Je redevenais droitière, ce que j'avais toujours été avant de devenir le Loup. Mon Dieu, le passé me rattrapait !

J'ai quitté les lieux presque aussitôt. Je suis allée remettre le plan à sa place et j'ai poursuivi, seule, vers le sud, jusqu'au champ de mines. Là encore, j'ai sondé, accroupie. Lorsque je me suis relevée, une chute de tension m'a privée durant quelques secondes de la vue et de l'équilibre. Je suis allée m'adosser à un arbre pour reprendre mon souffle. Les yeux fermés, je me frottais le front de la main droite et je me suis dit, tout haut, que je ne pouvais plus continuer comme ça. Quand j'ai rouvert les yeux et redressé la tête, il était là, tout près ; il m'avait entendue. Il pouvait bien me piétiner le cœur, j'étais conquise. J'ai tendu ma main droite vers le côté gauche de son visage. Envie de te toucher… Il l'a saisie de sa main et l'a portée à ses lèvres. Un baiser, au creux de la paume. Il me regardait comme il ne m'avait jamais regardée. Après avoir cessé d'exister, voilà que j'étais seule à exister ; le monde entier venait de s'effacer. Dans nos yeux et nos souffles, le désir, toujours aussi enflammé. Il m'a tirée à lui et j'ai retrouvé sa bouche, son corps, ses caresses presque irréelles, à fleur de peau et si intenses, que je croyais avoir perdus. Nous n'avons pas fait l'amour. Nous avons préféré lier nos mains et nos fronts, et nous accorder un long moment de sérénité. Avant de partir, il m'a embrassée et il m'a regardée. Ce jour-là, j'ai dit à Pyjama que j'étais amoureuse.

Il était presque neuf heures du soir lorsque Peï nous a convoqués, Khaï et moi.

— … Deux cent cinquante temps, et ce, jusqu'à l'Alliance scellée, pour exercice extrême, les dimanches. Vous ferez. Afin de rattraper les temps où la séparation physique n'aura pas permis d'effectuer l'exercice.

Cette annonce a provoqué en moi un comble d'écœurement. Plus possible de refouler. Quand le corps, le cœur et l'esprit souffrent d'un trop-plein, ils ne parviennent plus à respirer. Khaï n'a rien dit ; moi non plus. Nous partagions le même malaise. Nous nous sommes exécutés, à proximité de la petite cascade, mon endroit préféré… Deux cent cinquante temps, nos êtres fermés à double tour. Une fois l'exercice accompli, nos esprits étaient aussi perturbés qu'avant. Après nous être rhabillés, nous nous sommes parlé. Nous avons convenu de suspendre cet exercice jusqu'à ce que nous en ressentions le besoin de nouveau. Nous partagions le même désir, celui d'apaiser nos esprits tourmentés, hantés par nos passés respectifs qui, quelque part, s'étaient rencontrés.

Bientôt six semaines consécutives de déminage. Nous avancions prudemment. Le sol à découvert nous brûlait la plante des pieds et, dans la jungle, les pas de craie finissaient par s'effacer à force d'être piétinés. Il fallait s'arrêter souvent. J'étais fatiguée et de plus en plus nerveuse. Je me disais que, à nous exposer, l'un d'entre nous finirait bien par poser le pied à côté. Qui plus est, je ne pourrais pas user de mes facultés s'il s'agissait du mien. Autre préoccupation, celle-là, récente mais obsédante. Je ne me sentais pas bien depuis quelques jours. Des vertiges et des nausées, légers, une résistance physique et psychologique amoindrie. Poison ?… Une question que je regrettais de ne pas avoir éclaircie avec Peï ainsi que je me l'étais pourtant promis. Je n'osais plus boire ni manger. Khaï s'est vite rendu compte que je n'agissais pas normalement. J'ai décidé de suspendre le déminage, le temps d'aller à la Capitale Ouest et de revenir.

— Qu'est-ce qu'il y a, dans cette capitale ?

— Un médecin.

J'ai expliqué à Khaï que les poisons qu'on avait incorporés à ma nourriture, au Sanctuaire, me causaient des ennuis passagers. Il paraissait vraiment très inquiet. En principe, ces poisons, qu'il avait reçus lui aussi, devaient nous immuniser, nous protéger contre d'éventuels attentats. Il ne comprenait pas et insistait pour connaître la nature de mes problèmes de santé. J'ai fini par avouer. Stérilité. L'effet d'une bombe. Il a passé sa main sur son visage. Plus de mot.

CHAPITRE XI

Départ du bateau. Avec, à son bord, Maïko, et Kuhaï qui avait accepté l'invitation de Maïko à profiter du bateau pour voir à ses autres affaires dans la capitale. Grâce au copain de Gertrud, je disposais déjà d'un rendez-vous chez le médecin. D'ici quarante-huit heures, je serais fixée. Khaï avait choisi de rester. Depuis notre dernier entretien, il n'allait pas bien du tout, atterré par le regret de m'avoir entraînée dans ce qu'il appelait à présent une prophétie maudite. Dommage de voyager l'esprit tourmenté et de ne pas apprécier la chance qui m'était accordée de vivre. J'en ai pris conscience en regardant Kuhaï admirer le paysage, de tout son être, debout dans le soleil et le vent, tendu vers le ciel et l'eau, à la proue du bateau. Je me suis rappelé Khaï me montrant des photos de son pays dans l'album qu'il avait emprunté à l'oncle de Hong. Loyauté... Amour infini de la terre natale. Malgré la douleur irréparable de la guerre. Rien de plus douloureux que la souffrance qui se tait. C'est à cet instant précis que, pour la première fois de ma vie, j'ai admis que j'étais morte depuis trop longtemps et que Kuhaï, plus que tout autre, méritait de savoir.

Maïko m'avait proposé de séjourner chez sa compagne. Comme j'avais l'intention de récupérer, et donc de dormir, j'estimais que ma présence leur serait plutôt ennuyeuse. Tatia et Boris, connaissant déjà mes habitudes, ne s'en formaliseraient pas. J'ai préféré me rendre chez eux. Tatia me manquait.

Le lendemain matin, j'ai rencontré le médecin et subi de nouveau des examens. J'ai passé le reste de la journée avec mes amis. Ils revenaient du Caire. Ils m'ont raconté un peu de ce désert, de l'étrange fascination qu'il exerçait sur le voyageur. Une expérience empreinte de sensualité, et qui m'était inconnue.

Au repas du soir, j'ai mangé peu, distraitement, trop absorbée par les résultats d'analyses que devait me communiquer le médecin, le lendemain. Voyant que je n'étais pas dans mon assiette, Tatia m'a suggéré de sortir. L'idée m'a plu, mais j'avais envie d'être seule. Dans ses yeux, j'ai perçu qu'elle avait compris... Je suis donc partie seule, à pied. Rêveuse et mélancolique. Depuis une heure je traînais sur le trottoir, quand une moto m'a dépassée et s'est immobilisée, moteur en marche. Sans me regarder, Kuhaï s'est avancé sur le siège. J'ai pris place derrière lui, et nous sommes partis aussitôt. Cette manière de me ramasser au bord du trottoir... Il m'a menée chez lui. Il m'a fait entrer par une porte de côté, là où ses hommes et lui avaient l'habitude de garer leurs motos. Je me suis retrouvée directement dans ses quartiers. Armes et vêtements eurent tôt fait de joncher le plancher ; gestes entrecoupés de baisers ; corps tournoyant à travers la pièce. Tout en lui évoquait l'animal et éveillait, du même coup, ce qu'il y avait de sauvage en moi. Face à face. Nus et fous. Je reculais pour mieux l'attirer à moi. En un pas, il m'a rattrapée. Il a passé son bras autour de ma taille, m'a donné une jambette, et nous avons atterri par terre. Et puis, plus rien. Il me regardait. C'est ce qui me déroutait et m'excitait tant chez lui. Sa façon cavalière de surgir de nulle part, de piéger l'autre, de se servir, disposer de l'autre, comme si l'autre n'existait pas. Épouvantablement macho. Et soudain, son besoin hurlant de l'autre, comme si lui-même avait cessé d'exister et que seul l'autre existait. Désir excessif, exalté, que tout à coup il partageait avec l'autre. Durant le temps qui a suivi, pas un grain de peau de nos corps que nous n'ayons regardé, touché, goûté, senti, aux sons de nos souffles de plus en plus pénétrants. Nous avons joui, ensemble, bruyamment, en nous roulant par terre ; enlacés, nous ne formions qu'un. Quand les esprits se furent calmés, il a redressé la tête, m'a regardée droit. Et de son air impénétrable, ne laissant échapper aucune prise :

— Toi, je te mets dans ma couche.

Sur ce, il s'est levé. Vraiment accrochée que j'étais… Et il nous a déposés dans notre lit. Étrange comme parfois le sommeil nous trahit. Même endormis, il nous fallait demeurer liés. Une main sur un ventre, une tête sur une épaule, une jambe sur une autre, et chaque fois que les corps, après s'être assoupis, se mettaient inconsciemment à la recherche d'une autre posture, des baisers, quelque part sur nos peaux. La nuit durant.

Le lendemain matin, quand j'ai ouvert les yeux, il me regardait déjà. Je lui ai souri. Il ne m'a pas répondu ; il m'a embrassée. Ensuite, j'ai examiné les lieux. Une grande pièce, allongée, dont le mur vitré, en face, donnait sur la rue. Au fond, à ma droite, une salle de bains ; une table et des chaises. Entre la table et le large futon posé à plat par terre, une porte coulissante, fermée, qui débouchait probablement sur un couloir, d'autres appartements et la porte arrière, sur la ruelle, par laquelle je l'avais vu entrer la première fois. Maison de la Capitale Ouest ; nos quartiers, notre couche. En pleine nuit, alors qu'il dormait, je l'avais pris à mon tour. Mieux que tout, comme toujours. Nous nous sommes levés, soulagés, lavés, habillés ; en posant ces mêmes gestes que j'avais posés avec Khaï et qui, avec Kuhaï, retrouvaient enfin leur véritable sens.

Lorsqu'il a fait coulisser la porte, j'ai été surprise d'apercevoir une cuisine commune, occupée par des visages familiers. On me souriait. Cela m'a un peu intimidée. Je n'avais pas l'habitude de faire étalage de mon intimité. Dans leur monde, la Maison constituait la seule famille, alors que dans le mien, je n'avais jamais eu de famille. Nous avons mangé tous ensemble. J'appréciais l'attitude bienveillante et calme des Asiatiques. Leur discrétion, interprétée à tort par beaucoup d'Occidentaux comme un refoulement qui, par ailleurs, les amenait, disait-on, à commettre des excès, que moi, je me plaisais à appeler leur raffinement. Moins interventionnistes que celles de l'Occident, les cultures orientales révélaient, en ce sens, un caractère contemplatif, plutôt que passif, profondément idéaliste. D'où certains extrêmes, incompréhensibles d'un point de vue occidental, mais avec lesquels je me sentais à l'aise parce que je m'y reconnaissais.

Je me suis retirée pour finir de ramasser mes affaires et me préparer à me rendre chez le médecin prendre connaissance des résultats d'examens. Le bateau devait appareiller en début d'après-midi et j'avais promis à Tatia de lui dire au revoir. Je suis retournée à la cuisine. Il y avait là une vieille femme. Elle vivait seule dans un petit logement juste à côté. Lorsqu'elle avait besoin d'aide, ils étaient là ; en échange, elle prenait soin d'eux. Elle m'a rappelé quelqu'un, issu du passé. D'instinct, j'ai reculé d'un pas et Kuhaï, qui se trouvait derrière, a fait glisser sa main droite devant moi et saisi mon épaule gauche en me plaquant tout contre lui. L'un des hommes s'est alors écrié joyeusement :

— Le Tigre a enfin trouvé sa Tigresse !

Elle m'offrait son sourire, marmonnait des mots que je ne parvenais pas à comprendre, en me tapotant les mains qu'elle tenait dans les siennes, chaudes, emplies de tendresse maternelle. La tête légèrement inclinée, Kuhaï me regardait.

Je suis sortie du cabinet du médecin avec une liste de recommandations et une fiole de suppléments vitaminiques qu'il avait eu la gentillesse de m'acheter. Vraiment très accommodant, j'étais d'accord avec Tatia. J'avais droit à un traitement de faveur ; j'ignorais pourquoi. La consigne était simple à suivre : du repos et encore du repos. Pas évident pour le Loup… Je me suis retrouvée dans la rue, complètement ahurie ; à la fois soulagée, étonnée et angoissée.

J'ai rejoint Tatia chez elle. Boris était sorti. J'ai rassemblé mon paquetage que j'ai déposé près de la porte. Je disposais d'une bonne heure. Nous nous sommes préparé une salade, accompagnée de pain, de fromages, de fruits et de vin. Inutile de me demander où j'avais passé la nuit, ni avec qui ; elle savait. Même si je me doutais de la réponse, je lui ai posé une question qui l'a fait s'asseoir, exactement comme Itsuki, dans son bureau, le jour où le nom du Jaraï était tombé.

— Qu'est-ce que ça veut dire, « mettre dans sa couche » ?

— Ça signifie qu'il est très sérieux ; qu'il s'est accordé le temps nécessaire pour réfléchir et prendre sa décision. Je le connais bien ; il ne fait jamais rien à la légère quand vient le temps pour lui de s'exposer. En affaires, il est intraitable, très dur, et particulièrement réfléchi. Une fois qu'il s'est engagé, il ne revient jamais sur sa parole. À moins qu'on ne le trahisse ; alors, il devient impitoyable. Il a procédé de la même manière avec toi. Il t'aurait épousée qu'il n'aurait pas agi autrement. Le Grand Jaraï est amoureux. De toi, la Génie Blanche.

Je n'ai rien su du trajet de retour jusqu'en Terre Vénérée. Maïko n'a rien dit. Je pense que mon visage parlait de lui-même, sans pour autant nommer mes pensées. Trop d'émotions…

CHAPITRE XII

J'étais à poser mon paquetage à côté de mon petit futon, posé à plat sur le plancher des quartiers de la Maison de Loup, quand Khaï est entré. Timidement, il s'est exprimé en empruntant mes propres termes :

— Comment ça est dans ton corps, là, maintenant ?

Je n'ai pas pu m'empêcher de rire. Vrai que mon langage d'autrefois était charmant.

— Pas de poison. Plutôt de la fatigue accumulée.

Soupir de soulagement, long et profond.

— Hum... Combien de temps, encore, le déminage du secteur sud-est ?

— Environ une semaine. Peut-être dix jours.

— Je complète les plans. Après, je t'aide. Dans la baie.

Joie de savoir nos esprits allégés. Tuang a surgi ; il soufflait comme un phoque.

— Lu ! Khaï ! Itsuki vous veut voir ! Urgent !

Nous nous sommes précipités dans les quartiers de la Maison de Tigre. Le copain de Gertrud était rivé au portable que fixait Itsuki. Ça tapait ferme sur les touches. J'ai tout de suite compris ce qui se passait.

— S'il vous plaît... Il y a du monde... Beaucoup de mouvement... Contrat manquant réapparu... En circulation... On cherche preneur...

J'ai donné aussitôt mes directives à Khaï.

— Il nous faut absolument mettre la patte dessus. Essayez de prolonger les négociations pour retracer l'interlocuteur de Sieng Paï. Au fait, il est là ?

Le copain de Gertrud m'a répondu.

— Oui. Mais quel futé !

— Comme toi ! Je cours prévenir Kuhaï.

J'ai dévalé l'escalier pour passer par les bois, derrière les quartiers de Sieng Paï, afin qu'il ne me voie pas. Je suis parvenue à bout de souffle dans les quartiers de la Cinquième Maison. Kuhaï était déjà en train de parlementer. Les hommes attroupés m'ont laissée passer. Il paraissait calme, absorbé. De toute évidence, il avait l'habitude de ce genre de situation, contrairement à Itsuki qui affichait plus de fébrilité. Cela m'a rassurée.

— Un demi-million US, ça te va ?

La situation dépassait mes capacités d'évaluation ; je lui faisais confiance. Je n'étais pas sans savoir que ce contrat comportait plus de risques que les autres. Il fallait exiger une somme plausible. Un Loup vivant, doté de facultés paranormales et cherchant à se venger, serait beaucoup plus dangereux qu'un Loup mort. Personne ne serait assez téméraire pour accepter d'exécuter un tel contrat à rabais. Bien sûr, on ignorait toujours que mes facultés étaient inopérantes lorsque j'étais en cause et que la vengeance, même indirecte, contraire aux règles de Loup, m'était interdite sous peine de mort. Le temps passait. Je regrettais de ne pas pouvoir sonder. J'aurais su tout de suite. Brusquement, tout est disparu de l'écran. Quelqu'un détenait le contrat et ce n'était pas Kuhaï. J'ai explosé.

— *Shit!* Vous, Asiatiques, au lieu de fonctionner à l'horizontale, vous ne pourriez pas procéder comme les Américains, à la verticale ! Comme ça, au moins, j'aurais su dans quelle direction chercher !

J'avais un urgent besoin d'air. Je me suis extirpée du groupe pour recouvrer ma liberté ; un peu d'espace vital... Aussi bête que de chercher sa paire de lunettes et de la trouver sur son propre nez !

Des mois que je m'évertuais, et voilà que je venais de me donner la réponse. Effrayante... J'ai regretté de m'être laissé emporter. Kuhaï était intelligent. Il avait sans doute déjà compris que le tireur de ficelles n'était nul autre que la CIA qui profitait des réseaux asiatiques, reconnus pour leurs structures complexes, savamment ramifiées. Le passé marchait sur mes talons, me les écorchait ! Kuhaï m'a rejointe dans le champ aux abords de leurs quartiers.

— Tu as peur.

— Tu parles ! Si j'étais seule en cause, passe encore, mais un enfant...

J'ai coupé court ; ça m'avait échappé. J'aurais voulu le lui annoncer plus doucement...

— Michelle et Kuhaï, plus forts que le poison.

Et il a souri. Transfiguré. Un homme à deux visages, diamétralement opposés. Jamais je n'aurais pu imaginer à quel point il était beau... Et de l'entendre prononcer mon véritable nom... J'étais sidérée. Tout en continuant de sourire, il est parti en direction des autres. Je suis retombée sur terre. Comment diable avait-il su à propos du poison qui m'avait rendue stérile ? Il s'éloignait.

— Comment sais-tu ?...

Il n'a pas répondu. Il ne s'est pas même arrêté, ni retourné. Ça m'a piquée au vif ; parce que nous avions conclu une entente : question-réponse. Alors, je lui ai crié :

— Toi, tu es la pire catastrophe qui me soit tombée dessus !

J'ai quitté les lieux, folle de rage. Je n'ai pas su ce qu'il a dit à ses compagnons en se retournant pour me regarder partir, toujours souriant :

— Cette femme, elle me fouette !

Pendant mon absence, Peï et Olivier avaient mis au courant les coopérants de la prophétie du Tigre et du Loup, et de l'Alliance à laquelle nous avions tous, hormis la Cinquième Maison, accepté librement de donner nos vies. Ce qui les avait impressionnés le plus était, bien sûr, l'aspect fantastique. Mes facultés télépathiques et télékinésiques, ma capacité de prendre la douleur physique et psychologique et de rendre la sérénité en échange, l'Épreuve mystérieuse dont tout le monde, sauf moi, ignorait la nature, et le fait que j'étais là pour protéger la vie, sans discrimination, de la mort, des accidents, des attentats, des blessures. On en était à me regarder, à me considérer comme si j'étais fraîchement débarquée d'une autre planète, pire, comme si j'étais un nouveau Jésus. Ça m'irritait profondément. Ajoutez à cela les mesures extraordinaires implantées par Itsuki, depuis la prise du dernier contrat vacant, pour veiller sur le Loup. Plus d'armes en circulation, des sentinelles devant mes quartiers alors qu'il y avait tant à défricher, à déminer et, pour coiffer le tout, quelqu'un constamment avec moi. Si l'on m'avait bouclée à triple tour, cela n'aurait fait aucune différence. Déjà que c'était trop communautaire à mon goût, voilà qu'on me privait de toute intimité. J'avais l'impression qu'on manipulait ma vie. Contraire à ma nature. Au bout de quelques heures, j'étouffais, et je me suis plainte à Khaï. Il abonda dans mon sens, considérant qu'il y avait peut-être eu exagération de la part d'Itsuki, néanmoins bien intentionné, et que je demeurais la mieux placée pour savoir… Itsuki et moi, nous avons résolu de reprendre notre existence comme avant et de miser sur notre confiance en l'Impondérable, ce point minuscule au centre du signe de l'Alliance, qui, justement, établissait la différence entre la fatalité et la liberté dans notre engagement. Dire que, peu de temps auparavant, je pestais en silence contre le déterminisme dont on avait affublé ma destinée à coups de prophétie, d'Écrits et de pages scellées, d'épreuves, grande et petites, de tache brunâtre au creux de la Main de Loup, une main qui ne m'appartenait même pas !

Les soirées ressemblaient de plus en plus à de doux temps. Les amitiés, les couples se renforçaient. L'aménagement des pistes avançait. Bientôt, la reconstruction, tant souhaitée, deviendrait réalité. Nous avons fini de déminer le secteur sud-est plus tôt que prévu. En cinq jours. Kuhaï avait décidé de me donner un coup de main en faisant venir plus d'hommes et en m'aidant à planter les branches qui servaient à repérer les mines. Les Écrits avaient au moins du bon ; je pouvais m'y fier. *Là où le Loup, point de mort, ni de blessure. Malheur à celui qui ne marchera pas dans les pas du Loup ; il perdra pied.* Ils les avaient tous conservés, Dieu merci.

J'avais parlé à Kuhaï de mon endroit secret préféré. Tous les soirs, il venait m'y rejoindre. Avant même qu'il n'apparaisse, Pyjama me prévenait. Il ronronnait toujours en sa présence. Kuhaï prenait alors des nouvelles de mon « petit ventre » en plaquant contre mon bas-ventre sa large main, au toucher presque irréel qui me brûlait la peau de désir. Il était très affectueux, et j'étais ravie de constater qu'il serait présent durant la grossesse. Encore plus quand je songeais à l'homme, à la description qu'Itsuki en avait faite, quelques mois auparavant, en laissant échapper, à la toute fin, un cri du cœur dont je saisissais mieux le sens à présent. Je me doutais bien qu'il se posait des questions. À mon sujet, à propos de mon passé. Il m'avait offert le sien, Mungo... et de toute évidence, sa vie à venir, un enfant... Je ne me sentais pas encore prête, pas assez forte, mais je cheminais. Je continuais de croire que l'amour survenait lorsque l'autre, du seul fait d'être, provoquait en soi le désir fou d'être meilleur... Discret, patient, il saurait m'attendre et m'accueillir. Entre-temps, quelque chose me tourmentait.

— Dis que ce n'est pas elle, pour le poison...

J'avais les lèvres pincées ; je craignais tellement d'avoir de la peine.

— Pas Tatia. La Couturière.

— Qui ?

Le médecin faisait exception à la règle, transgressait le code de déontologie régissant la confidentialité des dossiers de ses patients quand le Jaraï le lui demandait. Kuhaï les avait aidés, lui et sa famille, à fuir la guerre. Par la suite, le médecin avait refermé la plaie partant du cœur jusqu'au foie. Kuhaï l'avait, depuis, surnommé La Couturière. Il était devenu le médecin attitré de tous ceux qui vivaient en parallèle, dans l'ombre. À la suite des explications de Kuhaï, je savais maintenant pourquoi il avait été si accommodant envers moi. Il n'ignorait pas que l'enfant que je portais était aussi celui du Jaraï.

Sitôt délivrée d'une préoccupation, une autre surgissait, ajoutant son emprise sur l'esprit. Kuhaï était moins anxieux que moi. Il n'anticipait pas les problèmes avant qu'ils ne surgissent. C'était seulement à cet instant qu'il commençait à les considérer, puis à agir, le cas échéant. Aussi, lorsqu'il abordait un sujet, il tentait de m'encourager à adopter la même attitude.

— Que penses-tu de cette histoire ?

— Laquelle ? J'en ai une bonne demi-douzaine dans mon Grand Livre.

— Contrat... allant et venant.

— Surveillance depuis le ciel. Un satellite. Tous les jours. Ça leur ressemble ; ils adorent posséder.

— Ils cherchent.

— Ils soupçonnent, et attendent que je trouve. Quand je brûle, le contrat apparaît ; quand je refroidis, il disparaît.

— Maintenant, il est pris.

— Par des gens qu'on ne connaît pas. Chaud ou froid, on le retiendra. Ils ont besoin du Loup... Quand je saurai, ils s'exécuteront.

— S'ils te cherchent, c'est nous qui les trouverons. On les donnera à manger, crus, à ton tigre.

Pauvre Pyjama... Je n'ai pas mentionné la CIA ; cela m'aurait obligée à tout lui raconter. Évoquer le satellite suffisait, et le fait qu'il poursuive la conversation, sans s'enquérir de qui il s'agissait, démontrait qu'il avait compris.

Il n'était pas avare de mots et d'humour, ni de tendresse.

Restait le déminage de l'embouchure de la baie. Un peu plus coton, celui-là. J'ai décidé de devancer tout le monde. Sitôt après avoir fait Sambok, j'ai plongé. Je voulais profiter de la lumière et de l'accalmie de l'eau du petit matin. Le problème que me posait ma faculté de sonder l'eau résidait dans le fait que je ne voyais que sporadiquement. Impossible de percevoir l'ensemble, comme dans la terre. J'ignorais pourquoi. Peut-être en raison de la fluidité du milieu ? Pourtant, je parvenais à sonder les cœurs et les esprits... J'ai sondé l'embouchure de la baie en mémorisant les sections afin de recomposer mentalement le tout. Les mines étaient recouvertes de limon. J'estimais leur nombre à une trentaine ; dérisoire comparativement aux centaines enfouies dans la terre. Elles étaient toutes reliées les unes aux autres par ce qui me semblait être des fils de cuivre vert-de-grisés. J'ai passé en revue, dans ma tête, les pages scellées. Quelque part, il était question d'une toile. En reliant les sections, j'obtenais, plutôt qu'une toile d'araignée aux motifs réguliers, une configuration irrégulière qui me fit songer à un flocon de neige. Une représentation de la cristallisation de l'eau. De même qu'il ne pouvait exister deux flocons identiques dans la nature, de même je me retrouvais en face d'une forme sans référence. Je suis allée rendre compte de mes observations.

— Hum... As-tu remarqué une mine différente des autres?

Khaï faisait allusion à un genre de détonateur principal. Lorsque cette mine en particulier était actionnée, toutes les autres s'enclenchaient à cause des branchements; il s'ensuivait une explosion décuplée, en série, suffisante pour détruire un bateau d'une certaine envergure dont l'ancre aurait percuté cette mine. Le lit du fleuve était profond et présentait, à l'embouchure de la baie et le long du littoral, lorsque celui-ci était surélevé, la particularité de s'enfoncer abruptement et d'atteindre des profondeurs appréciables à trois ou quatre mètres des berges. Pour pallier cette contrainte géographique et assurer un impact destructeur, le système paraissait plutôt ingénieux.

Regroupés tous ensemble, nous avons envisagé différentes manières de déminer la baie, considérant qu'une explosion risquerait de se produire à tout instant si les fils étaient coupés avant que les mines ne soient désamorcées. En revanche, si je parvenais à trouver la mine-détonateur... Finalement, Tuang et Le Petit ont trouvé la solution : tout faire sauter. On ignorait depuis combien de temps les mines avaient été installées et les conséquences de l'érosion de l'eau sur leur mécanisme. L'une d'entre elles pouvait fort bien résister. Si bien qu'une fois la déflagration survenue, les hommes allant récupérer les débris pour les retirer de la baie, rien n'interdisait la possibilité qu'elle s'actionne à retardement et qu'elle éclate dans les mains de quelqu'un. D'une façon ou d'une autre, le risque était grand.

— Troisième épreuve de Loup, possible de la répéter?

J'ai répondu à Khaï par l'affirmative. D'instinct, j'ai reculé d'un pas. Un courant nerveux a remonté le long de ma colonne vertébrale jusqu'aux épaules et la tête qui ont tressauté malgré moi. Je me rappelais cette épreuve et combien elle m'avait terrifiée. J'ai demandé à ce que chacune des mines soit dégagée du limon, pour que je puisse les apercevoir à travers l'eau depuis la pointe surélevée, et exigé, au moment où l'esprit les détruirait, d'être seule, de les savoir tous loin de moi.

Une fois les mines visibles, les hommes se sont mis à l'abri dans le champ au Bouddha et Khaï est venu me rejoindre.

— Qu'est-ce qui t'inquiète ?

— Quand la tête de l'animal a éclaté, il ne restait plus de matière en suspension.

— Oui, Hong nous a dit.

— Je n'ai pas désiré que la tête éclate ; l'esprit a agi de lui-même, sans ma volonté. J'ai eu tellement peur de sa puissance que je me suis enfuie de crainte de détruire malgré moi la vie qui, elle, est irréparable.

— Oh, mon Petit Loup... Tant de souffrance...

Je l'ai regardé partir. La tête inclinée, le dos presque courbé. Jamais je ne l'avais vu aussi abattu. Il était profondément malheureux ici. J'ai attendu son signal. Comme convenu, il a sifflé et je me suis exécutée. La mort dans nos âmes. J'ai fixé l'esprit. Vingt-huit mines, il y en avait vingt-huit ! Autant que les pages scellées !

Quand la Mort
Ayant tissé sa toile
Du Mal en extirpera
Tonnerre, Eau, Feu et Sang
Tu connaîtras ton malheur
Car sache, Loup, que tu te meurs.

Une seule explosion ; plus de matière. Et dans la colonne d'eau, se hissant au-dessus de la surface, j'ai vu ma propre douleur, l'irréparable dont j'étais responsable.

Ce soir-là, j'ai refusé de manger et de parler. Sans le vouloir, j'ai jeté un froid sur tout le village. Il y avait là des hommes courageux ; le déminage était enfin chose du passé et la reconstruction s'annonçait comme une belle promesse d'avenir. Pas de réjouissances... Après le repas, Itsuki nous a convoqués, Khaï et moi. Le matin même, Kuhaï avait proposé ses services pour la reconstruction, moyennant un salaire d'ouvrier, fort raisonnable, versé à chacun de ses hommes. Puisque l'Alliance ne les intéressait pas, il avait appuyé sa démarche en alléguant qu'il leur serait possible de demeurer auprès de leurs familles vivant de l'autre côté du fleuve. Itsuki voyait là un premier pas de l'enfant terrible d'autrefois dans la voie de l'honnêteté et de l'honneur. Il considérait qu'un refus de notre part serait offensant. Et puis, nous ne serions jamais de trop face à l'ampleur de la tâche. Chaque partie y trouverait donc son compte. D'autant plus que le déminage s'était bien déroulé, dans le respect mutuel, aspect non négligeable du point de vue d'Itsuki. Qu'ajouter à cela ? Khaï et moi avons donné notre aval. Bon gré mal gré, l'Alliance réunifierait cinq Maisons. Ainsi qu'il était écrit...

Lorsque je suis arrivée aux abords de la petite cascade, Kuhaï était déjà là. J'ai remarqué un sac à dos posé par terre. Je brûlais d'envie de lier nos mains et nos fronts. Un peu de sérénité pour panser cette plaie vive qui me grugeait au-dedans, encore et encore. Je n'en pouvais plus d'avoir mal. Je n'ai pas osé le regarder, ni le toucher.

— Il y a là une question que personne ne m'a encore posée et qui répond pourtant à toutes les autres que tous m'ont déjà posées : le Loup, pourquoi moi ?...

J'ai senti son être tendre davantage vers le mien. Il me regardait, m'écoutait, intensément, sans me toucher. J'ai dégluti ; l'air ne passait pas bien.

— Je n'ai pas connu mes parents. Je suis demeurée à l'orphelinat d'où je me suis enfuie. D'autres parents, je n'en voulais pas. Chaque fois qu'on annonçait une visite et qu'on nous astiquait comme on astique une marchandise qui serait étalée au bon vouloir des clients, je me sauvais, je me cachais. Me sauver et me cacher, je n'ai fait que ça toute ma vie. Et on n'a jamais pu me retrouver. J'ai grandi dans les ruelles d'un quartier pauvre, parmi les ordures; libre. Une femme qui, du point de vue de la fillette que j'étais, me semblait énorme et toute noire m'a trouvée et adoptée. Une prostituée, désabusée, alcoolique, en fin de course. Toute caresse-tendresse… Elle m'a nourrie, lavée, vêtue, et quand il n'y avait pas de client, je pouvais dormir dans son grand lit, blottie au chaud contre son corps moelleux. Elle s'appelait Ella. C'est elle qui m'a inscrite à l'école, après avoir récupéré mes papiers d'identité et mon véritable nom en échange d'un service qu'elle avait l'habitude d'offrir; gratuit pour le directeur de l'orphelinat. À l'école, j'aimais bien apprendre mais, comme à l'orphelinat, je n'appréciais pas la compagnie des autres; trop de cris chez les enfants comme chez les adultes. Je suis née avec mes dispositions. J'étais trop petite pour comprendre leur importance. Mes facultés télékinésiques et télépathiques, je les ai laissé entrevoir parce que, naïvement, je croyais que tout le monde était pareil, que je n'étais pas différente des autres. Elles ont fait le tour des enfants et des adultes, de l'école et du quartier. Un jour, des inconnus sont venus chez Ella. Ils voulaient en savoir plus à mon sujet. Ils l'ont payée pour qu'elle me laisse les suivre. Ils ont pris le temps de m'observer. Un cobaye de laboratoire. Ils étaient gentils; ils donnaient de l'argent à Ella, leur nourriture était bonne et leurs couvertures, douces, ils jouaient des journées durant avec moi, et jamais ils ne criaient. Puis, ils m'ont montré des images; des hommes. Étrangers et très méchants, qu'ils ont dit. Ils m'ont fait sonder des quantités de photos et de cartes. La CIA voulait savoir où se cachait l'ennemi de l'autre côté de la frontière. Première fois que j'apprenais que se sauver et se cacher était mal… Je n'ai pas eu de difficulté à reconnaître ceux qu'ils cherchaient parmi la population civile du pays voisin. Ton pays, Kuhaï. Derrière un écran d'hommes, de femmes et d'enfants. Ils sont venus souvent me prendre à Ella pour me poser leurs questions et pour que je leur réponde en sondant. Quand les bombardements ont eu lieu, j'ai su l'injustice irréparable. Et la Terre a aussitôt commencé à pleurer sa douleur et les Morts à gémir. Ainsi qu'ils le font depuis, sans arrêt, en moi. Leur douleur est devenue la mienne. Une nuit, j'ai vu la Terre Vénérée, que je ne connaissais pas, ravagée. Il y avait là un garçon d'à peu près mon âge, maculé de terre, de sang et de larmes. C'était Khaï. J'ai continué à mourir sans fin jusqu'à ce que la douleur devienne insupportable. Alors, j'ai suivi mes propres pas et ils m'ont conduite à lui, des années plus tard. Je n'ai pas fait la guerre, on l'a faite pour moi. Pour ma liberté, pas même menacée. Je n'avais rien demandé. Besoin de rien, j'avais déjà tout. Et j'ai tué. Vos familles, vos parents, vos frères et vos sœurs, vos maris et vos femmes, vos enfants, vos proches, vos amis, vos voisins, vos semblables. Des milliers de vies ne me suffiraient pas à réparer, à rendre celles que je vous ai enlevées. Je suis Michelle, le Loup, responsable de votre douleur; et toi, tu es Kuhaï, le seul, parmi les quatre Maisons, qui n'ait pas fui, qui ne se soit pas caché, et que l'on a trahi. De tout mon être, je te demande pardon.

Je croyais avoir tout pleuré, mais les larmes continuaient à mouiller mon visage. Je ne voyais pas bien. Était-il toujours là, m'écoutait-il encore? Je ne l'entendais pas. J'ai tout juste eu le temps de me tourner. Prise de convulsions, à jeun depuis le matin, je ne parvenais pas à vomir. C'est lui qui est venu à moi et qui m'a recueillie dans ses bras. Là, j'ai gémi ma honte d'exister.

Nous avons passé la nuit ensemble, emmitouflés l'un dans l'autre, sur une couverture qu'il avait sortie de son sac à dos, après m'avoir donné à boire et à manger. Du sommeil et des baisers, sur nos corps, toute la nuit durant. Le lendemain, à l'aube, avant de regagner les quartiers de la Cinquième Maison, et moi ceux de la Maison de Loup, il m'a regardée, longuement. Puis il est parti. Depuis la veille au soir, il n'avait rien dit; ses gestes n'avaient pas cessé de me parler.

J'ai fait Sambok, fragile. En songeant à Khaï, à Kuhaï et à moi. Je considérais que Kuhaï était, de nous trois, celui qui avait le plus de mérite. Il était parti de beaucoup plus loin que nous et avait réussi à émerger avant nous. Raison pour laquelle il me procurait tant de sérénité. Alors que le Loup prenait la douleur de l'autre, rendait la paix afin de préserver la vie de l'autre, il m'avait été impossible d'en faire autant pour moi. Je m'étais convaincue de cette limite en considérant mes dispositions inactives lorsque j'étais en cause. Je croyais que c'était pour cela que je ne pouvais pas m'accorder le pardon qu'en vérité j'étais seule à me refuser. En quel honneur la compassion était-elle devenue une faculté paranormale ?…

Durant les jours qui ont suivi, j'ai essayé de me ménager. De prendre soin de moi. La proposition de Kuhaï ayant été acceptée, la Cinquième Maison s'était retirée temporairement pour s'occuper de la coordination de ses affaires. Anciennes et nouvelles. Pendant ce temps, Khaï a sorti ses plans. Et les esprits se sont ragaillardis. Des tracés minutieux, à l'image de sa calligraphie élancée et fine. En chacun de nous, l'imagination s'est mise à rêver d'une belle reconstruction. Il fallait prévoir la mousson qui nous contraindrait à suspendre les travaux ou, au moins, à les ralentir. Nous avons donc entrepris plusieurs chantiers à la fois et concentré nos efforts sur les lieux communautaires, plus grands, qui nous serviraient d'abris, le cas échéant. Au programme de la première phase : aménagement des pistes, construction des maisons de Sambok et du Conseil, rénovation complète du dispensaire, de l'école et de la maison des Visiteurs et, finalement, déménagement du hangar au futur site d'entreposage de la machinerie agricole. De la Terre Vénérée agonisante, des ronflements de génératrices, des stridences de scies, des coups de marteaux et des voix d'hommes se sont fait entendre, brisant le silence de la faune disparue. La reconstruction était enfin devenue réalité, cependant que tous avaient oublié l'Épreuve de l'Alliance.

CHAPITRE XIII

Les travaux ont commencé avant même le retour de la Cinquième Maison. Khaï était chargé de la maison de Sambok, Maïko de la maison du Conseil, Itsuki du dispensaire et Tuang de l'école. La maison des Visiteurs devait être confiée, plus tard, à Kuhaï. Dans le but de favoriser l'unité d'esprit, les hommes des quatre Maisons étaient répartis à travers tous les chantiers. Ceux des Maisons de Léopard et de Dragon effectuaient des rotations entre la construction et le transport par bateau ou par véhicules motorisés puisque l'aménagement de la piste nord était achevé. Hu et Taïn, demeurés aux Quartiers Nord, veillaient aux affaires courantes des quatre Maisons ainsi qu'aux achats et à l'approvisionnement nécessaires à la reconstruction, tandis que Fuong et Sambeke faisaient la navette entre les différents fournisseurs. Iiu, quant à lui, s'occupait de la réception et de l'entreposage en Terre Vénérée.

Tout se déroulait comme prévu. À une cadence que je qualifierais de naturelle. Un temps pour le travail ; un temps pour le repos. Le dimanche, quartier libre, et pour permettre aux familles, la plupart cantonnées dans les Quartiers Nord, de se retrouver, congé un week-end sur deux, pour tous. Nul besoin de se dépêcher, il y avait de quoi se tenir occupé durant plusieurs années. Du côté des coopérants, on ne chômait pas non plus. Walter, heureux entre deux valises, se démenait tous azimuts pour trouver d'autres sources de financement et Jenko, en pleine négociation pour l'achat d'électricité, profitait de son expertise. Olivier, accompagné de Peter et de Francis, passait ses journées à sillonner le territoire à la recherche de terres fertiles et d'eau potable. Gertrud et sœur Thérèse avaient entrepris de dresser des listes d'achats détaillées pour le dispensaire et l'école, et préparaient des plans d'aménagement intérieur pour les équipements qui y seraient installés. Marion rédigeait ses articles. Itsuki avait exigé un droit de regard avant de l'autoriser à les publier. Pour l'heure, elle se contentait de relater, sous la forme d'un journal, le vaste projet de reconstruire un village effacé de la carte par la guerre au point qu'il avait perdu son nom. Moi, je travaillais avec l'équipe de Tuang à la rénovation de l'école, là où on avait établi les quartiers de la Maison de Loup. Pour les enfants, y compris le mien ; convaincue que seule la connaissance procurait la liberté. Dans le cadre d'une prophétie, évidemment, cela pouvait sembler contradictoire pour le Loup. Mais l'Alliance, qui incarnait la réconciliation et la réunification par lesquelles chacun bénéficiait de la connaissance de l'autre afin de reconstruire, constituait précisément cette liberté qui fait grandir un peuple. Telle était sa promesse. Comment aurions-nous pu refuser d'y engager nos vies ?

Un matin, après le petit-déjeuner, Khaï manifesta de l'inquiétude :

— Mon Petit Loup, trois jours que Peter a disparu…

— Il arrive.

D'où j'étais, je pouvais apercevoir les Voisins du Sud, en provenance du cimetière, qui dévalaient la pente douce pour s'engager sur le petit pont aménagé au-dessus de la rivière. Une cinquantaine d'hommes, armés ; à leur tête, Siam et le Pingouin. Peter suivait de près. J'ai été soulagée de constater qu'ils ne l'avaient pas trop amoché. Ils auraient pu le tuer, étant donné les circonstances… Une muraille humaine s'est aussitôt formée autour de moi, tandis que je me tenais juste derrière Khaï à ma gauche et Maïko à ma droite, légèrement avancés pour recevoir les visiteurs. Au même instant, Itsuki ordonnait discrètement aux coopérants de se taire. Siam était particulièrement irrité. Peter avait eu la fâcheuse idée de ramasser des champignons hallucinogènes et d'aller les vendre aux Voisins du Sud. Siam accusait Peter d'avoir tenté d'empoisonner ses hommes pour le compte des quatre Maisons. Khaï et Maïko avaient beau essayer de le calmer, il était survolté et demandait réparation. À force de mots inutiles, les armes se sont chargées bruyamment pour se pointer les unes vers les autres. Le ton changeait, il fallait agir.

— Assez !

— La Génie Blanche, c'est toi ?

— Possible.

— Hum !

Sa haine à l'égard de l'étrangère lui sortait par tous les pores de la peau. Je l'ai sondé : glacial. Il s'est adressé à Khaï, méprisant.

— Ton village, et tu te laisses mener par cette salope !

Khaï n'a pas répondu ; il l'aurait tué. Cela n'a pas décontenancé Siam, qui nous a montrés du doigt, injurieux ; d'abord moi, ensuite Khaï :

— Toi, tu vas saigner ; et toi, tu vas t'en charger !

Je n'ignorais pas qu'il y avait deux cents autres hommes massés aux abords du village. J'ai regretté l'absence de la Cinquième Maison. J'espérais que Khaï s'inclinerait pour nous éviter un bain de sang qui m'aurait plongée dans une souffrance plus aiguë que celle qu'on s'apprêtait à m'infliger. C'est ce qu'il a fait, sachant que Siam ne revenait jamais sur ses décisions, même les plus boiteuses.

Pendant qu'on faisait entrer les coopérants à l'intérieur des quartiers de la Maison de Tigre, futur site du dispensaire, nous nous sommes mis en route vers la jungle, en direction nord-est. Il y avait là Khaï, Maïko et Jenko ; Siam et le Pingouin, accompagnés de deux des leurs. Tuang était demeuré auprès d'Itsuki, avec les autres, réunis sur la terre battue, pour protéger les coopérants et garder à vue les Voisins. On m'a dévêtue à moitié, jusqu'à la taille. Siam a avisé deux arbres auxquels on m'a attachée en me liant les mains. De taille et de corpulence presque chétives, Siam compensait son complexe en arborant un objet de puissance qui ne le quittait jamais. Un fouet, accroché à sa ceinture. Pour réparer l'idiotie de Peter, Khaï devait me fouetter. Six coups. Siam se tenait derrière moi, à côté de Khaï, tandis que les autres me regardaient de face. J'ai fixé l'esprit afin que la douleur ne soit pas, ainsi que me l'avait enseigné Peï. Khaï s'est exécuté, honnêtement, pour ne pas ajouter à la colère de Siam. Je saignais. Après le cinquième coup, Siam a voulu me regarder de face. Il se tenait près de moi, jouissant de son pouvoir. Cela a irrité Khaï, qui n'a pas pu s'empêcher, au sixième coup, de faire en sorte que l'extrémité du fouet frappe son visage. Il lui a fendu la peau, et le sang s'est mis à couler sur sa joue. Au lieu de s'en prendre à Khaï, convaincu que c'était là un simple accident, il s'est acharné sur moi.

— Je ne t'ai pas encore entendue crier.

Il a rejoint Khaï, a repris son fouet, puis l'a fait rageusement claquer, une fois. J'ai gémi. Ils sont partis sans me détacher. Siam avait exigé qu'on me laisse là, le temps de boire une bière. Tout juste huit heures du matin... Devant moi, pas un mot, pas un muscle de leurs visages n'avait bougé ; sauf au moment de se retirer, le Pingouin m'avait timidement exprimé son regret. Vrai que cette torture était injuste. Sauf s'il s'agissait de la première épreuve de Loup en Terre Vénérée : le corps.

Des heures s'étaient écoulées, et le soleil approchait du zénith. Trempée de sueur, je sentais la mouillure du sang. Le dos me brûlait, surtout là où, depuis l'épaule jusqu'aux reins, Siam m'avait ouvert la peau. Khaï gaucher et Siam droitier, il m'était aisé de reconnaître l'origine de cette douleur. Six coups de gauche à droite, un seul, plus profond, de droite à gauche. J'avais si soif que j'en avais de la difficulté à respirer. Lointain Kuhaï, sauras-tu me pardonner ?...

Il devait être près de deux heures lorsqu'on est venu me délivrer. Les Voisins s'en étaient retournés, après avoir bu et mangé. Maïko et Jenko m'aidaient à me tenir debout pendant que Khaï me faisait boire de l'eau à petites gorgées. Ensuite, il a enlevé son tee-shirt.

— Accrocher, Petit Loup.

Dans sa voix et ses yeux, tant de peine... Maïko a recouvert mon dos avec le tee-shirt. Pour que ceux et celles qui m'attendaient sur la terre battue depuis presque six heures ne voient pas. Ne pas juger la honte. À l'intérieur des quartiers de la Maison de Loup, la table était déjà prête à me recevoir. Un grand linge blanc posé dessus, deux bouteilles d'eau, du savon et un pot contenant de la pommade. Khaï est resté seul avec moi tandis que Tuang, nous tournant le dos, montait la garde à l'extérieur, devant la porte grillagée. J'ignorais ce qui se passait dehors; je n'entendais plus rien. Étendue à plat ventre sur la table, il m'a lavée et soignée de ses mains nues. En silence.

— Aujourd'hui, j'ai flagellé mon Petit Loup…

Il se tenait debout, devant moi, immobile, la tête et le dos inclinés, les bras le long du corps. J'ai murmuré :

— Première épreuve de Loup, oui…

Il s'est redressé. J'ai alors voulu toucher son visage de ma main droite, mais il m'a évitée. Il s'est empressé de sortir. Sans me regarder. Le linge et son tee-shirt, il les brûlerait. Expiation. *Contre la douleur n'aurez jamais de rancune*; j'espérais seulement qu'il parviendrait à en saisir le sens profond.

La nuit suivante, j'ai payé le prix de mes erreurs; un prix exorbitant, au-delà de tout ce que j'aurais pu concevoir. Des crampes, comme si une main m'extirpait l'intérieur. Tant bien que mal, j'ai quitté les quartiers de la Maison de Loup. Je ne voulais pas les réveiller; le hamac de Khaï, vide… J'ai marché au hasard de mes pas. Ils m'ont conduite de l'autre côté de la pointe, au bord du fleuve. Un endroit qu'on ne pouvait pas voir depuis l'aire centrale du village. Pleine lune vive. Kuhaï a surgi de nulle part, comme toujours. Nue, debout, les genoux légèrement fléchis, dans la douleur qui me déchirait les entrailles, j'ai rendu à la Terre ce qu'elle exigeait. Il m'a aidée. En silence. Il m'a lavée, m'a rhabillée, non sans constater les marques de fouet. Puis, il a brûlé tout ce qui avait été souillé par la mort. Il aurait dû me brûler avec. Au bord du Grand Fleuve, alors que l'aube commençait à étendre ses lambeaux de lueurs pastel sur les étoiles lasses, il a libéré les cendres de ses mains jointes, tendues devant nous. Ce que le feu avait purifié, je l'ai regardé se répandre dans l'air, dans l'eau et sur la terre.

— Votre Alliance, je pisse dessus !

« Trahi, il devient impitoyable », avait dit Tatia. Et j'avais le sentiment d'être maudite par une Alliance envers laquelle je m'étais engagée librement. Il avait raison, j'étais responsable. De la douleur sur moi et en moi, si exacerbée que je ne la ressentais plus. Comme la vie que je n'avais pas su préserver. Certes, il s'agissait bien de mon corps, de mon ventre, mais pas de ma vie. J'aurais dû comprendre. Ainsi, durant la grossesse, je profitais pleinement de mes facultés puisque je n'étais pas seule en cause. Lorsque le contrat était réapparu, j'aurais pu sonder. J'aurais vu, j'aurais su. Et l'épreuve du corps, j'aurais pu l'éviter. Je n'avais même pas daigné envisager la possibilité… Au lieu de protéger la vie de l'autre en moi, voilà que j'avais accepté bêtement de subir sa mort. J'avais commis une lamentable erreur. Pire, je l'avais répétée. Je n'apprendrais donc jamais ; je détruisais tout ! *Qui parle au Loup se parle; qui touche au Loup se touche; qui tue le Loup se tue.* Il m'avait parlé, il m'avait touché ; il venait de nous tuer.

CHAPITRE XIV

La Terre m'ayant tout pris, j'ai résolu de cesser de vivre. Pratiquer le silence et l'absence, me préparer à l'Épreuve ultime de l'Alliance qui, elle, me tuerait enfin. Cela s'est traduit par un changement radical dans mon attitude. Or, je n'étais pas seule. Des jours particulièrement difficiles. Peu à peu, tout a commencé à aller de travers. Une poussière, ajoutée à une autre, jusqu'à ce que l'air devienne irrespirable. Quand l'être n'y est plus, on se contente de faire par automatisme ce que l'on a à faire. Parce que la mémoire connaît les gestes. Se nourrir, se laver, se reposer, juste ce qu'il faut pour survivre et demeurer fonctionnelle ; le soir et la nuit, se replier et se complaire avec ses vieux démons. Je continuais à travailler à la reconstruction, mais j'avais cessé de parler, d'écouter, de toucher, de sentir, de goûter ; j'avais fui. Pas un jour sans que j'aille là où il faisait plus froid que dans le cimetière. Mes quartiers libres, je les passais à répéter inlassablement les exercices extrêmes. Aux abords de la petite cascade, j'ai commencé à boire et à fumer du hasch coupé d'opium, seule avec Pyjama. J'étais tellement défoncée que je suis parvenue à cesser de réfléchir.

Entre-temps, il y avait des êtres à côté de moi que je ne voyais plus. Peï, effacé, songeur, avait, lui aussi, cessé de s'exprimer. Maïko, affecté par l'état pitoyable de Khaï et l'intransigeance de mon attitude, se retrouvait seul, cependant qu'Olivier se désolait de constater que Kuhaï et ses hommes ne quittaient plus leurs quartiers. Depuis la colère de Siam qui avait entraîné le renvoi de Peter, Jenko avait de plus en plus de mal à assumer son appartenance. Itsuki n'arrivait plus à raisonner son frère, Hu, qui puisait dans les fonds communs, plus qu'il ne les remboursait, pour satisfaire une nouvelle maîtresse. Cela sans compter qu'il exerçait un contrôle serré sur les activités de Fuong, allant jusqu'à se permettre de négocier avec les fournisseurs à la place de son fils. Si bien que des matériaux de mauvaise qualité avaient été livrés. Fuong au comble de la frustration, et Khaï au comble de l'impatience, il s'en était suivi une prise de bec entre les deux hommes qui s'était soldée par le retour de la marchandise. Résultat : du retard dans l'exécution des travaux et un tas de paperasses à remplir. Quant à Taïn, il trouvait que la reconstruction mobilisait trop d'hommes et que, pendant ce temps, les affaires courantes des quatre Maisons traînaient. On laissait passer de bonnes occasions d'affaires. Il craignait que l'argent vienne à manquer. Pour ajouter à ses préoccupations, Sambeke, ne supportant plus sa condition familiale, avait abandonné le domicile conjugal. Tuang ne savait plus où donner de l'humeur face à la révolte de sa fille de quinze ans. Walter n'était pas en meilleure posture ; sa femme demandait le divorce alors qu'il n'avait ni le temps ni l'envie de s'en occuper. Marion et Francis s'engueulaient au vu et au su de tous ; Gertrud et sœur Thérèse étaient malades, incommodées par le climat qui nous éprouvait tous, d'ailleurs. Et pour coiffer le tout, les Voisins du Sud avaient repris les activités qu'ils avaient accepté de suspendre à la demande du Ministre. Leurs bateaux chargés de marchandises de contrebande allaient et venaient sur le fleuve tandis qu'ils avaient recommencé à se servir de la Terre Vénérée comme d'une autoroute. Au village, on ne les voyait jamais, mais on sentait qu'ils étaient là, à proximité. À force de contrariétés et de tensions, les disputes et les accrochages se multipliaient. Chacun usant de l'autre comme d'un déversoir. Alors, les hommes se sont mis à boire et à fumer. Pas assez de femmes…

Sitôt après le repas du soir, avant que je ne me sauve pour me cacher, Peï est venu me parler.

— Il est une responsabilité de la Terre et une responsabilité des hommes. Je vois là des esprits égarés. Désengagement plutôt qu'engagement.

— N'aie crainte, les épreuves suivront; y compris celle de l'Alliance.

— Je ne te parle pas d'épreuves.

— Je fais Sambok et les exercices extrêmes; je regarde la Main de Loup dont la tache s'agrandit et s'assombrit chaque jour; je sonde régulièrement le cimetière : froid et noir; je me prépare; que veux-tu de plus?

— Première épreuve de Loup en Terre Vénérée, tu n'as rien dit.

— Achevée.

— Je ne te parle pas d'épreuve.

J'étais si désemparée... J'ai perdu patience. J'ai éclaté, en plein centre du village. C'est sorti comme une balle de fusil. Je n'ai pas même songé que, ce soir-là, pour mille et une raisons, ils étaient tous présents, par hasard; cinq Maisons, une équipe de coopérants et deux visiteurs que je me retenais de chasser à coups de pied au cul!

— Je vais crever comme un chien!

Je suis partie. Pas un souffle, pas un mouvement derrière moi. Rien.

Un bon moment déjà que je ne comptais plus les bouteilles et les joints. Pyjama s'était retiré, en quête d'une collation de plus en plus rare qui le contraignait à parcourir de longues distances, au-delà de la Terre agonisante. J'ai cru entendre des cris, au loin. Étrange, puisqu'il n'y avait pas d'oiseaux; du moins, pas de chants audibles ici. Sans doute une dispute, impliquant une femme; Marion... qui d'autre? Je me suis dit que s'il y avait urgence, on viendrait me prévenir. J'ai laissé les minutes s'écouler; je me fichais de tout. J'étais en pleine défonce. Maïko est arrivé en courant pour m'avertir que la femme de Siam accouchait. J'ai dégelé net.

À l'extérieur des quartiers de la Maison de Tigre, j'ai vu Siam, dans toute son humilité, me confier ce qu'il avait de plus cher. À l'intérieur, la femme couchée pleurait et hurlait de douleur. L'enfant se présentait par le siège. Khaï ne parvenait pas à le retourner et Gertrud, affolée, ne savait plus comment faire pour se rendre utile. J'ai commencé par calmer la femme en prenant sa douleur. Celle de l'esprit avant tout, en posant la Main de Loup sur son front en sueur et en lui parlant à voix basse. Ensuite, j'ai sondé son ventre ; j'ai vu la vie !… J'ai fixé l'esprit de Loup et, par la volonté, j'ai fait se retourner le petit être. J'ai assisté à l'accouchement, qui s'est bien déroulé puisque la femme en était à son quatrième enfant, en prenant la douleur qui brûlait mon ventre vide. Un garçon, maculé d'eau, du sel de la mère et de sang vif, qui respirait…

— Vraiment, tu es la plus grande.

Dehors, devant tous, Siam a reconnu le Loup. Dès lors, les Voisins du Sud seraient nos alliés. Deuxième épreuve de Loup en Terre Vénérée. Le cœur. J'ai vu Khaï, complètement brisé, et Kuhaï qui me regardait. Des jours que j'évitais son regard de peur de ne plus m'y apercevoir. J'ai bien vu que j'y étais encore, probable que je ne l'avais jamais quitté, qu'il ne m'en avait jamais chassée. Ça m'a rachevée. Cette nuit-là, j'ai déménagé mes quartiers. J'ai pris tout ce qui m'appartenait et je l'ai déposé aux abords de la petite cascade. Puis, j'ai emprunté un sentier qui montait vers le nord, et j'ai pénétré dans la jungle, en retrait. Là, j'ai brûlé tous mes cahiers. À mon retour, j'ai trouvé Kuhaï, adossé à un arbre, une bouteille de bière à la main, qui m'attendait dans le sentier.

— Quand tu n'es pas là, je bois. Quand tu es là, je bois, parce que tu n'es pas là.

Enfin, il me parlait ; encore, il me pardonnait…

— Oh, Kuhaï… Qu'est-ce que je vais faire de toi ?…

— Me mettre dans ta couche ?…

Il avait l'air si piteux, le Grand Jaraï, qu'il me paraissait tout petit ; un enfant qui ne demandait qu'à se faire prendre par la main.

— Ça, c'est déjà fait.

D'un geste brusque, sans se retourner, en me fixant, il a jeté derrière lui la bouteille à moitié entamée. Nous avons lié nos mains et nos fronts. Jamais je ne me lasserais de cet homme.

— Pardon… À toi… À Kumi…

Il lui avait donné un nom ; à ses yeux, il existait toujours. Pas de mot pour dire combien cela m'a bouleversée. Je croyais qu'il m'avait reniée alors qu'il s'était retiré pour apaiser sa peine et, ainsi, ne pas ajouter à la mienne. Faire son deuil et respecter le mien. Je comprenais enfin le sens de ses gestes. La compassion étant le mode de communication entre les êtres le plus absolu qui puisse exister, toujours nous nous pardonnerions. Tel serait notre engagement mutuel. À jamais et au-delà de la mort. Ma bouche a pris la sienne. Ses mains étaient fébriles. Le désir ne nous quitterait plus ; il s'approfondirait, s'étendrait. Nos corps pressés l'un contre l'autre, comme si nous n'étions plus qu'une seule et même personne. À bout de souffle, nous avons relâché un peu notre étreinte.

— Je suis soûl, MaMiche, va-t'en…

Joli surnom, j'ignorais… J'ai regagné mes nouveaux quartiers. J'ai enfilé un short et une camisole et je me suis couchée par terre dans ma couverture. Demain, j'installerais un hamac. Par chance, on avait aménagé un cabinet de toilette, une cabane non loin de là, par commodité durant le déminage et l'aménagement de la piste. Douce harmonie des gouttelettes d'eau en cascade… J'ai regardé une dernière fois Kuhaï assis, adossé à un tronc couché, et j'ai pensé à Kumi, contraction de Kuhaï et Michelle.

Je dormais l'esprit apaisé quand j'ai senti une présence à côté de moi. J'ai ouvert les yeux. Il était agenouillé, les cheveux en bataille, en slip.

— J'ai pris un bain.

Sous-entendu, dessoûlé et propre, admissible dans notre couche. Cela m'a amusée et attendrie de le voir me demander la permission. J'ai consenti aussitôt. Mais avant de s'étendre, il a pris soin de m'enlever ma camisole et de glisser sa main chaude à l'intérieur de mon short.

— Comment ça se passe ?

— Quatre jours.

— Oh… Déjà quatre longues journées de période dans ton petit ventre…

— Il faudra demander au médecin pour vraiment savoir.

— J'ai confiance en nous.

— Peut-être seras-tu déçu...

— Combien en veux-tu?

— Autant que je le pourrai.

— S'aimer librement, laisser faire la nature. Je nous construirai une grande maison.

— Mais si elle restait vide?

— Impossible, toi et moi, nous serons toujours là.

La nuit fut courte mais douce. Des baisers, partout, en dormant.

Première vision qui me fut offerte, au petit matin, son sourire. Rien que pour moi, le plus beau de tous... Et ses yeux de lumière qui me regardaient profondément. Cela m'a intimidée. Ensuite, sa bouche, gourmande. Des caresses, aussi, irréelles, envoûtantes. À contrecœur, nous avons dû nous lever. Je me suis rendue à la cabane. En revenant, il était déjà parti. Aussi bien l'accepter d'emblée; il ne disait jamais au revoir, s'absentait pour un temps indéterminé, et ressurgissait de nulle part. Avec de pareilles habitudes, comment ne pas le désirer?

Lorsque je me suis présentée au petit-déjeuner, aux quartiers de la Maison de Loup, je m'attendais à de la froideur, compréhensible. Mais non. On m'a accueillie toute caresse-tendresse. Sans le vouloir, le fait d'avoir perdu patience et, par mégarde, révélé ce qu'il pouvait m'en coûter de m'être engagée les avait émus et, surtout, leur avait rappelé leur propre engagement que, dans une certaine mesure, nous avions tous, y compris moi, oublié. J'ai pris quand même la peine de leur faire mes excuses, particulièrement à Peï. Je n'avais pas le droit de me laisser emporter.

— S'il vous plaît... puis-je... pour les épreuves?...

Préoccupé par l'autre, Itsuki voulait savoir. Ils voulaient tous savoir.

— Les première et deuxième épreuves de Loup, le corps et le cœur, terminées, oui...

— Et l'esprit?... m'a-t-on alors demandé.

— Plus tard.

— Et l'autre ?... s'est enquis Le Petit dont les yeux trahissaient une inquiétude grandissante qui les gagnait tous.

— Pas de Tigre... Après la pluie ?...

Jamais on ne m'en tiendrait rigueur. On ignorait le sacrifice du Loup, su et tu, qu'exigeait l'Alliance afin que leurs vies soient préservées. Si j'avais voulu apaiser leurs esprits, je n'y serais pas parvenue. Pas de cette façon.

CHAPITRE XV

La naissance du fils de Siam, survenue à l'improviste, nous avait fait prendre conscience que nous étions mal équipés pour répondre aux urgences. Par exemple, une césarienne eût été traumatisante sans anesthésiant ; pas de glace pour la conservation d'un doigt ou d'un membre sectionné ; pas d'éclisses pour l'immobilisation du corps, en tout ou en partie... Gertrud et sœur Thérèse étaient déjà en train de se pencher sur une nouvelle liste, inspirée, cette fois, par tous les imprévus possibles, quand j'ai rendu visite à la mère et à l'enfant avide qui tétait. Fascinant de contempler le miracle de la vie, combien l'être humain est précieux. Le père, exténué pour avoir festoyé toute la nuit, ronflait. Les Voisins quitteraient la Terre à son signal. Dans quelques heures... ou quelques jours. En attendant, ils avaient rejoint, pour la plupart, la Cinquième Maison qui s'affairait à la rénovation de la maison des Visiteurs.

Les sons familiers avaient repris. Je n'en pouvais plus de percevoir la douleur invisible et muette de Khaï. Je suis allée l'interrompre. J'avais résolu de le mener avec moi au cimetière. Depuis mon arrivée en Terre Vénérée, je n'y étais jamais allée, contrairement à lui qui s'y rendait tous les jours. Au fur et à mesure que nous approchions, je ressentais de plus en plus le froid qui me glaçait au-dedans. J'avais la chair de poule. Il s'en est aperçu mais il n'a rien dit. Il continuait de marcher. Il y avait quelque chose de malsain en lui. De les avoir laissés me faire du mal; pire, d'avoir été contraint de devenir l'instrument de leur torture, la main qui m'avait infligé des plaies, ineffaçables sur ma peau malgré ses soins; pour ensuite sauver la vie d'un des leurs, et ainsi participer directement à leur continuité, au fil des générations, dans la mesure où l'enfant deviendrait homme, puis père à son tour; c'était beaucoup trop à supporter pour un seul être. Pas de mot pour dire sa haine à l'égard de ceux qui lui avaient tout pris. Chaque parcelle de cette Terre maudite ravivait son souvenir. Le pardon était tout simplement inconcevable, en son âme et conscience meurtries. Il retournait au cimetière pour ne pas oublier, afin que plus jamais la folie qui avait ravagé son pays ne germe de nouveau et ne se reproduise. Seule motivation, raison unique pour laquelle il s'était engagé envers l'Alliance. Il se faisait un devoir de cultiver sa mémoire. Maladivement. En ce sens, son engagement, juste et consenti, n'était pas libre; il restait prisonnier de sa blessure.

Dieu que j'avais froid!... L'endroit était pourtant agréable. On y accédait par un petit escalier de pierres taillées dans la colline. Une jolie clairière, entourée de végétation, au bord du Grand Fleuve d'où parvenait le vent qui agitait gaiement les feuilles, redonnant presque vie aux arbres accablés. À gauche, un banc de pierre; au centre, vis-à-vis, une dalle, d'un blanc immaculé, qui tachait l'herbe folle; à droite, un arbuste que j'ai aussitôt reconnu. À peine aussi élevé qu'un églantier, il portait de petites fleurs blanches qui me rappelaient les clochettes du muguet dont j'appréciais tant le parfum. Le temps était venu de lui parler de cet arbrisseau. Nous avons pris place sur le petit banc, côte à côte, devant la dalle et l'arbuste, juste au fond.

— Dans les pages scellées, j'ai lu que ses fleurs étaient éternelles, qu'elles se succédaient les unes après les autres, afin qu'il demeure toujours en fleur. Si je meurs en Terre Vénérée, je veux que tu me déposes à ses pieds.

Il a cessé de le regarder, a baissé la tête et passé sa main sur son visage. Après quoi il s'est levé. Il est parti lentement, comme à bout de forces. Il ne parviendrait pas à traverser les épreuves; il les accumulerait dans son jardin intérieur où la lumière cesserait d'exister.

Il retournerait ainsi sa rancune contre lui-même. D'où sa souffrance. Il se détruisait en même temps qu'il me détruisait. J'aurais voulu qu'il se pardonne ainsi que je l'avais fait pour d'autres motifs. En vain. Au lieu d'écouter la vie, il n'entendait plus que la mort. Atteindre le fond; espérer remonter... En liant nos mains et nos fronts, en nommant la blessure du passé, Kuhaï avait reconnu humblement qu'il avait besoin de l'autre. J'avais cru pouvoir continuer seule. Je me trompais. Comme Khaï à cet instant. Personne n'est seul. Précisément ce que Hong m'avait appris lors de mon séjour au Sanctuaire. Quoi qu'il advienne, d'avance j'avais tout pardonné à Khaï.

J'ai eu envie de m'agenouiller sur la dalle toute blanche. À peine m'étais-je installée que la chaleur m'a envahie. Plus de froid. *Ils* étaient là. Et j'ai accueilli un peu de cette paix qu'ils m'offraient, et à laquelle nous aspirons tant, pauvres humains, de ce côté-ci de la vie.

Les Voisins s'en sont retournés par la piste sud, maintenant aménagée; la mère et l'enfant sur la civière de fortune qui les avait portés jusqu'à nous. Après le repas du soir, je me suis rendue à l'endroit le plus froid de la Terre. J'étais partagée entre l'idéal et la peur, les deux extrêmes de l'existence. Je ne savais plus où j'en étais au sujet de l'Épreuve de l'Alliance, comme si l'esprit et le cœur avaient du mal à se rencontrer en ce point. Ça se tiraillait au-dedans. En rebroussant chemin, j'ai aperçu quelque chose qui miroitait par terre. Une gourmette. Je l'ai sondée. Elle appartenait à un homme de la Cinquième Maison. J'ai pensé aller la lui remettre. Peu avant mes quartiers, il y avait un sentier ascendant vers le sud. Un raccourci dans lequel je me suis engagée. Derrière, j'ai entendu une voix. Je me suis retournée. Postée en surplomb, je voyais Xien Lu parler à Khaï. Il se trouvait là sans doute avec l'intention de me voir pour discuter. Hélas, elle l'avait suivi. Ils se tenaient debout, face à face; lui, immobile, impassible; elle, racoleuse. Elle portait une robe courte, étriquée, dont le devant était fermé jusqu'au bas par une fermeture éclair qu'elle a descendue complètement. En dessous, elle était nue. Elle s'est étendue sur le sol à ses pieds, les bras le long du corps; a replié ses jambes et les a écartées. Il s'est agenouillé entre elles; rapidement, il a ouvert son pantalon et a empoigné son pénis. Durant le temps qu'il a mis pour éjaculer, sans plaisir, elle n'a pas bougé. Enfin, il s'est retiré, s'est relevé, a refermé son pantalon, et il est parti. J'avais souvent entendu Jenko affirmer qu'il saurait se charger d'elle. Il aurait très bien pu; les hommes de la Cinquième Maison aussi; assez téméraires pour ça... Khaï avait choisi de s'en occuper avant que la situation ne se dégrade. Xien Lu s'était rabattue en position fœtale; elle pleurait. Khaï lui avait épargné la violence, mais non l'indifférence. Cruauté.

— Il lui avait déjà tout dit. Elle a refusé de le croire. Maintenant, elle sait. Ne t'inquiète pas pour Gros Minou, je m'en occupe.

La mort sans fin qui prive l'être de lui-même et des autres... Maïko était mieux placé que moi pour lui venir en aide.

J'ai laissé Maïko finir de déménager ses quartiers à côté des miens. J'ai cru comprendre que Khaï s'absenterait, du moins psychologiquement, le temps de se retrouver, et que Maïko avait décidé de prendre la relève. J'ai poussé jusqu'aux quartiers de la Cinquième Maison. Un feu gambadait sur la surface de la rivière au son de la musique rêche d'une radio à piles. Parmi les hommes épars, j'ai aperçu celui à qui rendre le bracelet. Je me suis dirigée vers lui.

— Tiens, de la visite!

Olivier, qui était en train de discuter avec Kuhaï, venait de remarquer ma présence.

— Ici, la visite, c'est toi! lui a-t-on lancé sur un ton moqueur.

— Ah bon? Et elle, qu'est-ce que c'est?

— Famille! lui a répondu un autre en riant.

J'ai eu droit à bien des sourires, y compris celui d'Olivier, pendant que je remettais la gourmette à son propriétaire. J'allais enfin pouvoir me faire cajoler lorsqu'une étrange sensation m'a alertée. J'ai commencé à reculer en fixant un autre sentier qui débouchait un peu plus loin sur la grève. Avertis, les hommes se tenaient aux aguets; ceux qui étaient assis, prêts à se lever; radio éteinte, cependant que les armes demeuraient en suspens. Des froissements et des craquements de bois sec m'ont confirmé qu'il valait mieux pour moi me retirer. Le danger approchait. Je me suis dissimulée à proximité, dans l'ombre de la végétation. Kuhaï ne cachait pas son mécontentement quand Sieng Paï est apparu. Leur entretien fut bref, le moine n'étant pas le bienvenu. Pour s'assurer qu'il était bel et bien parti, on a alors constitué une chaîne de guetteurs. Vrai qu'ils étaient organisés et efficaces, ainsi que l'avait dit Itsuki. Tout danger écarté, on m'a prévenue d'un signe invitant de la main. J'avançais prudemment, le cœur un peu battant. Parvenue aux côtés de Kuhaï, je continuais de regarder et d'écouter à l'entrée du sentier en me hissant sur la pointe des pieds pour voir au-dessus de son épaule. Sans m'en rendre compte, je me servais de Kuhaï comme d'un écran protecteur. Je ne pouvais plus avancer puisque j'étais tout contre lui. Attendri, il a rabattu ses bras sur moi. Là, je baignais en pleine extase de sécurité; si j'avais pu, j'aurais ronronné de plaisir. Les gestes nonchalants ont repris; la radio aussi, en sourdine.

— Sonde-moi.

Deux mots, qu'il venait de me glisser à l'oreille, sans prévenir. Je l'ai regardé droit dans les yeux.

— Personne n'a le droit de posséder quelqu'un.

À son tour de me regarder. D'une manière si étrange, immatérielle, comme si nous venions d'échanger nos êtres et que chacun se retrouvait dans le jardin de l'autre. Je n'ai pas compris, mais j'ai senti. Nous sommes allés nous asseoir autour du feu avec les autres. Il s'est installé derrière moi, contre moi, ses bras croisés sur moi.

— Reste.

— On te protégera.

— Ta place est avec nous.

Ma place... Je ne m'étais pas posé la question. Désarmant de les entendre prononcer mon nom. Pour eux, pas de Loup, seulement Michelle. Accueillie telle que j'étais. Ni plus, ni moins. Pour ce que j'étais, non pour ce que je procurais. De même que Tatia et Boris, jamais je n'avais entendu Kuhaï m'appeler autrement que par mon véritable nom.

Maïko est venu nous rejoindre.

— Le bateau partira plus tôt que prévu, demain matin.

Kuhaï, Maïko, Olivier et moi devions monter à bord.

Quand ce fut le temps d'aller dormir, j'ai suivi Kuhaï.

— Ta robe, avec des boutons devant, emporte-la.

Il avait accroché son hamac à l'écart des autres, au bord du Grand Fleuve étoilé. Maïko et Olivier, dans la confidence…

En l'espace de douze heures, Khaï était tombé malade. Je m'en suis aperçue en entrant dans les quartiers de la Maison de Loup récupérer une serviette que j'avais oubliée.

— Hé, Gros Minou, comment vas-tu ?

— Hum… pas fier de moi.

J'ai souri. Nul besoin de tragédie. Visiblement, il partageait mon avis. Pas envie de se disputer ; plutôt considérer avec philosophie et tendresse.

— Ton paquetage, je le prends.

— Je peux encore marcher.

— Je sais. Veille de Petit Loup sur Gros Minou, doux temps…

Le trajet en bateau nous fut bénéfique. J'ai pris l'initiative de lui tenir compagnie pendant que Kuhaï et Maïko discutaient et qu'Olivier rêvassait. Je lui ai dit que je savais pour Xien Lu ; qu'elle était malade. Je lui ai dit que moi aussi je devais voir le médecin. Nous avons convenu de nous y rendre ensemble. Il m'a dit qu'il regrettait beaucoup de choses, mais aucun de ses serments. Il se les rappelait tous ; il tiendrait parole. Il savait que j'avais brûlé mes cahiers ; Peï le lui avait dit. Il ignorait toutefois que j'avais conservé mes dessins. Nos souvenirs imagés ; nos photos en quelque sorte. Toujours, il y aurait Gros Minou et Petit Loup, cela nous appartenait en propre.

CHAPITRE XVI

Sur le débarcadère, quelqu'un attendait Maïko. Sa compagne. Pendant qu'il nous présentait l'une à l'autre, j'ai vu Kuhaï s'en aller. Sans dire au revoir, comme toujours. Avec Khaï et Olivier, nous avons décidé de manger tous ensemble à une petite terrasse du port. Le bateau repartirait dans cinq jours. Il faisait beau. Chacun disposait de son programme respectif. Olivier s'apprêtait à rejoindre Sambeke en après-midi. Étudier le marché des fertilisants pour enrichir la Terre... Après sa visite chez le médecin, Khaï entendait se rendre chez lui, aux Quartiers Nord, dans une autre ville, à l'est. Une maison qu'il avait bâtie de ses mains, que je n'avais pas encore vue mais que le Loup connaissait. Faire bilan, seul. Maïko demeurait dans la Capitale Ouest à ma disposition. Moi, je devais aller chez le vétérinaire. Pyjama n'ayant pas toujours assez à manger, certains lui donnaient n'importe quoi. Je n'avais pas encore découvert les coupables, mais je m'étais juré qu'une fois chose faite, ce seraient eux qui donneraient sa pilule au tigre. Pas évident comme manœuvre. La première, il me l'avait recrachée ; je m'étais servie de la ruse en la dissimulant dans une boule de riz gluant.

— Perdre la main... moi, je ne m'y risquerais pas...

Olivier ne saisissait pas ce que Pyjama représentait pour moi.

— Un être humain qu'on aurait enfermé, complètement isolé,

finirait par devenir fou parce que nous avons tous un besoin vital de communiquer. De donner et de recevoir. Même principe pour la Connaissance qui se tait. Permis de savoir, interdit de révéler ; ça me rend folle. Alors, je dis tout à Pyjama.

Au moment de nous séparer, Khaï m'a confirmé notre rendez-vous, le lendemain matin. Entre-temps, il séjournerait chez Olivier qui occupait un petit appartement non loin du port. Il ne s'est pas enquis de l'endroit où je résiderais, mais il m'a dit au revoir. Il s'est mis en marche avec Olivier.

— L'amour te va à ravir.

J'ai interrogé Maïko du regard pour savoir si son amie savait bien de qui elle parlait.

— Quinze années qu'elle est ma fidèle Pyjama.

Je me suis débarrassée de mon paquetage, j'ai téléphoné à Tatia ; je me suis rendue chez le vétérinaire, j'ai fait du lèche-vitrine ; puis j'ai acheté de quoi manger. Sans m'en apercevoir, l'après-midi s'en était allé lorsque je suis rentrée à la maison préparer mon premier repas. J'ai mangé seule ; j'ai lavé la vaisselle ; j'ai flâné dehors aux alentours ; je me suis fait couler un bain ; puis je me suis couchée. Autant de gestes, semblables à ceux de n'importe qui. Rompre avec ma vie abracadabrante, renouer avec la banalité, ça n'avait rien de désagréable.

Il devait être tard lorsque Kuhaï m'a rejointe. Pas de question ; pas de compte à rendre. Liberté d'aimer ; pleine confiance. S'embrasser en dormant, jusqu'au lendemain. Au moment pour moi de partir, à jeun à cause des examens, certains s'étaient levés, d'autres, comme Kuhaï, dormaient encore. Je me suis agenouillée ; je l'ai regardé ; apaisé. Pas nécessaire d'élaborer une description détaillée, tout en lui me bouleversait. J'allais faire coulisser la porte…

— Ton parfum, MaMiche, toujours il te trahira.

J'ai souri. Lui aussi. Sans nous regarder. Complicité.

J'ai retrouvé Khaï au coin d'une rue. En route pour aller voir La Couturière. Au sortir, nos esprits étaient soulagés. De part et d'autre, la situation était plutôt encourageante. Khaï s'était vu prescrire des antibiotiques que nous sommes allés chercher à la pharmacie. Pas de séquelles à redouter. Le passé regagnerait le passé. Quant à moi, l'énigme médicale qui suscitait grandement l'intérêt, j'allais bien. Contrairement à ce que je croyais, c'était le poison et non l'épreuve du corps qui avait provoqué la fausse couche. La santé était excellente ; des irrégularités dans le cycle menstruel étaient à prévoir à cause de ma condition particulière de Loup. Stérile le temps d'accomplir l'Alliance. En revanche, impossible d'expliquer médicalement, avec certitude, l'apparition de Kumi autrement que par un désir profond de vie. Kuhaï avait peut-être raison en affirmant qu'il suffirait de s'aimer. Considérant l'Épreuve de l'Alliance, la stérilité me rassurait. J'étais fatiguée de la mort. De la mienne comme de celle des autres.

Douce était l'impression qui émanait de Khaï et moi, marchant côte à côte dans la ville. Cela me rappela nos dimanches après-midi… Beaucoup de choses avaient changé à l'extérieur, mais pas à l'intérieur. À mes yeux, ce qui nous avait toujours unis ne changeait pas, il évoluait. Nos limites, nous ne les dépassions pas, nous apprenions à les contourner en nous découvrant mieux chaque jour. Une manière de nous jouer du destin et de la flèche du temps à sens unique. Je le regardais partir. Il s'est retourné. Caresse-tendresse dans ses yeux bridés. Pour me dire sa solitude. Il n'était pas bien loin de la voie de l'apaisement puisque déjà il la désirait.

Je n'avais pas l'intention de m'imposer en m'incrustant chez Tatia. Or, manifestement, elle cherchait à me retenir. Je n'ai pas insisté et je suis restée. Toute la journée. En fin d'après-midi, j'ai jugé qu'il était temps de me retirer. Mais voilà que Boris me retenait à son tour. Il se passait des étrangetés. Je ne parvenais pas à les discerner parce qu'en dehors du fait de me retenir ils agissaient comme à leur habitude. J'étais intriguée. J'avais beau les observer, je ne trouvais aucun indice hormis le fait qu'on ne voulait pas me savoir ailleurs. Kuhaï est arrivé à l'heure du repas. J'ai conclu à une surprise. Notre première rencontre à quatre. La chimie entre deux couples n'est pas forcément acquise. Souvent, l'un et l'autre s'adonnent ; parfois trois ; par bonheur quatre. Je me suis vite rendu compte que nous faisions partie des privilégiés. Paradoxalement, c'était dans nos différences respectives que nous nous reconnaissions le mieux parce que la différence de l'autre, lorsqu'on la désire, constitue précisément ce qui nous fait grandir.

Il faisait encore assez clair lorsque Kuhaï a annoncé notre départ. Je m'attendais à une sortie, mais il nous a menés directement à la maison. J'allais entrer par la porte de côté quand il m'a prise par la main pour m'entraîner vers l'extérieur. En fait, pour passer par l'autre porte. Sa main était moite, il n'était pas dans son état normal. Contre toute attente, je le sentais nerveux. De toutes mes forces, j'ai souhaité qu'il ne m'annonce pas de mauvaise nouvelle. Au lieu de cela, il m'a fait gravir un escalier étroit et abrupt, dans la cuisine, qui nous a conduits à l'étage supérieur. Un salon, meublé, avec des fenêtres donnant sur la ruelle. Par terre, un grand drap de soie bleue, un coffret de bois et un bout de papier replié. Au fond, près du mur, une cassolette contenant de l'encens prêt à être brûlé. Il s'est posté de profil, à côté d'une fenêtre par laquelle il s'est mis à regarder la ruelle. Je me tenais en retrait, derrière, à sa droite. Sa nervosité devenait mienne. J'attendais la suite qui, me semblait-il, mettait une éternité à survenir. Il s'est éclairci la voix. Aux antipodes de ses habitudes. Les battements de mon cœur se sont accélérés.

— J'étais ici avec Boris. Un service qu'il me demandait. Et là, il y avait cette femme. Blanche. Les cheveux défaits, un pantalon usé et une vieille chemise trop large, trop longue. Les Occidentaux... plus ils sont riches, plus ils se sentent à l'aise dans l'habit du pauvre... que je me suis dit. Elle lisait une lettre, la tête penchée, si bien que je ne voyais pas son visage. Je ne sais pas comment l'expliquer, mais j'étais si concentré à la regarder qu'elle a empli ma vue. Elle a brûlé le papier. Et puis, elle s'est mise dans un état de rage ; tu aurais dû la voir, une vraie tigresse ! Ensuite, elle s'est immobilisée, elle a levé son visage, et ses yeux se sont ouverts. J'ai su aussitôt. J'ai reculé de peur qu'elle ne me voie. Idiot, je me suis senti nu devant elle. Jamais personne ne m'avait encore intimidé. Durant une semaine, je n'ai rien su d'elle, sinon qu'elle était toujours là. Cette femme, elle te donne des palpitations du seul fait d'exister. Elle te parle comme tu ne permettrais à personne de te parler. Au lieu de te mettre en colère, elle te fouette.

Il s'est retourné pour me regarder.

— Avec toi, je me sens tellement vivant !…

J'étais bien trop émue pour dire ou faire quoi que ce soit. Il s'est rapproché. Jusqu'à lier nos mains et nos fronts.

— Te donner mon nom. Il ne vient de personne puisque, comme toi, je ne suis de personne. Il n'est pas noble, mais il est mien. Il représente tout ce que je suis.

Dans le plus pur style d'une très ancienne tradition qui m'était inconnue, il a fait brûler l'encens, m'a invitée à me déchausser et à m'agenouiller sur le grand drap, devant lui. Face à face. Dans la même posture. Il a tendu ses mains, paumes ouvertes, en signe d'offrande. J'ai posé les miennes sur les siennes, paumes vers le bas, en signe d'accueil. Paumes contre paumes, en signe de partage. Comme avec Peï… Il a alors entrepris une sorte de litanie à laquelle j'ai répondu sans aucune hésitation :

— Mon nom à ton nom.

— Ton nom à mon nom.

— Pas d'autre nom que le nôtre.

— Pas d'autre nom que le nôtre.

— Mon corps, mon cœur, mon esprit à ton corps, à ton cœur, à ton esprit.

— Mon corps, mon cœur, mon esprit à ton corps, à ton cœur, à ton esprit.

— Pas d'autre alliance que la nôtre.

— Pas d'autre alliance que la nôtre.

— À jamais et au-delà de la mort, je t'en fais le serment.

— À jamais et au-delà de la mort, je t'en fais le serment.

Ensuite, il a ouvert le coffret de bois dans lequel se trouvaient des alliances, enveloppées dans de la soie. Des anneaux en pierre d'agate tigrée, incrustés dans des anneaux d'or. Il a saisi celui qui m'était destiné et me l'a passé au doigt. Il a considéré ma main, l'air satisfait, puis a retiré l'anneau et l'a rangé à sa place. Il a refermé l'écrin.

— Le papier ?

— Je voulais faire les choses correctement.

Un aide-mémoire, au cas où la nervosité lui aurait joué un mauvais tour. Peï lui avait dicté la litanie qu'il avait retranscrite. Apprendre que Kuhaï se confiait à Peï me réjouit. J'avais toujours pleine confiance en Peï. Mieux que quiconque, il savait écouter et expliquer. Je ne pouvais pas souhaiter un meilleur ambassadeur pour faire comprendre à Kuhaï cette Alliance, qu'il avait autrefois refusée, et à laquelle j'étais irrémédiablement liée. Son jugement l'avait bien guidé en le conduisant à Peï. D'autre part, cela m'éclairait sur certains détails. Par exemple, comment Khaï avait pu savoir par Peï que j'avais brûlé mes cahiers. Assurément, Kuhaï s'en était inquiété et en avait fait part à Peï. Qui sait, peut-être Khaï en savait-il davantage. Il était intelligent ; moi, tout ce que je désirais était de ne pas ajouter à ses préoccupations. Je n'avais rien à cacher, seulement des vies à protéger.

Kuhaï et moi avons uni nos destinées par un mariage civil, le lendemain matin, devant, comme seule assemblée, nos deux témoins, Boris et Tatia. Après quoi nous avons passé trois jours dans une île, à nous laisser porter par le désir. Nous avons accompli plus qu'en trois vies. J'ai su toute son histoire ; il a su toute la mienne ; nous avons su la nôtre, celle en devenir, impondérable. Pour des raisons de sécurité, liées à la présence de Sieng Paï en Terre Vénérée, nous nous sommes résignés à taire notre mariage et à ne pas porter nos joncs jusqu'à l'Alliance.

À notre retour dans la Capitale Ouest, une bonne nouvelle m'attendait. Les résultats d'analyses révélaient que le poison était disparu de l'organisme. Une page que je pouvais enfin tourner.

CHAPITRE XVII

Lorsque nous sommes arrivés en Terre Vénérée, la surprise la plus totale nous attendait. Des hommes, des femmes et des enfants; partout. Cinq Maisons, une équipe de coopérants, deux visiteurs problématiques et les Voisins du Sud. Une visite inattendue de Siam venu montrer fièrement son jeune fils. Une idée de Marion qui avait proposé à Itsuki rien de moins qu'une partie occidentale avec tous les ingrédients nécessaires. Alors que des haut-parleurs, installés dans les arbres, rugissait une musique asiatico-commerciale pour enterrer les bruits de la génératrice, le grand champ au hangar était devenu une piste de danse ainsi qu'une aire de jeux où se déroulaient des compétitions amicales de tir à l'arc et de lancer au couteau. L'aire centrale en terre battue servait de bar et de buffet. Ailleurs, on jouait au soccer, aux cartes ou on se baignait. Une vaste fête champêtre, histoire de célébrer les travaux accomplis et la suspension prochaine des chantiers durant la mousson qui ne saurait tarder. Impossible de dénombrer les personnes qui m'ont été présentées. Tellement de noms et de visages... Jamais la Terre n'avait été aussi vivante.

Dans le plaisir du désir, le jeu de la séduction. Plus excitant quand on se retrouve seul parmi la foule. Kuhaï et moi avons passé la journée à jouer. Des regards, des frôlements, qui nous taquinaient, nous enflammaient d'un désir que nous ne parviendrions jamais à assouvir. En soirée, on a allumé, ici et là, des lampes dans les arbres; on se serait cru en plein ciel. La plupart des familles s'en étaient retournées chez elles. Des couples commençaient à se former pour la nuit. Musique de circonstance. Kuhaï m'a emmenée danser un slow. Nous avons préféré lier nos mains et nos fronts tout en tournant au rythme allongé de la musique plutôt que de nous astreindre à la manière conventionnelle. Nos mains et nos souffles se caressaient, se resserraient.

Durant notre brève lune de miel, je lui avais demandé de me montrer comment des générations entières avaient été, et étaient encore, conçues dans des hamacs.

— Nous, nous aurons toujours besoin d'espace, de liberté.

J'étais d'accord avec lui. Il m'avait quand même montré. Un peu étriqué mais pas vilain du tout. Ce qui teinterait notre couple de ses couleurs uniques commençait à poindre. De jolies couleurs.

Après la danse, Kuhaï a profité de l'accalmie pour aller parler au Pingouin. Rendez-vous plus tard, dans la nuit toute noire... J'allais me chercher à boire lorsque Xien Lu a surgi devant moi, soûle et en pleurs.

— Qu'est-ce que tu leur fais pour qu'ils tombent tous amoureux de toi?

Elle parlait de Kuhaï, qui n'a pas manqué de la fusiller du regard; elle songeait au mépris de Khaï, qui discutait en retrait avec le Pingouin. Sans attendre de réponse, elle a poursuivi son chemin en titubant. Presque aussitôt, j'ai senti, en provenance du cimetière, un souffle froid me happer, telle une bourrasque, et la douleur se concentrer dans la Main de Loup. Il se passait quelque chose de grave là-bas. *Ils* m'appelaient. J'ai décidé d'aller voir. Ce que j'ai vu, jamais je ne l'oublierai. Sieng Paï, éclairé par une lanterne, donnait à son corps, agenouillé sur la dalle toute blanche, des allures de monstruosité. Il était torse nu. Peut-être parce qu'il se flagellait ou que son sang souillait la dalle, ou peut-être bien les deux, j'ai jugé son geste comme étant la pire offense qu'on pouvait faire à la Terre et à ses Morts. En furie, je l'ai chassé.

— Demain, je te veux hors d'ici, à jamais ! Sans quoi je te briserai le dos par la force de l'esprit et te condamnerai à ramper le reste de ta vie, tel le serpent que tu es !

J'étais dans un tel état que je me suis empressée de partir avant de lui faire éclater la cervelle malgré moi. Je suis allée me calmer dans mes quartiers, aux abords de la petite cascade chantonnante. La musique avait fini par cesser, les lumières par s'éteindre, la plupart des gens par se retirer. Je me suis baignée. Je ne verrais pas Pyjama, en fuite avec tout ce branle-bas. La nuit était douce et chaude. J'ai enfilé une camisole et une culotte. Un frémissement m'a prévenue que quelqu'un arrivait. J'ai tout juste eu le temps de m'envelopper de mon doudou pour en faire une sorte de jupe fendue au côté gauche. Un Voisin du Sud. Bêtement excité. Trop soûl pour que j'argumente avec lui. J'ai résolu de fuir en direction du grand champ au Bouddha avec l'intention de rejoindre les autres. Hélas, il courait vite. Parvenue dans le champ, j'ai constaté qu'il n'y avait plus que l'aire centrale, avec son feu, qui demeurait animée. Je pouvais apercevoir un groupe qui discutait dans l'ombre du sentier menant au cimetière. Pour ne pas perdre l'homme de vue, je me suis retournée et me suis mise à reculer sagement. Il s'impatientait. Il mâchonnait des mots incompréhensibles tout en continuant d'avancer. Il a sorti son couteau et tenté à quelques reprises de m'atteindre. Je l'esquivais. Pas de dague ni de bâton, rien pour me défendre. Il jouait, comme la bête avec sa proie. Crier eût été risqué. Il pouvait se jeter sur moi et m'enfoncer le couteau avant qu'on n'intervienne. J'ai choisi de lui parler. Il répondait sans écouter. Une bonne tactique toutefois puisque cela le rendait bavard. Avec un peu de chance, on finirait bien par l'entendre. La lame a atteint ma cuisse gauche. J'ai encaissé sans plainte l'entaille superficielle. Il s'est alors immobilisé, a sorti son revolver et l'a pointé vers moi. J'ai abandonné toute résistance ; j'étais morte. Puis, il a retourné l'arme contre lui et le coup est parti. Dans sa tête. Je ne me suis pas rendu compte quand Kuhaï m'a attrapée dans ses bras. J'avais le corps et la respiration qui sursautaient ; les yeux grands ouverts d'effroi. Je n'arrêtais pas de me répéter que je l'avais tué. On accourait de partout. Bientôt, une foule ;

oppressante. J'ai recouvré mes esprits et j'ai rejoint Maïko, accroupi à côté du corps. L'affrontement grondait entre Kuhaï et Khaï.

— Laisse. L'Alliance ne te concerne pas.

— Faux.

— Tu l'as rejetée !

— Elle est ma femme !

J'ai perdu la suite, alors qu'à ma demande Maïko me montrait le chargeur vide du revolver. Un coup ; une balle. Si j'avais su ; là encore, j'aurais pu sonder et faire en sorte qu'il ne meure pas. J'ai reconnu aussitôt la troisième épreuve de Loup, l'esprit, suivant laquelle la destruction survenait malgré ma volonté. Kuhaï et Khaï venaient de se séparer. Dernière épreuve préparatoire achevée. Il a commencé à pleuvoir. Des gouttes lourdes et distancées.

— Un grain se prépare…

Tant bien que mal, je me suis hissée dans mon hamac pour considérer le ciel au-dessus de nous. Je voyais des étoiles. Pas toutes, mais encore assez… De sa main, Kuhaï m'a rabattue contre lui. Il me caressait. J'ai demandé :

— Que s'est-il passé entre Khaï et toi ?

— La honte. Il nous aura fallu un carnage pour connaître véritablement la honte. À présent, nous devons vivre avec. Nous en portons tous la marque. Khaï ne supporte pas la honte.

Le lendemain matin, au petit-déjeuner, Sieng Paï et Xien Lu nous ont adressé leurs adieux. La reconstruction bien engagée, Sieng Paï considérait leur présence moins essentielle. Un dernier mensonge qu'on leur a accordé. En compagnie de Siam et des siens, ils ont repris, à l'inverse, la route du Sud qui les avait menés à nous.

— Chassés, le serpent et la pomme… m'a chuchoté à l'oreille sœur Thérèse, en gloussant.

Je songeais à la honte. Elle n'excusait rien ; elle expliquait tout.

CHAPITRE XVIII

Walter était mal pris. Il devait se rendre au sud, dans la capitale, et en même temps rejoindre Jenko au nord, dans la Capitale Ouest, celle du pays voisin. Cet écartèlement l'exaspérait. Puisque la fermeture des chantiers ne nécessitait pas ma présence, je lui ai offert d'aller à sa place porter au Ministre le compte rendu des dépenses qu'il devait lui présenter. Un bref aller-retour dans la même journée, en bateau, jusqu'à la capitale que je n'avais pas encore visitée. Le hasard a voulu que je me retrouve sans Protecteur. Je n'ai pas signalé ce détail.

Moins étendue que celle du pays voisin, la Capitale Sud, celle du pays de la Terre, paraissait tout aussi peuplée. Vrai qu'en Asie le silence n'existe pas… Walter avait rendez-vous avec le Ministre à l'heure du midi dans le restaurant de l'hôtel le plus coté de la ville. En me voyant, il a paru surpris. Mais pas mécontent. Assis à ce qui devait être sa table, il était accompagné de sa femme, son fils, sa bru et ses deux petits-enfants d'âge préscolaire; ses gardes du corps occupaient une autre table. Un repas familial… auquel j'ai été conviée. J'ai remis les papiers et nous avons mangé en bavardant gaiement. Au sortir de l'hôtel, l'air gris pesait lourd. Le Ministre a émis le souhait de faire quelques pas; fier de me montrer un peu sa capitale. Les gardes nous suivaient en automobile. Opulence… Pour la circonstance, je portais ma robe boutonnée à l'avant. Ma robe de mariée, celle dans laquelle Kuhaï m'avait prise la première fois, et que je chérissais comme un porte-bonheur… C'est à cet instant qu'est survenu le coup d'État.

La vie est ainsi faite que c'est souvent après qu'on comprend ; dans l'immédiat, on subit sans prédire ses réactions. Tout à coup, des gens armés sont apparus dans les rues en courant, en criant, et ont commencé à tirer dans toutes les directions. J'ai aperçu brièvement les gardes du Ministre qui s'extrayaient en vitesse de l'automobile qui a presque aussitôt explosé. On les a tués. Dans la foulée, on cherchait le Ministre et on a cru qu'il s'était caché quelque part, à l'intérieur d'un hôtel, d'un restaurant, d'une boutique. J'ai profité de ce moment d'égarement pour entraîner l'homme et sa famille dans une rue secondaire. Folie pure dans les rues. Courses, bousculades, hurlements ; de la peur, gravée dans tous les yeux. J'ai fixé l'esprit pour ne pas le détourner de ma destination. Quartiers Sud. Je n'avais jamais mis les pieds dans cette ville, mais le Loup la connaissait. Nous avons parcouru les rues plus ou moins à découvert. Avec l'ombre de la guerre, l'autre j'entends, récemment terminée, tout le monde, ici, possédait une arme. Chacun pouvait devenir une cible. Nous approchions ; plus qu'un boulevard à traverser. Trafic à la fois suspendu et désordonné parce que certains abandonnaient leurs véhicules sur place alors que d'autres, plus téméraires, enjambaient les trottoirs et les terre-pleins avec leurs cyclomoteurs. Un vacarme horrible de ferraille, de klaxons et de crissements de pneus, ponctué d'explosions, de tirs saccadés et de sirènes obsédantes. Parvenus de l'autre côté, non sans peine, nous devions nous engager dans une sorte de ruelle qui descendait vers la mer, au bord de laquelle se trouvaient les Quartiers Sud. Face à une arme que tenait une jeune femme, l'air déterminé. Sans attendre, j'ai usé de mes facultés. L'arme a pivoté dans ses mains, malgré elle, et je m'en suis emparée. À mon tour de la mettre en joue. J'ignorais tout de la guerre et j'entendais bien ne pas m'y adonner. Je l'ai laissée s'enfuir. Et nous avons immédiatement repris notre course vers la porte cadenassée de l'entrepôt. Plus de bateau… Pas le temps de m'en inquiéter. Par la volonté de l'esprit, j'ai fait s'ouvrir le cadenas, et quand tous furent à l'abri à l'intérieur, je l'ai fait se verrouiller derrière nous afin qu'on ne soupçonne pas notre présence. Silence absolu ; de la lumière, et fouiller pour trouver d'autres vêtements et tout objet utile. La route serait longue. L'idée maîtresse était de préparer des paquetages et de se déguiser afin de faire croire à un groupe de paysans arrivés en ville, pris en otages par un homme armé, en l'occurence le Ministre. Sortir de la ville et longer le littoral, jusqu'en Terre Vénérée. Très vite.

Un coup d'État depuis l'intérieur de la capitale. Une stratégie habile et efficace. Durant des mois, ils avaient investi la ville en secret. Qui aurait pu se douter de leur présence, de leur intention d'intervenir juste à la veille de la mousson, le pire moment de l'année, alors que les routes deviendraient bientôt impraticables et les conditions de combat pénibles ? Une bonne façon d'annihiler sans effort toute résistance gouvernementale. Ils s'étaient bien préparés en prévoyant des comités d'accueil partout à travers le pays, considérant que, sous leur pression bien articulée, les forces militaires en place se retireraient progressivement et quitteraient la capitale mêlées à la population civile en perdition. Une fois chose faite, on cueillerait les soldats un à un. Ainsi la guerre s'est-elle répandue, telle une onde de choc, du sud au nord. Nous n'avancions pas assez rapidement, et elle nous a rattrapés. Plus d'une fois, j'ai dû user de mes facultés pour protéger la vie qui changeait de visage. Tout le temps qu'a duré notre fuite, je n'ai pas cessé de sonder. J'ouvrais la marche tandis que le Ministre, armé, la fermait. Il pleuvait. Sans arrêt. À devenir fou. Seul avantage, les bruits de l'eau et de la terre détrempée couvraient les nôtres. J'aurais tant souhaité faire cesser la souffrance dont j'étais témoin. En vain. Il nous aura fallu mentir et voler, nous cacher et, trop souvent, ignorer la douleur des autres, pour survivre et parvenir en Terre Vénérée. Désertée… J'ai sondé l'autre côté du fleuve. La Cinquième Maison avait dissimulé ses femmes et ses enfants dans la jungle. Nous avons résolu de ne pas nous attarder et d'atteindre la frontière. Le groupe avait grossi. Encore deux ou trois heures de marche.

Trop apeurés, exténués après avoir fui durant des semaines, nous ignorions que le conflit avait frappé fort mais brièvement puisque les forces gouvernementales venaient tout juste de reprendre le contrôle de la capitale. Nous l'avons appris de l'autre côté de la frontière que je leur avais fait franchir vers trois ou quatre heures du matin. Cela expliquait pourquoi, à partir de la Ville du Sud jusqu'en Terre Vénérée incluse, nous n'avions vu personne. Pas de combat à l'extrême nord du pays. Préoccupée par les miens, je voulais me rendre au plus tôt aux Quartiers Nord. J'ai laissé le Ministre et sa famille et je suis montée à bord d'un camion de l'armée.

À la porte de la maison de Khaï, j'ai frappé deux coups, signe du Loup. J'étais mouillée et sale ; pas de réponse. Deux autres coups, plus forts. Cette fois, je suis entrée sans attendre. Dehors, il tombait des cordes à travers l'aube, si bien qu'on ne percevait, à l'intérieur, que la trombe d'eau. J'ai failli m'enfarger dans une étendue impressionnante de sandales qui m'a rassurée. J'ai fait mon apparition dans une très belle salle, encore chaussée, dégoulinante, tenant, enroulée dans ma main, ma robe dont je n'aurais pas voulu me départir pour tout l'or du monde. Des sourires. Il y en avait assez pour emplir cent vies… J'ai su que tout le monde, y compris les coopérants, s'était uni dans le seul but de me retrouver. Pour cette raison, personne n'était allé à la guerre ; tous vivants, marchant dans les pas du Loup, là où il n'y avait point de mort ni de blessure… ; regroupés aux Quartiers Nord, à partir desquels ils organisaient des équipes de recherche afin de ratisser par secteurs le pays tout entier. Ce qu'ils étaient en train de faire. Il faut croire que j'avais un don pour me cacher…

Quand Khaï a proposé que j'aille me laver, j'ai refusé net. Assez de toute cette pluie sur moi. Il a alors consulté Kuhaï du regard.

— Hum…

— Je te l'avais dit…

Un échange de sourires amusés, complices, qui m'a fait le plus grand bien. Réconciliation.

La tentative de coup d'État aura fait des victimes. Coupables et innocentes, selon le point de vue… Les humains étant ce qu'ils sont, les puissants et les pauvres sont demeurés puissants et pauvres. Je n'étais pas fière d'avoir contourné les obstacles de la guerre, d'avoir ignoré la souffrance de l'autre pour survivre. Je ne voyais là rien de grand. J'étais confuse, remplie de contradictions. La vie adulte représentait pour moi le défi de soi face à soi-même, cependant que le dépassement de ses limites se faisait par une prise de conscience de soi, de plus en plus aiguë ; ce qui, selon moi, ajoutait à l'être, le rendait responsable. Je n'étais pas certaine d'avoir bien saisi la signification profonde de cette guerre, dont j'avais été témoin, et à laquelle je n'avais pas pris part. À force de réflexion, j'ai fini par comprendre. La honte.

La mousson tirait à sa fin ; j'avais passé presque toute la saison à me sauver et à me cacher. Kuhaï était retourné dans la Capitale Ouest, cependant que j'étais restée chez Khaï, le temps de me refaire une santé physique et psychologique. Peï demeurait avec nous. Tous les trois, nous nous sommes retrouvés. Chacun avait parcouru un bout de chemin en solitaire. À présent, Peï et Khaï savaient tout de moi... Cela nous a rapprochés. Nous nous aimions. Plus profondément que nous ne l'aurions cru. Désormais, j'avais tant à perdre que l'Épreuve de l'Alliance m'apparaissait comme une chaîne de montagnes infranchissable, dressée droit devant, comme pour m'empêcher de percevoir au-delà. Nous avons résolu de reprendre les exercices préparatoires en nous appuyant sur cette affection mutuelle, privilégiée, qui constituait notre force. Solidarité.

CHAPITRE XIX

Dans le ciel, la lumière est réapparue ; la reconstruction a repris. En attendant le retour de la Cinquième Maison, j'ai réintégré mes quartiers, aux abords de la petite cascade, tandis que Khaï et Maïko ont installé les leurs à proximité. Malgré l'abondance de la mousson, l'état de la Terre avait empiré. Au nord-est, comme dans le cimetière, il régnait un froid cru qui me dévorait avidement. Chaque nuit, la douleur de la Terre et de ses Morts, chaque jour, l'Épreuve de l'Alliance me tourmentaient. Sans répit.

— Khaï !

Il a ouvert grands les yeux.

— Je ne me sens pas bien…

Je serrais les lèvres ; les yeux mouillés. D'un bond, il s'est redressé, a fait basculer ses jambes dans le vide. Assis dans son hamac, très inquiet.

— Qu'est-ce que tu as ?

J'ai serré encore plus fort les lèvres et lui ai montré la paume de la Main de Loup. Au centre, plus de tache brune… du sang, vif, rouge, qui surgissait au travers de la peau, puis se retirait, au rythme des battements de mon cœur.

— Accrocher, Petit Loup, on va te faire passer ça.

Il m'a menée jusqu'au cimetière et m'a fait agenouiller à ses côtés, tout contre lui, sur la dalle blanche. Le temps s'égrenait, et je priais de toutes mes forces.

— Hum... qu'est-ce que tu leur dis pour qu'ils mettent autant de temps à répondre?... Peut-être faut-il prier tout haut?... Fais-moi entendre.

Je n'en revenais pas. À quoi il jouait, là? Je me suis quand même exécutée.

— Voici le Loup bien emmerdée qui...

Il a pouffé de rire. Franchement agacée, j'ai soupiré profondément.

— Emmerdée?...

Tout son être riait. J'ai alors pris conscience de la situation : je pissais le sang, par la main s'il vous plaît, dans un cimetière à l'autre bout du monde, et je faisais part aux Morts de cet « emmerdement ». Je me suis mise à rire avec lui, et il a fait glisser son doigt le long de mon nez, signe de taquinerie. J'ai voulu lui rendre la pareille en plaquant ma main contre sa poitrine nue. Du coup, plus de douleur ni de sang au creux de la paume. Plus de rires non plus.

— Le Tigre!...

J'avais du mal à respirer.

— Toi!

Comme moi, Khaï avait toujours désiré que l'Impondérable se révèle dans le non-dit. Il venait de le faire. Alors, il m'a raconté ce que je savais, mais qu'il tenait à me dire :

— Quand ils sont arrivés, personne ne les attendait au village. Ils étaient nombreux; des hommes, des femmes et des enfants, garçons et filles; armés. Il y a eu discussion entre leur chef et le nôtre. Pour clore, notre chef a reçu une balle dans la tête. Le claquement a semé la folie et ils se sont mis à tirer n'importe où. Certains d'entre nous tombaient. Mon père est entré dans la maison où je me tenais contre ma mère. Il m'a pris dans ses bras; accroché que j'étais. Et il m'a mené au-dehors, derrière la maison qui nous cachait des autres. « Cours », m'a-t-il commandé en pointant son regard vers la jungle. « Cours droit devant, sans t'arrêter ni te retourner. » Je me suis enfui, terrorisé, au moment où ils entraient dans nos maisons pour nous faire sortir et nous rassembler dans le grand champ au hangar. J'ai soudainement songé à ma mère, à mon père, à nous tous, et j'ai eu peur. Seul. J'ai rebroussé chemin. Parvenu au grand champ, je me suis caché, et j'ai vu. Une fille d'à peine seize ans a enfoncé la baïonnette de son fusil dans le ventre de ma mère enceinte, puis elle a fait feu, sous les yeux exorbités de mon père qui, comme notre chef, a pris la balle d'un autre dans la nuque. Dans le grand champ, ils les ont tous exécutés. Ensuite, ils ont brûlé nos maisons ainsi que tout ce qui nous avait appartenu. Enfin, ils sont partis, droit devant, sans s'arrêter ni se retourner. Pendant le reste du jour et la nuit suivante, je les ai tous enterrés dans le cimetière, sous la pluie. Après, je pleurais, exténué, au-dessus de mes parents. Et je t'ai vue, petite fille blanche, avec ce sourire que tu portes encore et qui me bouleverse tant. Depuis cet instant, je vis avec toi; tout le reste a cessé d'exister.

Je me rappelais… J'ai rassemblé mes forces intérieures et j'ai murmuré, en fixant le creux de ma main :

— Engagement…

Il m'a ramenée dans mes quartiers. J'ai pleuré tout le temps pendant qu'il me serrait très fort. Il m'a veillée jusqu'au matin.

Khaï avait reçu au Sanctuaire la révélation qu'il était le Tigre. Au moment où, au plus grave de la maladie, je l'avais mis dans la neige. Comme pour moi, il avait reçu le commandement de se taire. Je me suis demandé si Khaï savait en quoi consistait l'Épreuve de l'Alliance. Il l'ignorait. À mon tour de me taire. Pour mon plus grand malheur. Désormais, ma vie reposait sur la seule volonté de l'Impondérable. À moi de croire…

Les jours suivants furent une agonie qui, au lieu de connaître son aboutissement, se prolongeait en une obsession. Khaï interrompait de plus en plus souvent ses activités pour savoir comment j'allais. Je passais mon temps à regarder la Main de Loup. Elle avait repris son apparence tachée. J'étais tendue et distraite. À peine si je voyais, si j'entendais, autour de moi. Malgré notre silence, Peï et Kuhaï se sont aperçus que nous étions très préoccupés. Ils n'ont pas insisté; ils avaient compris. Peu à peu, je me suis immergée dans un autre monde. Je priais mon Dieu. Qu'il me préserve.

Dimanche matin. Début du sixième jour depuis la reconnaissance entre le Tigre et le Loup. Quartier libre pour tous, mais personne ne semblait avoir l'intention d'en profiter. Généralement, plusieurs s'absentaient le dimanche pour rejoindre leurs familles, aux Quartiers Nord ou de l'autre côté du fleuve, cependant que les coopérants s'adonnaient au tourisme. Pas de paquetages. L'inquiétude qui s'était emparée de Khaï et de moi et qui, à présent, nous dominait avait fini par gagner tous les esprits. Et la Terre n'en finissait plus de mourir... Olivier et Francis m'avaient fait part de leur découragement. La Terre était trop sèche. Pourtant, il avait plu abondamment. Olivier commençait à craindre qu'il soit impossible d'y faire germer quoi que ce soit. Impression douloureuse que la Terre nous rejetait. Comme si nous en étions indignes. J'ai détesté ce sentiment et refusé que la vie renie le courage de ces hommes engagés dans l'Alliance. Alors, je suis partie avec Pyjama, à la recherche d'un peu d'espoir. Comme en toutes choses pour le Loup, j'ai suivi mes propres pas. Ils m'ont conduite au sud, non loin du secteur que nous avions déminé. J'ai pénétré plus avant dans la jungle, vers l'est. J'ai senti que l'air changeait. Mouillé. Pas de doute, l'eau était proche. Pourtant, la Terre demeurait cendreuse et il n'y avait aucune trace de cours d'eau ici. J'ai décidé de sonder en marchant. Et je me suis retrouvée en un lieu étrange, enfoui dans la jungle. Encerclée par des racines d'arbres immenses, qui s'étendaient sous la forme de tentacules distordus : une pierre plate, oblongue, visiblement taillée, qui m'a rappelé, non sans effroi, le couvercle d'un cercueil... À l'aide de la dague, je l'ai dégagée grossièrement de la végétation qui l'enserrait. Après, je me suis agenouillée dessus et j'ai posé la Main de Loup en son centre. La nappe s'étendait en superficie et en profondeur à perte de vue, et le débit dépassait tout ce qu'on aurait pu envisager en cette partie du monde cruellement privée d'eau potable. Une source naturelle, si pure et si abondante qu'elle paraissait intarissable. Ainsi donc, voilà ce qu'on cherchait... Vrai qu'il y avait là une fortune colossale pour ceux qui la vendraient à des générations d'assoiffés. Vite prévenir les autres !

À découvert, Pyjama était en train de se rouler sur la terre. Lorsqu'il s'est redressé sur ses pattes, je me suis aperçue qu'il scintillait. J'ai sondé le sol. L'espoir m'a quittée comme l'eau à travers les doigts. Il y avait tellement d'or que c'en était écœurant. Le gisement s'étendait en superficie et en profondeur à perte de vue. Je l'ai longé du côté ouest. Jusqu'au cimetière. À cet endroit, tout juste trois ou quatre mètres de terre ; presque à portée de la main… sous les restes des Morts qu'il m'était brusquement accordé de voir. *Le Loup fera jaillir l'eau qui noircira la lumière.* À cet instant précis, je les ai tous maudits d'avoir su et de s'être tus.

J'ai surpris les hommes au bain, dans la baie. Hu ne s'est pas gêné pour me rabrouer. Je n'ai rien écouté et ma voix a résonné haut et fort.

— Maîtres des cinq Maisons, je vous veux dans les quartiers de la Maison de Loup. Tout de suite !

J'ai tourné les talons et je me suis rendue dans les quartiers. À l'intérieur, je marchais de long en large en essayant de contenir ma fureur. J'aurais tout cassé. Ils n'ont pas traîné. Ils se sont présentés à moitié habillés et essuyés. Ils ont pris place à la table. Mon cœur battait fort ; je ne parvenais plus à chasser l'air de mes poumons. Je gonflais de peine et de colère. J'ai commencé à marcher en décrivant un cercle autour de la table. Et puis, j'ai éclaté.

— Pourquoi se donner le mal de chercher quand on dispose d'un Loup qui peut trouver ?… Gratuitement ! Plus que l'égocentrisme qui aspire le monde à soi, l'égoïsme transforme le monde en un petit moi. Mercantile ! Terre Vénérée… ah !… Vénérée parce que renfermant un secret que personne n'ignorait !

J'ai marqué une pause pour les regarder. Leurs yeux me disaient que je ne m'étais pas trompée… qu'ils m'avaient bel et bien trompée.

— On attendait, patiemment, que le Loup sonde, patiemment… J'ai sondé ; j'ai trouvé. Vous êtes richissimes. En eau potable…

Soulagement et satisfaction générale.

— … et en or. Qu'aucun d'entre vous ne parviendra à épuiser de son vivant. Des milliards ; dans l'unité monétaire de votre choix. Vous saviez !

Candeur des Morts, fourberie des vivants ; il ne me restait plus que la douleur.

— Vous n'avez pas idée de ce que vous avez défait. J'ai dit que si la cause était juste, je m'engagerais. Jusqu'à donner ma vie. Je vais me retirer. Quelques jours. Pour prendre ma décision dont je vous ferai part à mon retour, et je vous révélerai alors où se trouve votre précieux or.

— S'il vous plaît…

J'en avais plus qu'assez.

— Vous êtes pires que la guerre !

Trop tard pour me désengager ; trop tôt pour mourir…

Peu de temps après que je les eus quittés, Kuhaï est sorti, et la Cinquième Maison fut la première à se retirer. Taïn, Hu, Itsuki et Khaï sont restés à discuter durant plus d'une heure. Personne n'a su de quoi, mais à la tombée de la nuit, quatre Maisons, une équipe de coopérants et un Loup préparaient leurs paquetages. Tous s'apprêtaient à quitter la Terre. Réfléchir…

CHAPITRE XX

Comme toujours, Kuhaï était parti sans dire au revoir. Sa façon de m'exprimer son respect à l'égard de mon désir d'être seule. S'il y avait eu désaccord, il m'en aurait fait part avant son départ. Il demeurait avec moi. Je ne pouvais plus en dire autant de Khaï. J'étais déçue ; je ne comprenais pas. Le Tigre, mieux que quiconque, savait à quel point l'Alliance n'était pas une fiction, et cela ne l'avait pourtant pas empêché de m'entraîner dans cette sordide histoire. Un seul mot suffisait à la résumer : trahison. J'ai songé à l'aura du Tigre qui, selon les Écrits, renfermait toutes les couleurs. Nous avions cru au blanc alors qu'il s'agissait des couleurs du spectre lumineux. L'aura de Khaï... Eau et lumière. Ce que j'avais trouvé au sein de la Terre. Tout se tenait. *À la Terre des Morts, nul ne touchera hormis le Tigre et le Loup.* L'Épreuve de l'Alliance impliquerait-elle un affrontement, combat ultime entre le Tigre et le Loup ? Cela me paraissait improbable dans la mesure où l'Alliance scellée nécessitait la présence du Tigre et du Loup. Sauf si, bien sûr, l'Alliance n'avait plus aucune importance et donc ne devait pas survenir. En ce cas, je ne serais plus là... *Telle sera l'Épreuve de leur mérite.* Était-il possible de mourir d'amertume ; n'était-ce pas cela la mort sans fin ?...

De toute la nuit, je n'ai pas dormi. Dès l'aube, ils ont commencé à s'en aller par petits groupes. Pas de Sambok, ce matin. Pour la première fois. Pas de petit-déjeuner non plus. Au lieu d'atteindre le sentier principal qui menait à la piste nord, depuis ses quartiers, Khaï a choisi d'emprunter un raccourci en passant par les miens. Je terminais mon paquetage, contenant toutes mes affaires. Sauf le Bâton de Loup et la dague, que j'avais dissimulés tout près, quelque part dans la jungle. Me détacher, me réapproprier mon identité; mon existence. Ma vie et ma mort. Il s'est immobilisé. Je me suis redressée. Il me regardait.

— Tu es si... parfaite.

Ça m'a sciée. Comme dans les dessins animés. Lorsqu'un personnage, d'un coup de hache sur la tête d'un autre, le scinde en deux, et qu'alors les deux moitiés tombent chacune d'un côté. Rupture. J'ai mis des heures à m'en remettre. Je n'ai pas su qu'il était parti. Je me demande même si je clignais des yeux, si je respirais encore. Tant je suis restée figée au-dedans. Parfaite... parfaite... parfaite... Sa voix me retombait dessus, inlassable. Il devait être près de huit ou neuf heures lorsque j'ai repris contact avec la réalité. J'ai laissé là mon paquetage et je me suis rendue sur la pointe. J'ai sondé la Terre. Dépeuplée. Puis l'autre rive. Kuhaï avait pris soin de poster un homme en sentinelle, muni de jumelles pour observer les déplacements de ce côté-ci du fleuve. Je n'ai pas fait signe à l'homme qui me voyait; il comprendrait que je serais la dernière à partir. J'avais résolu de me rendre aux Quartiers Est. Quand j'ai regagné mes quartiers, ils avaient déjà vidé mon sac et fouillaient dans mes affaires. Ils étaient trois, Occidentaux. Le Ministre avait sans doute essayé d'empêcher le contrat d'être exécuté. En vain. L'Épreuve de l'Alliance venait de commencer.

* * *

« Pas d'engagement sans compassion. Nous sommes tous liés, nous formons une chaîne humaine au-delà de l'espace et du temps, et en ce sens, nous sommes tous responsables. Tenus de demander pardon et de réparer, c'est-à-dire de nous réconcilier et de reconstruire ce qui aura été détruit. Tel devrait être notre engagement, celui de l'humanité. » Michelle me disait ce qu'on ne m'avait jamais dit. Elle me faisait vivre comme je n'avais jamais vécu...

— Kuhaï ! Quelque chose d'anormal...

En effet, je percevais des cris bizarres, une sorte de bramement. Nous avons couru jusqu'au rivage.

— Sur la pointe...

J'ai regardé avec les jumelles. L'animal oscillait de droite à gauche, allant et venant de côté, en poussant ses lamentations au fleuve. J'ai sauté dans une embarcation et j'ai traversé l'eau. Le tigre m'a conduit à elle.

* * *

Attachée à des arbres. Le corps nu, en croix de Saint-André. Je me rappelais qu'au Sanctuaire j'avais ressenti une impression nébuleuse de déjà vu... *Au Loup, trois douleurs, l'Homme infligera* ; trois mercenaires... Mes forces me quittaient, j'avais froid et moins mal. Ma fin ne serait pas des plus glorieuses. Dans quelques jours, à leur retour, ils trouveraient mon corps battu et souillé, en décomposition. Rien qu'on lui ait épargné. Et rien pour témoigner de la sérénité de mon esprit au dernier instant, non plus que de l'amour dans mon cœur que j'avais cru de pierre. Pas davantage pour leur exprimer mes pensées, leur dire qu'ils étaient là, avec moi, et pour les rassurer sur le fait qu'à mon tour je demeurais avec eux. À jamais et au-delà de la mort. Au revoir, Gros Minou Khaï... Encore un peu de ce côté-ci de la vie afin de regarder une dernière fois. Ton visage. Je lui ai souri. Dieu que je t'aime, Kuhaï !...

* * *

Malgré tout ce qu'on lui avait infligé, elle vivait. Encore ! J'ai coupé les liens qui la retenaient, je l'ai prise dans mes bras et je l'ai menée dans ses quartiers. Je voulais la laver de son sang, la purifier des crachats, de l'urine, des excréments, du sperme ; de toutes les immondices avec lesquelles ils l'avaient profanée. En arrivant, j'allais l'étendre par terre quand le sang s'est mis à couler de son nez, de ses oreilles, de ses yeux, de chaque orifice, puis de chaque pore de sa peau. Elle se transformait en une plaie béante.

* * *

Je suis revenue à moi pour m'apercevoir que j'étouffais, les poumons, la gorge et la bouche emplis de sang. Plus d'air… Je meurs ! Je suis debout. Je vais bien. J'ai abandonné mon corps. Ils sont là, dans la lumière. Ils m'accueillent, les Habitants de la Terre. « Pas d'autre que toi… » me disent-ils. Jamais je ne me suis sentie autant aimée. Je peux embrasser toute la Terre Vénérée, et voir cinq Maisons et les coopérants sur le chemin du retour. Je sais : les uns indépendamment des autres, ils ont tous choisi librement de revenir. Quand le jardin intérieur et la Terre se rencontrent, se reconnaissent et s'unissent, l'être est apaisé et une nouvelle perspective s'offre à lui : l'engagement.

Jamais de mémoire d'homme un pareil cri n'aura été entendu. Le visage en pleurs, Kuhaï, maculé de mon sang, a hurlé sa douleur qui m'a ramenée de ce côté-ci de la vie, celui de la Terre.

Khaï est accouru le premier. Je respirais. Après avoir vomi une quantité impressionnante de sang. J'avais cessé de saigner. J'avais le corps blessé. On m'avait injuriée, giflée, frappée, battue à coups de bâton, sodomisée ; on s'était même permis de jouer au tic-tac-toe à la pointe du couteau sur ma peau. L'Épreuve avait duré plusieurs heures. Kuhaï et Khaï sont restés auprès de moi toute la nuit, cependant que les cinq Maisons, les coopérants, Lamaï et Hong, que les Maîtres des Maisons avaient résolu de faire venir, priaient. Dans le grand champ au Bouddha, à chacun sa langue, ses croyances et son Dieu.

Durant ma convalescence, les travaux de construction ont été suspendus et tous, un par un, sont venus me voir et me parler. Khaï est demeuré avec moi ; vingt-huit jours et vingt-huit nuits. Un cycle de vingt-quatre heures pour chaque page scellée. Kuhaï était disparu, parti seul à la recherche des trois coupables…

Comment vivre sereinement de ce côté-ci de la vie en sachant qu'à tout instant la mort peut survenir ? L'expérience de la mort ne m'avait pas vraiment changée. Je restais la même, avec mes capacités et mes limites. En écoutant la connaissance de l'autre, en acceptant d'accueillir la différence de l'autre, celle qui nous fait grandir, j'avais déjà appris, à mon insu, que la mort n'existait pas. Raison pour laquelle chacun d'entre nous pouvait prétendre donner sa vie.

Ce matin-là, je faisais Sambok, seule dans mes quartiers. Après une longue interruption. Je n'étais pas encore très forte; mais vivante. Les hommes étaient réunis dans le grand champ au hangar. Petit Sambok; à cinq temps, pour Khaï et moi. Pyjama se comportait plus fébrilement qu'à l'accoutumée. Il n'arrêtait pas de mettre son odeur en se frottant contre moi. Fébrile et indiscipliné. Si bien que j'ai fini par perdre l'équilibre. Résultat : les deux demi-bâtons de Petit Loup se sont entrechoqués un temps en retard. Les hommes poursuivaient; j'ai cessé net. J'ai vérifié. Puis je me suis rendue dans le champ au Bouddha. Plus aucun doute. J'ai surgi dans le grand champ au hangar en courant. Pyjama courait dans mes jambes, pensant que je voulais jouer. Les hommes se sont interrompus, l'air très contrarié. Je me suis plantée devant Khaï.

— Suis-moi !

J'allais me remettre à courir quand je me suis aperçue qu'il ne bougeait pas. Je l'ai pris par la main et l'ai contraint à courir avec moi.

— Regarde !

La sculpture de pierre représentait Bouddha assis, les mains disposées suivant *le geste qui rassure.* À mon arrivée en Terre Vénérée, j'avais mêlé, dans sa main posée à plat, un peu de cette terre agonisante et celle que j'avais apportée de mon pays, suivant une révélation que j'avais reçue avant mon départ pour l'Asie. La pluie de la mousson aurait dû laver la main. Au lieu de cela, quelque chose y avait germé. Une pousse, vert tendre, d'environ quatre centimètres.

J'ai relevé mon tee-shirt pour lui montrer mon ventre, et je me suis retournée afin qu'il voie mon dos : plus de plaies, ni de cicatrices. Disparues les blessures de mon corps qui portait la douleur. Plus de tache au cœur de la Main de Loup.

— Oh… mon Petit Loup, l'Alliance… Tu as réussi!…

J'étais si heureuse que je n'ai pas remarqué tout le monde qui nous avait rejoints. Incapable de contenir ma joie, maintenant je pouvais tout dire :

— Des oiseaux dans le ciel, des singes aux branches des arbres, des fleurs et des fruits, des moustiques et des serpents, des poissons, des tas de bestioles, des Pyjamas, de l'eau potable, une Terre enfin fertile ; la vie est revenue !

Au sixième temps, l'Alliance. En faisant claquer mes demi-bâtons un temps en retard, le sixième temps était survenu. Tel qu'il était inscrit dans les pages scellées. Le corps, le cœur et l'esprit. L'être, en ses trois dimensions unies, indissociables, demeurait au-delà de la mort. Il continuait d'exister. De même qu'en la matière était contenue l'énergie, de même cette dernière pouvait donner naissance à la matière. Résurrection. Parce que c'est dans l'essence de la vie que d'exister.

Selon les Écrits, la Terre Vénérée revenait de droit au Loup. Or, le Ministre considérait qu'il avait une dette envers moi. Il s'en est acquitté. C'est Jenko qui nous a annoncé la nouvelle en nous présentant un document attestant que les droits de propriété et d'exploitation m'étaient accordés en propre. Je n'avais nulle intention de posséder la Terre. J'ai donc cédé tous mes droits aux cinq Maisons dont les gens connaissaient mon détachement. Je renonçais au pouvoir ; pas envie de passer le reste de mes jours à gérer ce que j'estimais être le bien d'autrui. Ils se sont alors inquiétés de ce que je déciderais de faire. Je les ai laissés reprendre les travaux, et je me suis retirée dans mes quartiers pour me pencher sur la question.

Il subsistait un détail qui me préoccupait. Lamaï était arrivé les mains vides. Où donc se trouvaient les autres objets, ceux qui étaient sous clé dans la salle de l'Alliance, au Sanctuaire, et qu'il devait m'apporter ? À ses dires, il les avait confiés à Sieng Paï. Puisque cela m'intriguait, j'ai fixé l'esprit sur les objets destinés au Tigre et au Loup. Et je les ai retrouvés. Enterrés aux confins nord-est de la Terre. Sieng Paï les avait cachés, persuadé dans ses superstitions qu'il mettrait ainsi un frein à l'accomplissement de l'Alliance. J'ai été très étonnée de découvrir de quoi il s'agissait. Vrai que dans les pages scellées, l'identité féminine du Loup était clairement précisée. Or, j'étais la seule à avoir lu ces pages. Des parures nuptiales... Depuis le début, ils savaient tous que le Loup serait une femme. Sceller l'Alliance signifiait, dans l'esprit des Anciens, le mariage entre un Tigre-Roi et une Loup-Reine, appelés à régner sur des sujets, en un royaume... *parfait.* Une prophétie romancée qui avait bien failli me coûter la vie. La vraie. À présent, je disposais du bâton, de la dague et des robes; cependant que j'avais déjà confié à Lamaï les alliances qui s'étaient échappées du Bâton de Loup lorsque je l'avais scindé, pour la première fois, au Sanctuaire. J'ai remis tous les objets à Khaï.

— J'ignore comment sceller l'Alliance autrement.

— Hum... Moi aussi. Ce qui devait être a été accompli. Le temps nous dira...

Rire un peu, pour oublier la chance que je n'aurai pas de te connaître, Petit Kumi... Pyjama est venu s'asseoir à mes côtés et je lui ai décrit mon dessin colorié.

— Il y a là Kuhaï, Petit Kumi, Michelle, avec Gros Minou Khaï dans son jardin intérieur, et Pyjama. Dans notre maison.

— Cette maison, elle est loin?

Ta voix... J'ai tendu le bras et pointé mon index dans la direction. De l'autre côté du fleuve... Kuhaï s'est approché; Pyjama ronronnait.

— J'aurais tué pour toi. Mais je me suis dit que tu ne voudrais pas d'un homme qui tue.

Sache que seul le Loup peut apaiser l'esprit du Tigre qui se meurt.

Sache que seul l'esprit apaisé du Tigre peut rendre vie au Loup qui se meurt.

Qui donc était le Tigre? Selon Kuhaï, c'était Pyjama. Parce que sans son intervention, je serais morte, à bout de forces. Selon Khaï, c'était Kuhaï. Parce que c'était son cri désespéré qui m'avait rappelée à la vie. Selon moi, c'était Khaï. Parce qu'il portait les deux signes de reconnaissance mentionnés dans les Écrits. Le premier, la concordance des naissances. Suivant le décalage horaire, moi en Amérique et lui en Asie, nous étions nés au même instant. Le second, la concordance des mains. Nos lignes étaient parfaitement identiques. Le Tigre et le Loup ne renfermaient qu'une seule et même identité. Kuhaï, en revanche, n'apparaissait ni circonstancié, ni déterminé ; il incarnait l'Impondérable qui marquait l'Alliance de son caractère exclusif. J'avais choisi l'Impondérable, tout ce que le Loup ignorait. Donner sans attente de retour. *Ainsi qu'une seule et même Épreuve.*

Khaï avait résolu de se retirer chez lui, aux Quartiers Nord ; j'avais choisi de rester. Il m'a souri. Caresse-tendresse, caresse-tristesse. Puis, il s'est engagé dans le sentier menant à la piste nord. J'ai continué à rassembler mes affaires. J'allais déménager, m'établir de l'autre côté du Grand Fleuve. Une épouvantable boule s'est forgée dans ma gorge. J'ai tout laissé en plan et je suis partie à sa poursuite en courant. Il avait déjà rebroussé chemin. En m'apercevant, il s'est départi de son sac à dos et s'est mis à courir à ma rencontre. Je me suis élancée dans ses bras. Accrochée.

— Je t'aime, Gros Minou Khaï !...

Je pleurais en le serrant aussi fort que je le pouvais, aussi fort qu'il me serrait.

— Avec toi, mon Petit Loup.

Nos lèvres, pressées les unes contre les autres, nous ont alors dit tout l'amour qui nous unissait. Je ne devais plus le revoir. Durant sept années.

CHAPITRE XXI

Passer sa vie à se cacher… ou vivre au grand clair de soleil et de lune. Cela nous avait réussi; Kuhaï et moi… Presque quatre enfants, en comptant Kumi que nous avions décidé de conserver vivant dans notre mémoire, et celui que nous attendions. D'un jour à l'autre. Entre les deux, deux garçons aux yeux bridés, magnifiques, qui gambadaient à travers la grande maison que Kuhaï avait construite. Beaucoup d'excitation ce matin-là puisque c'était jour d'inauguration officielle en présence de tous ceux qui avaient participé à la reconstruction et au repeuplement de la Terre Vénérée. Pendant toutes ces années, nous n'avions pas chômé. Aujourd'hui, chacun récolterait la fierté de ce qu'il avait accompli.

Bonheur des retrouvailles. Cinq Maisons, une équipe de coopérants, un Loup et un Gros Minou dont je m'étais mortellement ennuyée. Grâce à Kuhaï qui avait entretenu le contact, Khaï et moi entendions parler l'un de l'autre. Après un certain temps, Kuhaï lui avait présenté les enfants. Oncle Khaï, à qui les petits disaient tout sans retenue…

— Quand le bébé sera grand, papa va mener maman dans le désert…

— Pour faire une espérence senselle…

— Espérience sensuelle, il faut dire!

— Hum…

Son sourire était comme la rencontre de l'eau et du soleil; apaisant.

— S'il vous plaît… Sambok, ce sera bientôt l'heure. Dommage que tu ne puisses te joindre à nous, Lu.

— Maman, elle fait Sambok tous les dimanches soir, à neuf heures.

J'ai vu les yeux de Khaï. Il ignorait, mais savait ce que cela signifiait. Pour la circonstance, ils ont ouvert Sambok. Impressionnant à regarder et à entendre, même si les hommes nous tournaient le dos. La journée s'est prolongée en goûters, promenades et douces discussions. En soirée, Khaï, Kuhaï et moi, nous nous sommes retrouvés sous la pleine lune, au bord de l'eau, dans la baie. Cette dalle, comme elle était chaude!…

— Oh!…

Les lèvres pincées, les yeux agrandis, j'ai regardé Kuhaï. Je venais de perdre les eaux.

— Ici plutôt qu'ailleurs, ça pose un problème?… lui ai-je demandé timidement.

— Non, MaMiche. Un endroit en particulier que tu aimerais?

— Là…

— Sur la dalle?!…

Les deux hommes se sont dévêtus et m'ont aidée à me déshabiller. Ils m'ont transportée tant bien que mal jusqu'à la dalle. Les contractions avaient commencé. Khaï s'est installé derrière moi pour me servir d'appui et Kuhaï, devant, pour accueillir l'enfant. Lumière argentée sur l'eau tiédie par le soleil au point qu'on ne la sentait pas sur la peau. Un lieu, un temps; irréels…

— Pour toi, mon frère.

Kuhaï a tendu à Khaï la petite Lu qui respirait afin de couper le cordon ombilical.

— Oh, Petit Loup, regarde!…

Yeux de Loup…

Première naissance en Terre Vénérée depuis le sixième temps. *Au septième temps, quatre fois vérité scelleront l'Alliance ainsi qu'une seule et même Vérité.* Sept ans... Quatrième enfant... Khaï le Tigre, Michelle le Loup, Kuhaï l'Impondérable venaient d'assister au miracle de la Vie dont nous sommes tous issus.

En se présentant à l'inauguration, Khaï était prêt à revenir pour de bon. Construire sa maison, s'établir en Terre Vénérée. Ce qu'il a fait, avec l'aide de Maïko et de Kuhaï qu'il considérait comme ses frères.

Kuhaï et moi aurons vécu intensément. Il est mort subitement, sans douleur, dans la nuit, dans mes bras. J'ai beaucoup pleuré, mais je ne me suis pas effondrée puisque, avant de mourir, il m'avait dit au revoir. Pour la première fois. Sa façon de me signifier qu'il ne me quitterait jamais. J'ai libéré ses cendres à l'endroit même où il avait libéré celles de Kumi. Je continuais de croire qu'il fallait être libre pour s'engager et pour le demeurer. Dieu sait combien nous aimions la liberté ! Après sa mort, je suis demeurée seule tandis que nos enfants avaient tous choisi de vivre avec leurs familles en Terre Vénérée. Khaï venait me rendre visite tous les jours. Nous avons finalement résolu de retourner aux Quartiers du Grand Nord, là où nos chemins s'étaient croisés. Nous devions nous absenter quelques mois, nous sommes revenus au bout de deux semaines. Nous appartenions à la Terre. Et nous y avons entrepris notre vie commune.

* * *

On a retrouvé Khaï et Lu, assis dans un fauteuil berçant, dans la maison érigée sur le site même de la maison natale du Tigre. Conformément à leur volonté, nous les avons enterrés, au pied de l'arbuste à fleurs blanches, dans le cimetière où, soixante-dix années auparavant, un enfant de la guerre avait déposé sa douleur.

À vous que je ne connais pas
Et qui savez la guerre que j'ignore
Je demande pardon

Table des matières

MISE EN PAGES ET TYPOGRAPHIE :
LES ÉDITIONS DU BORÉAL

ACHEVÉ D'IMPRIMER EN JANVIER 2004
SUR LES PRESSES DE L'IMPRIMERIE AGMV MARQUIS
À CAP-SAINT-IGNACE (QUÉBEC).